4단계B 완성 스케줄표

공부한 날	주	일	학습 내용
월 일	1주	도입	1주에는 무엇을 공부할까?
		1일	약속대로 계산하기
월 일		2일	시간 구하기
월 일		3일	거꾸로 생각하여 계산하기
월 일		4일	조건에 맞는 분수의 덧셈과 뺄셈
월 일		5일	삼각형의 세 변의 길이의 합
		특강 / 평가	창의·융합·코딩 / 누구나 100점 테스트
월 일	2주	도입	2주에는 무엇을 공부할까?
		1일	크고 작은 삼각형 찾기
월 일		2일	삼각형의 이름
월 일		3일	단위 사이의 관계
월 일		4일	숨겨진 수 구하기
월 일		5일	전체 길이 구하기
		특강 / 평가	창의·융합·코딩 / 누구나 100점 테스트
월 일	3주	도입	3주에는 무엇을 공부할까?
		1일	수선과 평행선의 수
월 일		2일	가장 먼 평행선 사이의 거리
월 일		3일	만들 수 있는 사각형
월 일		4일	가장 작은 사각형 만들기
월 일		5일	꺾은선그래프 해석하기
		특강 / 평가	창의·융합·코딩 / 누구나 100점 테스트
월 일	4주	도입	4주에는 무엇을 공부할까?
		1일	꺾은선그래프 바르게 그리기
월 일		2일	꺾은선그래프의 활용
월 일		3일	정다각형의 변과 각
월 일		4일	대각선을 이용한 문제
월 일		5일	모양이나 평면 채우기
		특강 / 평가	창의·융합·코딩 / 누구나 100점 테스트

공부한 날을 표시하고 하루하루 학습 내용을 살펴보세요.

Chunjae
Makes
Chunjae

기획총괄	김안나
편집개발	김정희, 이근우, 서진호, 한인숙, 최수정, 김혜민, 박웅, 김현주
디자인총괄	김희정
표지디자인	윤순미, 안채리
내지디자인	박희춘, 이혜미
제작	황성진, 조규영

발행일	2021년 4월 15일 초판 2021년 4월 15일 1쇄
발행인	(주)천재교육
주소	서울시 금천구 가산로9길 54
신고번호	제2001-000018호
고객센터	1577-0902

※ 정답 분실 시에는 천재교육 홈페이지에서 내려받으세요.

※ KC 마크는 이 제품이 공통안전기준에 적합하였음을 의미합니다.

※ 주의

책 모서리에 다칠 수 있으니 주의하시기 바랍니다.

부주의로 인한 사고의 경우 책임지지 않습니다.

8세 미만의 어린이는 부모님의 관리가 필요합니다.

똑 똑 한 하루 사고력

창의·융합·서술·코딩

초등 수학 4B

4학년 수준

구성 및 특장

똑 똑 한
하루
사고력

어떤 문제가 주어지더라도 해결할 수 있는 능력,
이미 알고 있는 것을 바탕으로 새로운 것을 이해하는 능력
위와 같은 능력이 사고력입니다.

똑똑한 하루 사고력

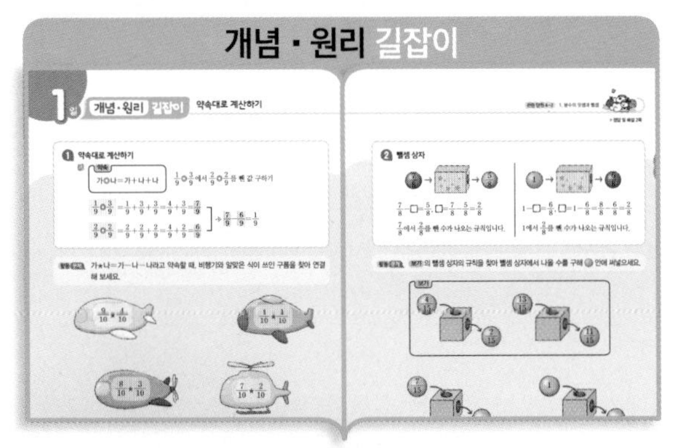

개념과 원리를 배우고 문제를 통해 익힙니다.

하루에 6쪽씩
하나의
주제로 학습합니다.

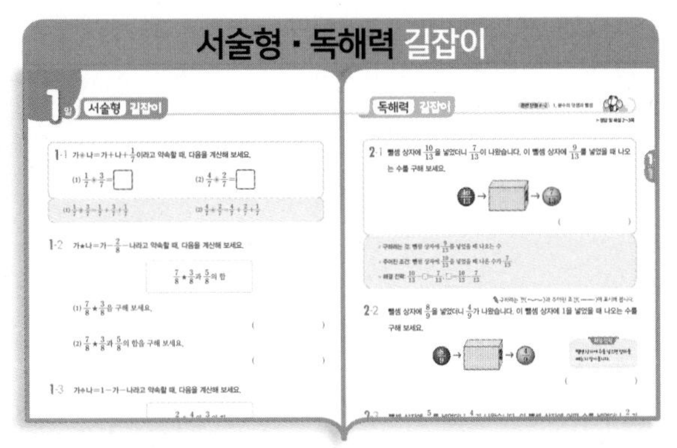

서술형 문제를 푸는 연습을 하고 긴 문제도 해석할 수 있는 독해력을 키웁니다.

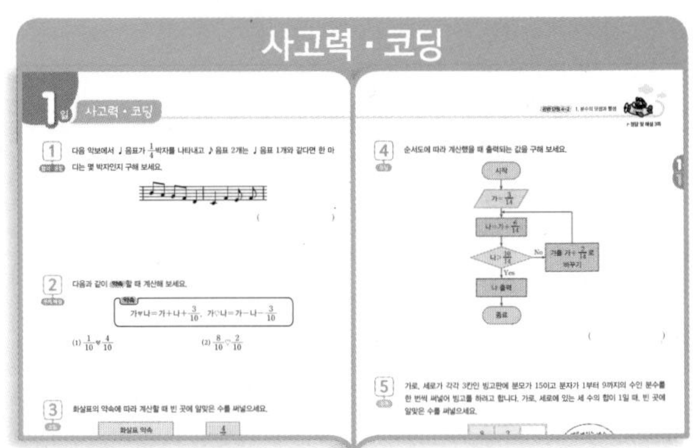

한 주 동안 학습한 내용과 관련 있는 창의·융합 문제와 코딩 문제를 풀어 봅니다.

똑똑한 하루 사고력 특강과 테스트

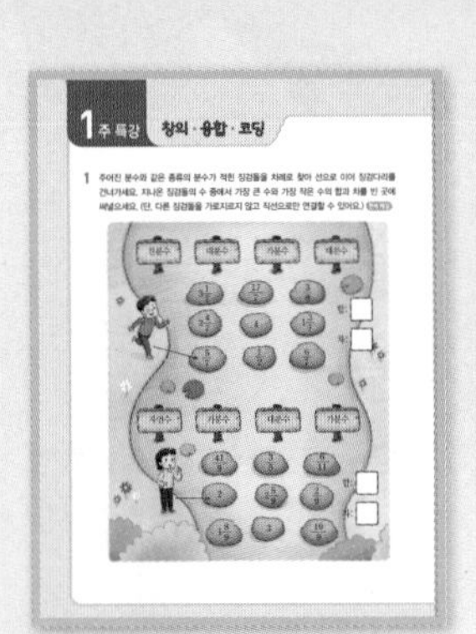

한 주의 특강

특강 부분을 통해 더 다양한 사고력 문제를 풀어 봅니다.

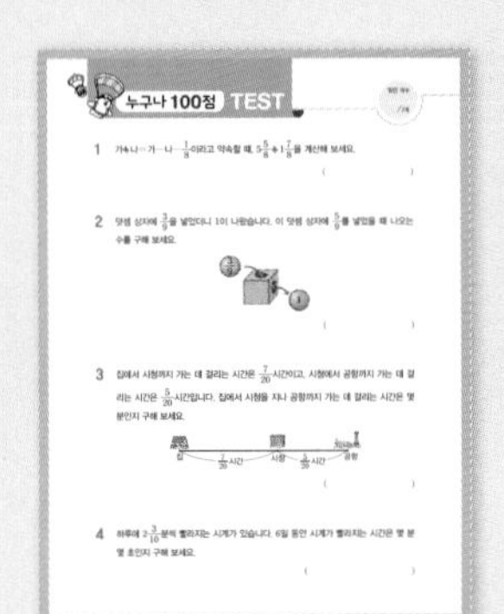

누구나 100점 테스트

한 주 동안 공부한 내용으로 테스트합니다.

차례

1주

2주

3주

4주

1주 1주에는 무엇을 공부할까? ①

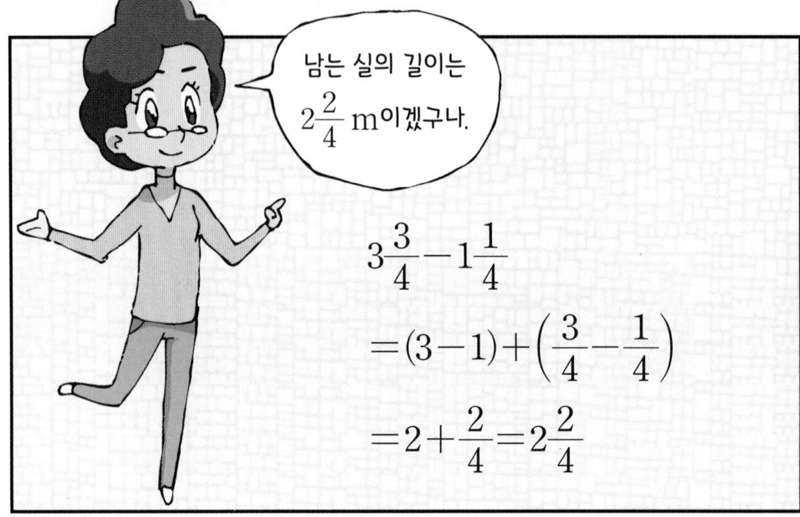

엄마는 못하는 게 없는 것 같아요.
그런 이야기를 자주 듣곤해.

엄마 마실 것 있나요?
냉장고에 보면 음료수가 있을 거야.

2 L짜리 음료수인데 아빠가 $\frac{3}{5}$ L 마셨어.

그럼 음료수는 얼마나 남은 거죠?

2에서 $\frac{3}{5}$만큼 빼니까 $1\frac{2}{5}$만큼 남았구나.
2
1
0
$1\frac{2}{5}$
$\frac{3}{5}$
0
1
2
$2-\frac{3}{5}=1\frac{5}{5}-\frac{3}{5}=1\frac{2}{5}$

아~ 그렇군요. 남은 음료수 다 마셔도 되죠?
그래.

윽~ 음료수가 왜 이렇게 고소한거죠?

할머니가 보내 주신 참기름을 마셨구나.
말할때마다 고소하네요.

1주 1주에는 무엇을 공부할까? ②

• 진분수의 합과 차

분모는 그대로 두고, 분자끼리 더하거나 빼.

$$\frac{2}{4}+\frac{1}{4}=\frac{2+1}{4}=\frac{3}{4}$$

$$\frac{3}{5}-\frac{1}{5}=\frac{3-1}{5}=\frac{2}{5}$$

• 1−(진분수)

$$1-\frac{1}{3}=\frac{3}{3}-\frac{1}{3}=\frac{3-1}{3}=\frac{2}{3}$$

1을 분모와 분자가 같은 분수로 나타내기

확인 문제

1-1 계산해 보세요.

(1) $\frac{3}{10}+\frac{4}{10}=\frac{\square}{\square}$

(2) $\frac{7}{8}-\frac{6}{8}=\frac{\square}{\square}$

한번 더

1-2 계산해 보세요.

(1) $\frac{1}{6}+\frac{4}{6}$

(2) $\frac{8}{11}+\frac{7}{11}$

(3) $\frac{5}{9}-\frac{3}{9}$

(4) $\frac{6}{7}-\frac{2}{7}$

2-1 보기 와 같이 계산해 보세요.

보기

$$1-\frac{3}{5}=\frac{5}{5}-\frac{3}{5}=\frac{5-3}{5}=\frac{2}{5}$$

$1-\frac{4}{9}=$

2-2 계산해 보세요.

(1) $1-\frac{5}{6}$

(2) $1-\frac{5}{8}$

▶ 정답 및 해설 2쪽

• 대분수의 합

$1\frac{5}{9}+3\frac{8}{9}=(1+3)+\left(\frac{5}{9}+\frac{8}{9}\right)$

$=4+1\frac{4}{9}=5\frac{4}{9}$

$\frac{13}{9}$을 $1\frac{4}{9}$로 바꾸기

• 대분수의 차

$4\frac{1}{7}-1\frac{2}{7}=3\frac{8}{7}-1\frac{2}{7}$

$3+\frac{7}{7}$

$=(3-1)+\left(\frac{8}{7}-\frac{2}{7}\right)$

$=2+\frac{6}{7}=2\frac{6}{7}$

확인 문제

3-1 계산해 보세요.

(1) $4\frac{3}{6}+1\frac{2}{6}=\square\frac{\square}{\square}$

(2) $5\frac{6}{7}-2\frac{4}{7}=\square\frac{\square}{\square}$

한번 더

3-2 계산해 보세요.

(1) $3\frac{1}{8}+2\frac{6}{8}$

(2) $2\frac{4}{5}-1\frac{3}{5}$

4-1 빈 곳에 알맞은 수를 써넣으세요.

(1)

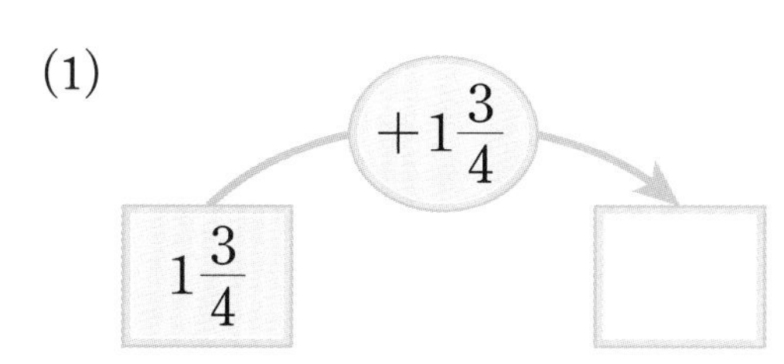

(2)

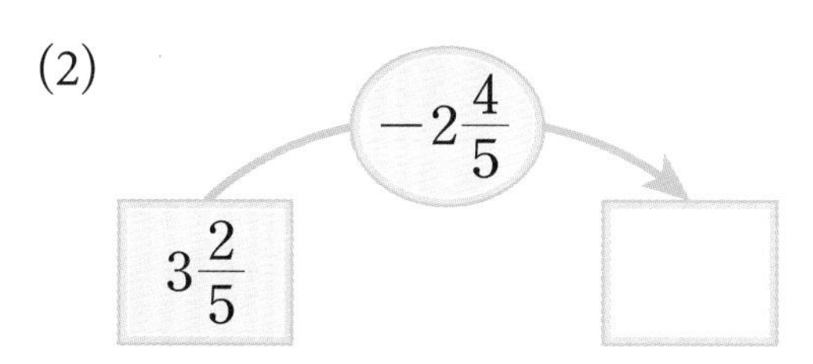

4-2 빈 곳에 알맞은 수를 써넣으세요.

(1)

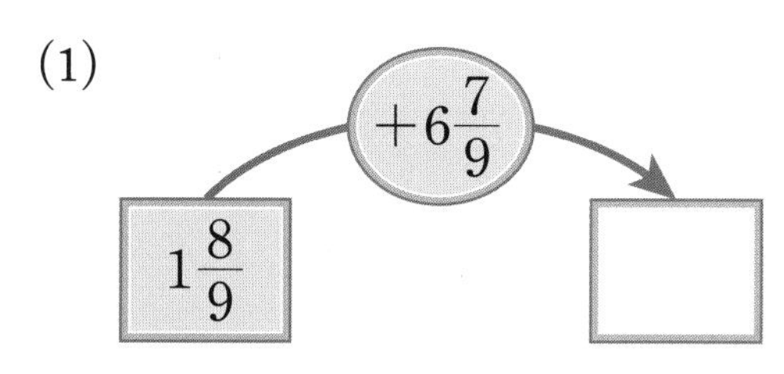

(2)

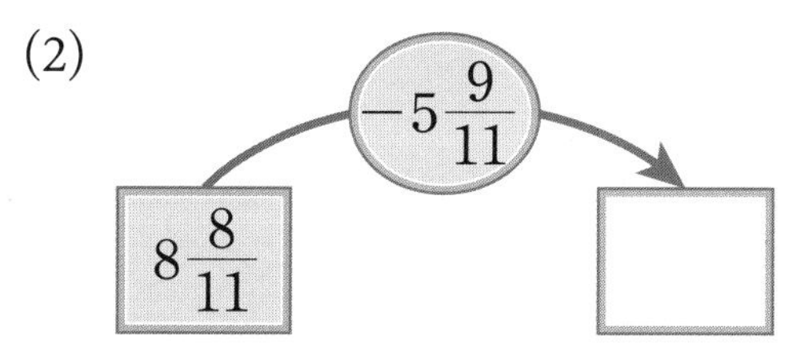

1 약속대로 계산하기

예

약속

가◎나=가+나+나

$\frac{1}{9}$◎$\frac{3}{9}$에서 $\frac{2}{9}$◎$\frac{2}{9}$를 뺀 값 구하기

$\frac{1}{9}◎\frac{3}{9}=\frac{1}{9}+\frac{3}{9}+\frac{3}{9}=\frac{4}{9}+\frac{3}{9}=\frac{7}{9}$

$\frac{2}{9}◎\frac{2}{9}=\frac{2}{9}+\frac{2}{9}+\frac{2}{9}=\frac{4}{9}+\frac{2}{9}=\frac{6}{9}$

→ $\frac{7}{9}-\frac{6}{9}=\frac{1}{9}$

활동 문제 가★나=가−나−나라고 약속할 때, 비행기와 알맞은 식이 쓰인 구름을 찾아 연결해 보세요.

$\frac{9}{10}★\frac{4}{10}$

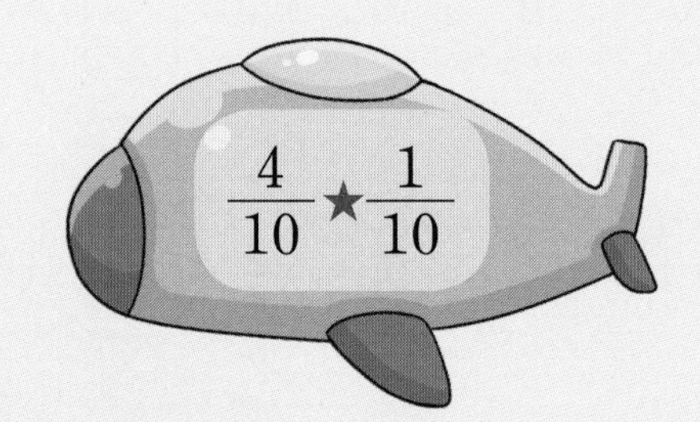

$\frac{9}{10}-\frac{4}{10}-\frac{4}{10}$

$\frac{4}{10}-\frac{1}{10}-\frac{1}{10}$

$\frac{7}{10}-\frac{2}{10}-\frac{2}{10}$

$\frac{8}{10}-\frac{3}{10}-\frac{3}{10}$

2 뺄셈 상자

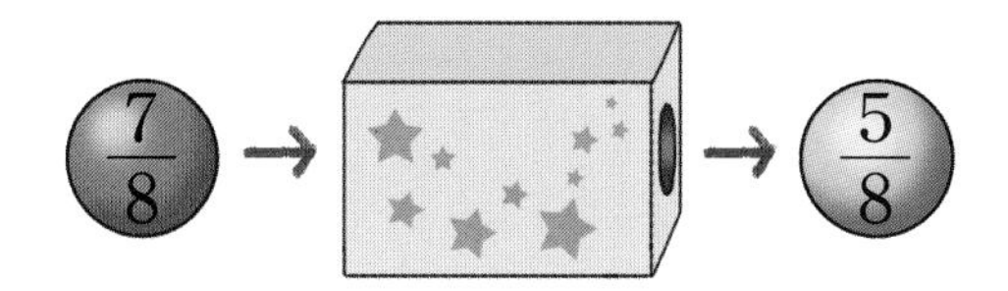

$\frac{7}{8}-\square=\frac{5}{8}$, $\square=\frac{7}{8}-\frac{5}{8}=\frac{2}{8}$

$\frac{7}{8}$에서 $\frac{2}{8}$를 뺀 수가 나오는 규칙입니다.

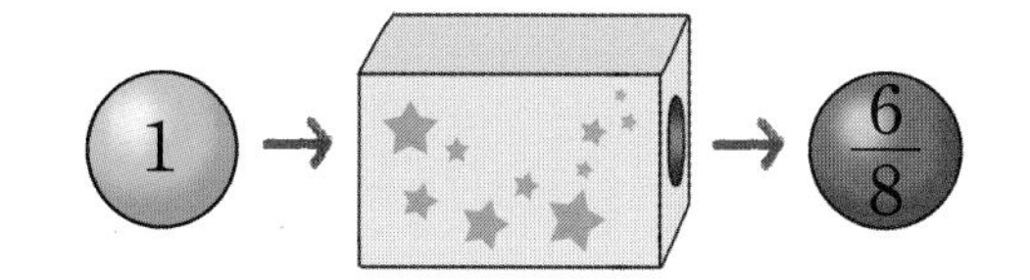

$1-\square=\frac{6}{8}$, $\square=1-\frac{6}{8}=\frac{8}{8}-\frac{6}{8}=\frac{2}{8}$

1에서 $\frac{2}{8}$를 뺀 수가 나오는 규칙입니다.

활동 문제 보기 의 뺄셈 상자의 규칙을 찾아 뺄셈 상자에서 나올 수를 구해 ◯ 안에 써넣으세요.

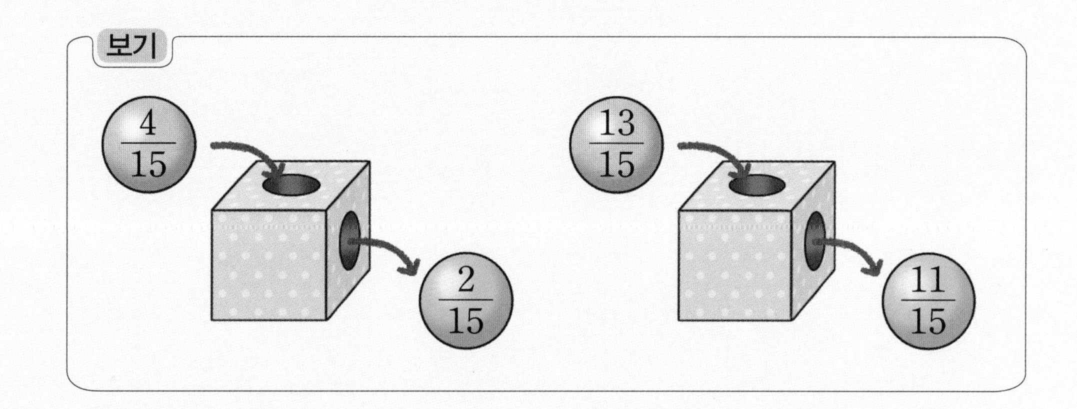

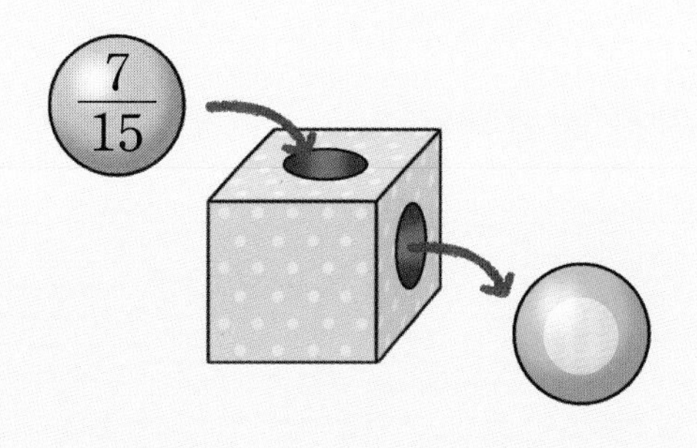

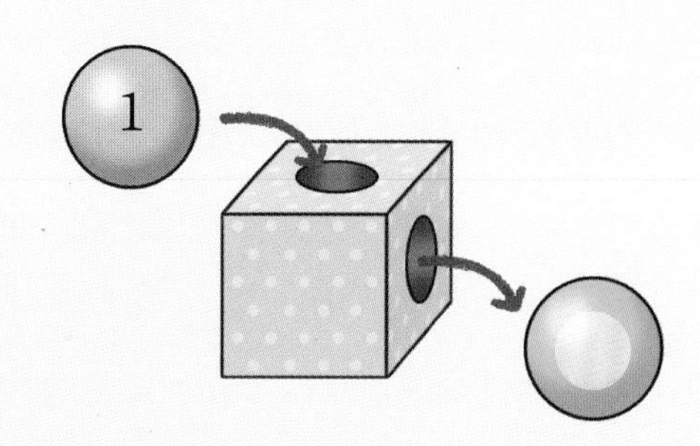

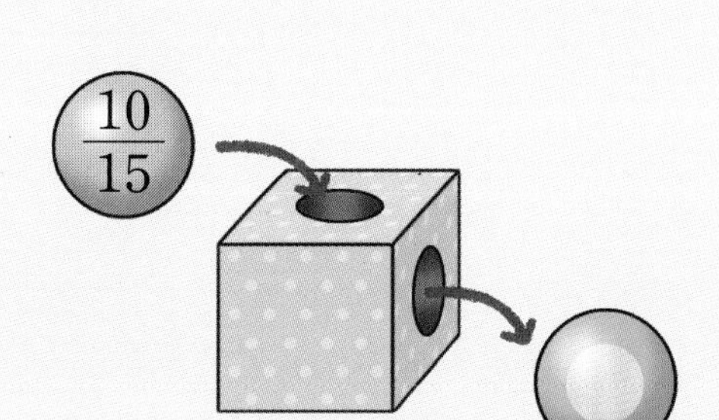

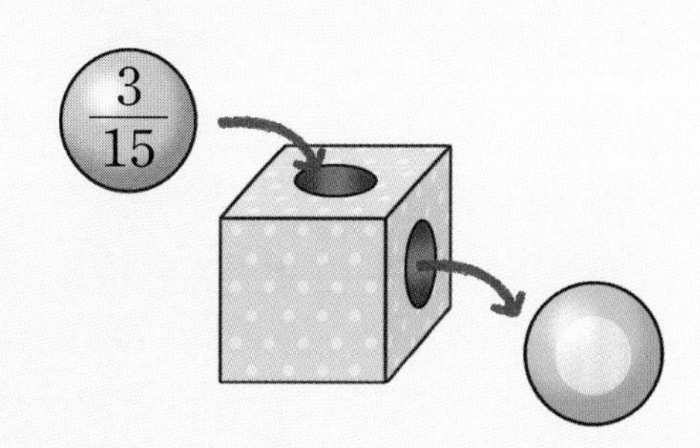

1-1 가◈나=가+나+$\frac{1}{7}$이라고 약속할 때, 다음을 계산해 보세요.

(1) $\frac{1}{7}$◈$\frac{3}{7}$=□

(2) $\frac{4}{7}$◈$\frac{2}{7}$=□

(1) $\frac{1}{7}$◈$\frac{3}{7}=\frac{1}{7}+\frac{3}{7}+\frac{1}{7}$

(2) $\frac{4}{7}$◈$\frac{2}{7}=\frac{4}{7}+\frac{2}{7}+\frac{1}{7}$

1-2 가★나=가$-\frac{2}{8}-$나라고 약속할 때, 다음을 계산해 보세요.

$\frac{7}{8}$★$\frac{3}{8}$과 $\frac{5}{8}$의 합

(1) $\frac{7}{8}$★$\frac{3}{8}$을 구해 보세요.

( )

(2) $\frac{7}{8}$★$\frac{3}{8}$과 $\frac{5}{8}$의 합을 구해 보세요.

( )

1-3 가♣나=1−가−나라고 약속할 때, 다음을 계산해 보세요.

$\frac{2}{9}$♣$\frac{4}{9}$와 $\frac{3}{9}$의 합

(1) $\frac{2}{9}$♣$\frac{4}{9}$를 구해 보세요.

( )

(2) $\frac{2}{9}$♣$\frac{4}{9}$와 $\frac{3}{9}$의 합을 구해 보세요.

( )

▶정답 및 해설 2~3쪽

2-1 빨셈 상자에 $\frac{10}{13}$을 넣었더니 $\frac{7}{13}$이 나왔습니다. 이 빨셈 상자에 $\frac{9}{13}$를 넣었을 때 나오는 수를 구해 보세요.

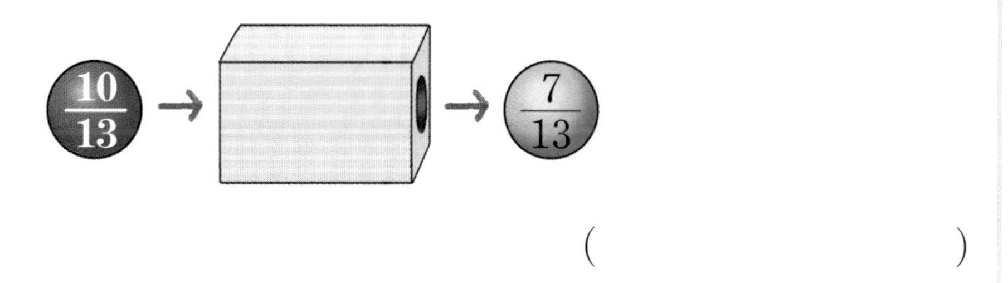

( )

- 구하려는 것: 빨셈 상자에 $\frac{9}{13}$를 넣었을 때 나오는 수
- 주어진 조건: 빨셈 상자에 $\frac{10}{13}$을 넣었을 때 나온 수가 $\frac{7}{13}$
- 해결 전략: $\frac{10}{13}-\square=\frac{7}{13}$, $\square=\frac{10}{13}-\frac{7}{13}$

✎ 구하려는 것(~~)과 주어진 조건(——)에 표시해 봅니다.

2-2 빨셈 상자에 $\frac{8}{9}$을 넣었더니 $\frac{4}{9}$가 나왔습니다. 이 빨셈 상자에 1을 넣었을 때 나오는 수를 구해 보세요.

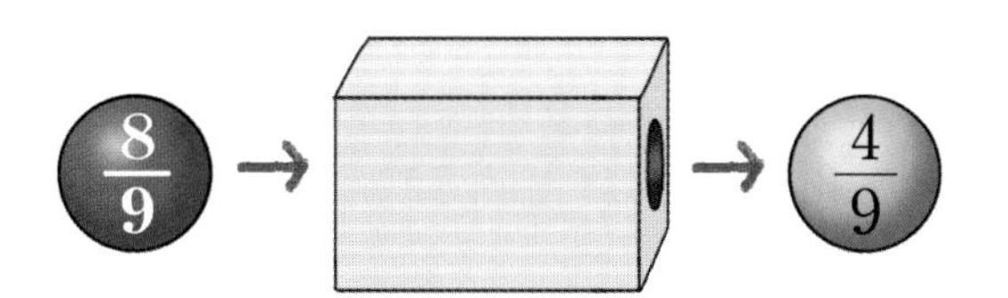

해결 전략

빨셈 상자에 수를 넣으면 얼마를 빼는지 알아봅니다.

( )

2-3 빨셈 상자에 $\frac{5}{7}$를 넣었더니 $\frac{4}{7}$가 나왔습니다. 이 빨셈 상자에 어떤 수를 넣었더니 $\frac{2}{7}$가 나왔습니다. 어떤 수를 구해 보세요.

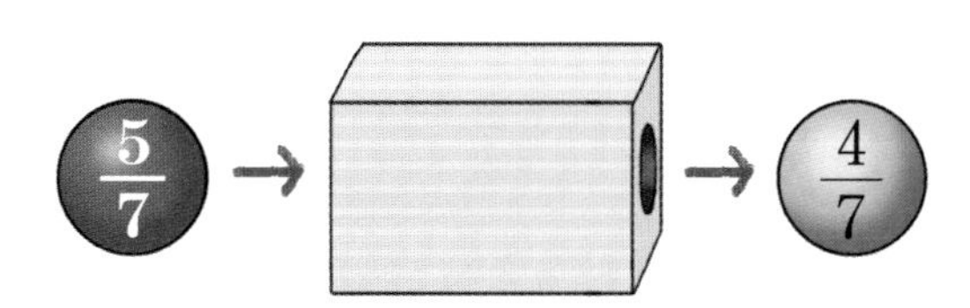

( )

1 창의 · 융합

다음 악보에서 ♩ 음표가 $\frac{1}{4}$박자를 나타내고 ♪ 음표 2개는 ♩ 음표 1개와 같다면 한 마디는 몇 박자인지 구해 보세요.

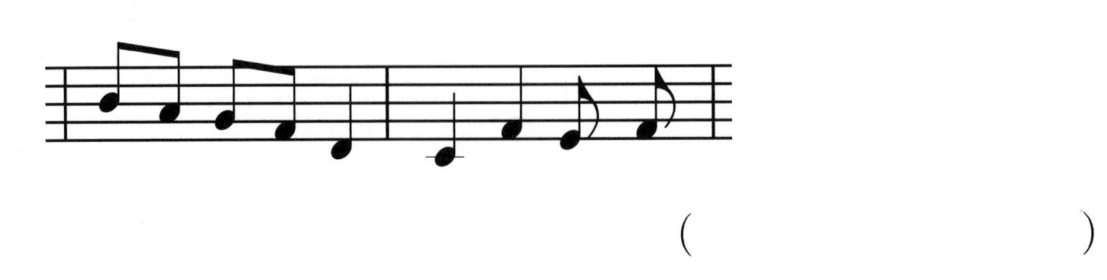

(　　　　　　　　　)

2 문제 해결

다음과 같이 약속 할 때 계산해 보세요.

약속

가♥나=가+나+$\frac{3}{10}$, 가♡나=가−나−$\frac{3}{10}$

(1) $\frac{1}{10}$♥$\frac{4}{10}$

(2) $\frac{8}{10}$♡$\frac{2}{10}$

3 코딩

화살표의 약속에 따라 계산할 때 빈 곳에 알맞은 수를 써넣으세요.

화살표 약속	
➡	$\frac{3}{6}$ 빼기
⬇	$\frac{1}{6}$ 더하기

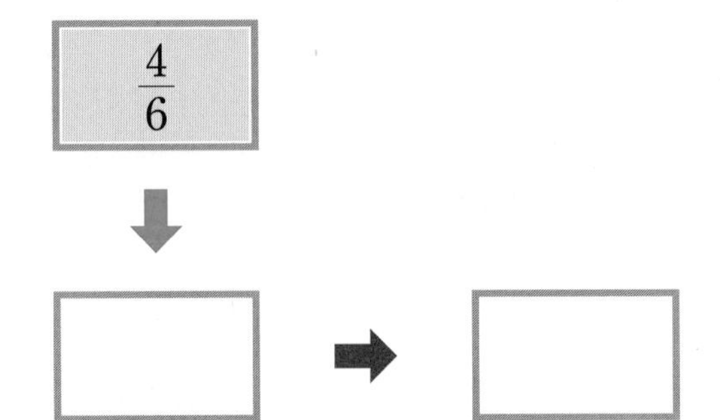

▶정답 및 해설 3쪽

순서도에 따라 계산했을 때 출력되는 값을 구해 보세요.

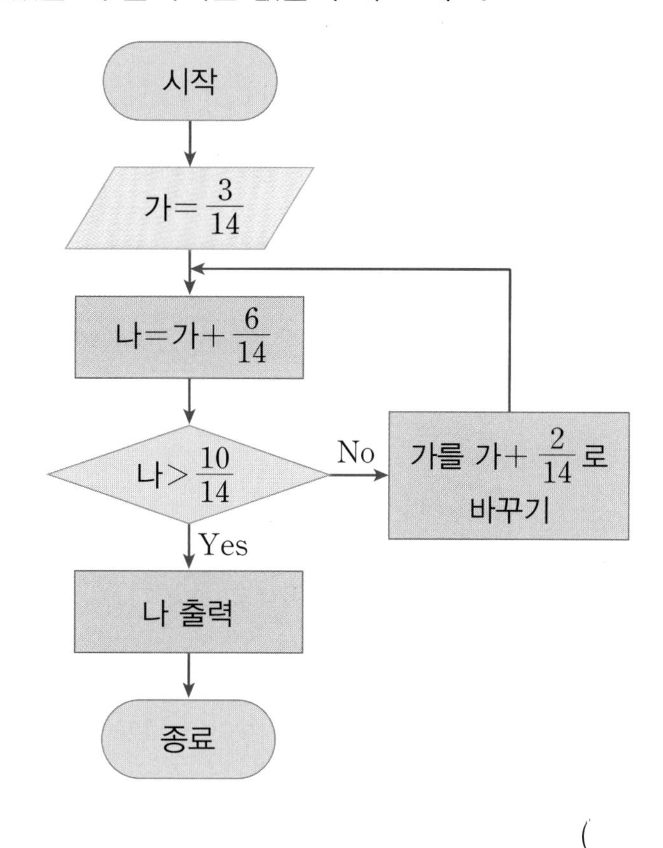

(   )

가로, 세로가 각각 3칸인 빙고판에 분모가 15이고 분자가 1부터 9까지의 수인 분수를 한 번씩 써넣어 빙고를 하려고 합니다. 가로, 세로에 있는 세 수의 합이 1일 때, 빈 곳에 알맞은 수를 써넣으세요.

$\frac{8}{15}$	$\frac{3}{15}$	
	$\frac{5}{15}$	
$\frac{6}{15}$		$\frac{2}{15}$

2일 개념·원리 길잡이 시간 구하기

❶ 고장난 시계

하루에 ■분씩 빨라지는 시계가 ▲일 동안 빨라진 시간은 (■+■+……+■)분입니다.
(▲개)

예 하루에 $5\frac{1}{3}$분씩 빨라지는 시계가 5일 동안 빨라진 시간은

$5\frac{1}{3}+5\frac{1}{3}+5\frac{1}{3}+5\frac{1}{3}+5\frac{1}{3}=25+\frac{5}{3}=25+1\frac{2}{3}=26\frac{2}{3}$(분)입니다.

$20+20+20=60$이므로 60초의 $\frac{1}{3}$은 20초, $\frac{2}{3}$는 40초입니다.

➔ $26\frac{2}{3}$분$=26$분$+\frac{2}{3}$분$=26$분 40초

활동 문제 고장난 시계가 며칠 동안 빨라진 시간은 몇 분인지 구해 보세요.

하루에 $1\frac{2}{5}$분씩 빨라지는 시계 → 3일 동안 빨라진 시간 → □ $\frac{□}{□}$ 분

하루에 $3\frac{5}{6}$분씩 빨라지는 시계 → 2일 동안 빨라진 시간 → □ $\frac{□}{□}$ 분

하루에 $4\frac{3}{10}$분씩 빨라지는 시계 → 4일 동안 빨라진 시간 → □ $\frac{□}{□}$ 분

▶정답 및 해설 3쪽

2 걸리는 시간 구하기

학교에서 병원까지 가는 데 걸리는 시간은 몇 분 몇 초인지 알아보기

집 —$8\frac{2}{6}$분— 학교 —— 병원

(집 ~ 병원) $23\frac{5}{6}$분

(학교 ~ 병원)=(집 ~ 병원)−(집 ~ 학교)

$$=23\frac{5}{6}-8\frac{2}{6}=(23-8)+\left(\frac{5}{6}-\frac{2}{6}\right)=15+\frac{3}{6}=15\frac{3}{6}(\text{분})$$

$10+10+10+10+10+10=60$이므로 60초의 $\frac{1}{6}$은 10초, $\frac{3}{6}$은 30초입니다.

➡ $15\frac{3}{6}$분$=15$분$+\frac{3}{6}$분$=15$분 30초

활동 문제 각 장소까지 가는 데 걸리는 시간을 나타낸 것입니다. □ 안에 알맞은 수를 써넣으세요.

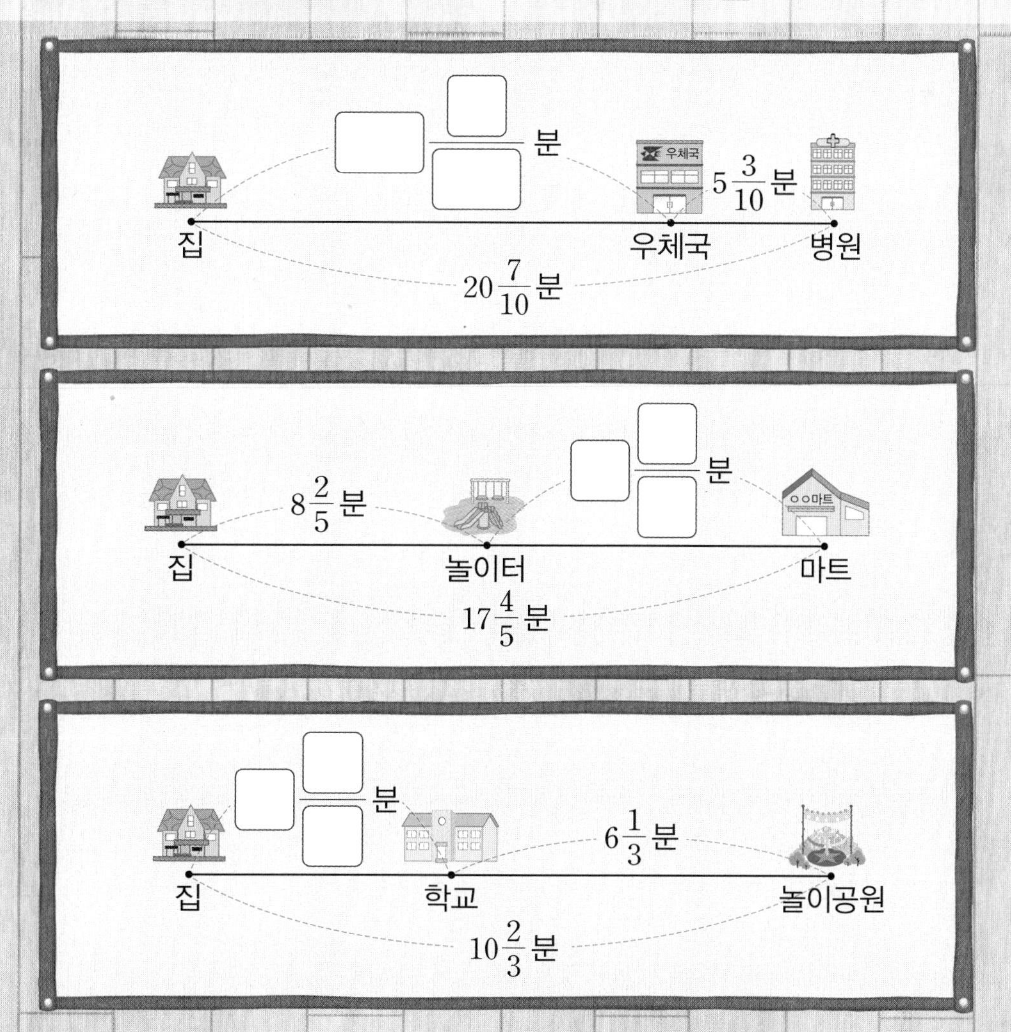

2일 서술형 길잡이

1-1 하루에 $2\frac{1}{2}$분씩 빨라지는 시계가 있습니다. 7일 동안 시계가 빨라진 시간은 몇 분 몇 초인지 구해 보세요.

(　　　　　　　　　　)

7일 동안 시계가 빨라진 시간은 $\left(2\frac{1}{2}+2\frac{1}{2}+2\frac{1}{2}+2\frac{1}{2}+2\frac{1}{2}+2\frac{1}{2}+2\frac{1}{2}\right)$분입니다.

1-2 하루에 $1\frac{3}{4}$분씩 빨라지는 시계가 있습니다. 5일 동안 시계가 빨라진 시간은 몇 분 몇 초인지 구해 보세요.

(1) 5일 동안 시계가 빨라진 시간은 몇 분인지 대분수로 나타내어 보세요.

(　　　　　　　　　　)

(2) 5일 동안 시계가 빨라진 시간은 몇 분 몇 초인지 구해 보세요.

(　　　　　　　　　　)

1-3 하루에 $3\frac{7}{15}$분씩 빨라지는 시계가 있습니다. 6일 동안 시계가 빨라진 시간은 몇 분 몇 초인지 구해 보세요.

(1) 6일 동안 시계가 빨라진 시간은 몇 분인지 대분수로 나타내어 보세요.

(　　　　　　　　　　)

(2) 6일 동안 시계가 빨라진 시간은 몇 분 몇 초인지 구해 보세요.

(　　　　　　　　　　)

▶정답 및 해설 4쪽

2-1 집에서 도서관을 지나 병원까지 가는 데 걸리는 시간은 $30\frac{4}{5}$분이고, 도서관에서 병원까지 가는 데 걸리는 시간은 $25\frac{3}{5}$분입니다. 집에서 도서관까지 가는 데 걸리는 시간은 몇 분 몇 초인지 구해 보세요.

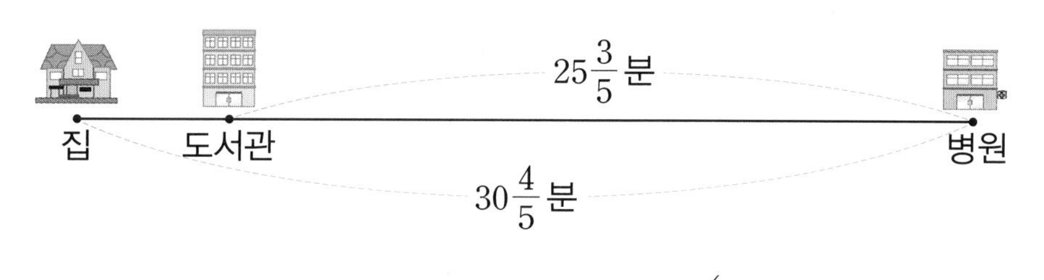

( )

- 구하려는 것: 집에서 도서관까지 가는 데 걸리는 시간
- 주어진 조건: 집에서 도서관을 지나 병원까지 가는 데 걸리는 시간은 $30\frac{4}{5}$분이고, 도서관에서 병원까지 가는 데 걸리는 시간은 $25\frac{3}{5}$분
- 해결 전략: (집~도서관~병원)−(도서관~병원)$=30\frac{4}{5}-25\frac{3}{5}$

✎ 구하려는 것(～～)과 주어진 조건(——)에 표시해 봅니다.

2-2 집에서 마트를 지나 놀이공원까지 가는 데 걸리는 시간은 $22\frac{3}{4}$분이고, 집에서 마트까지 가는 데 걸리는 시간은 $10\frac{2}{4}$분입니다. 마트에서 놀이공원까지 가는 데 걸리는 시간은 몇 분 몇 초인지 구해 보세요.

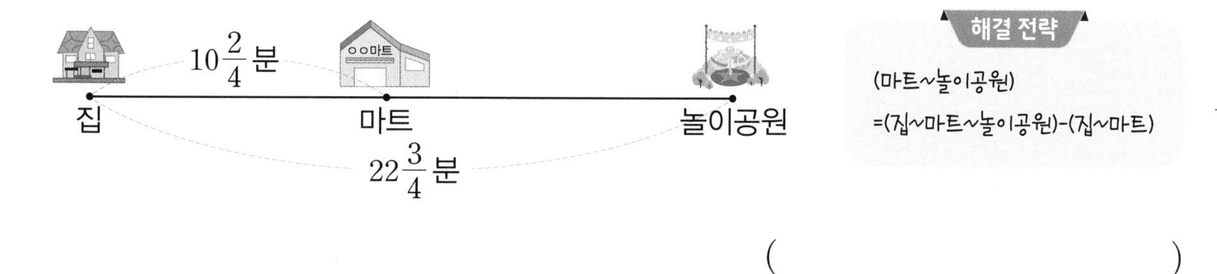

( )

2일 사고력 · 코딩

숫자 줄다리기를 하고 있습니다. 수의 합이 더 큰 팀이 이긴다고 합니다. 홍팀과 청팀 중 어느 팀이 이길지 구해 보세요.

(　　　　　　　　　　)

2 창의 · 융합

윗접시 저울의 양쪽에 있는 추의 무게가 같습니다. ㉮의 무게는 몇 g인지 구해 보세요.

(　　　　　　　　　　)

3 문제 해결

집에서 학교를 지나 놀이터까지 가는 데 걸리는 시간은 $15\frac{2}{3}$분이고, 집에서 학교까지 가는 데 걸리는 시간은 $8\frac{1}{3}$분입니다. 학교에서 놀이터까지 가는 데 걸리는 시간은 몇 분 몇 초인지 구해 보세요.

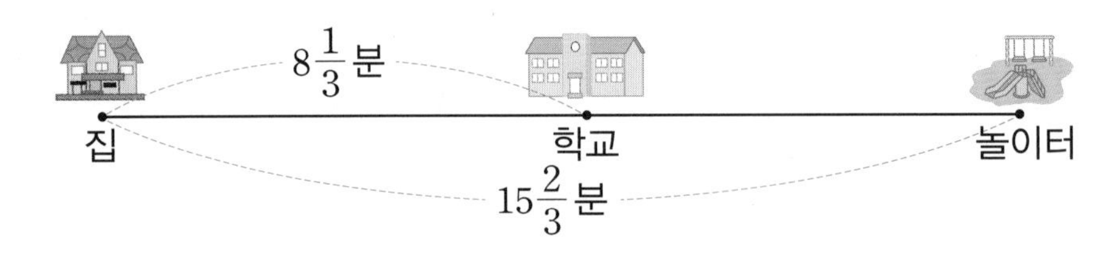

(　　　　　　　　　　)

▶정답 및 해설 5쪽

코드를 실행하여 대분수의 뺄셈을 하려고 합니다. $4\frac{11}{17}$을 넣고 코드를 실행했을 때 화면에 쓰이는 수를 구해 보세요.

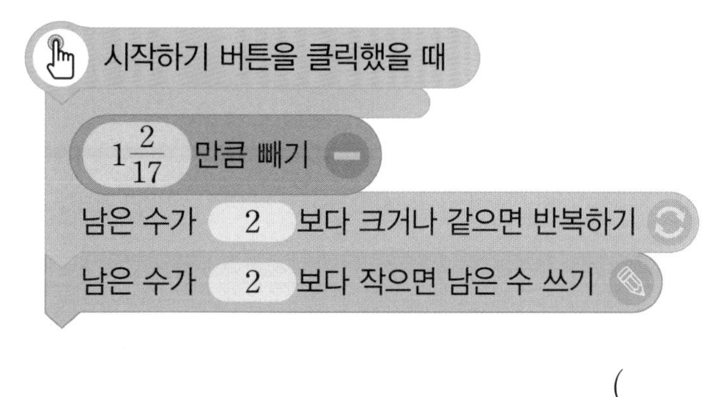

(   )

5 문제 해결

하루에 $3\frac{7}{15}$분씩 빨라지는 시계가 있습니다. 이 시계를 오늘 낮 12시에 정확하게 맞추어 놓았습니다. 4일 후 낮 12시에 이 시계가 가리키는 시각을 오른쪽 시계에 나타내어 보세요.

거꾸로 생각하여 계산하기

1 처음 수 구하기

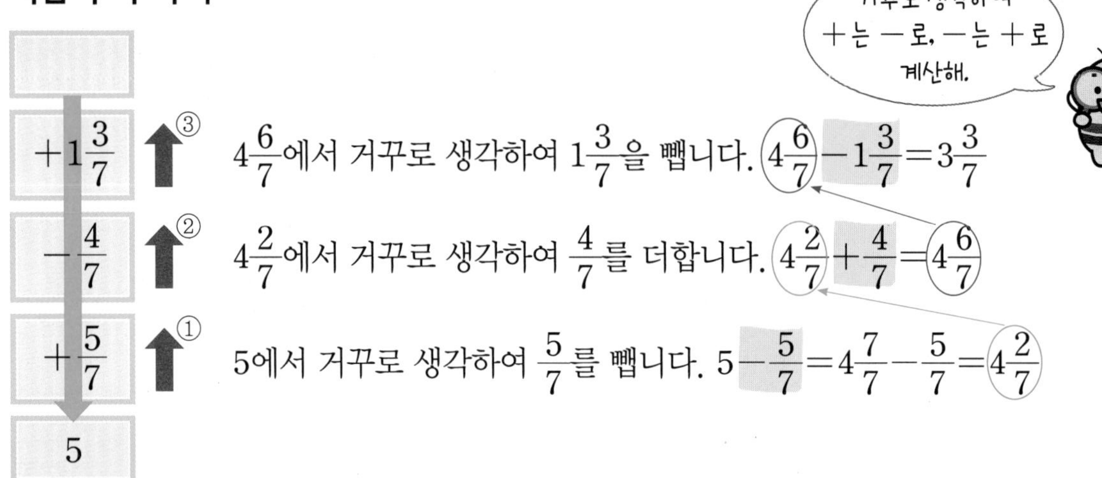

③ $4\frac{6}{7}$에서 거꾸로 생각하여 $1\frac{3}{7}$을 뺍니다. $4\frac{6}{7}-1\frac{3}{7}=3\frac{3}{7}$

② $4\frac{2}{7}$에서 거꾸로 생각하여 $\frac{4}{7}$를 더합니다. $4\frac{2}{7}+\frac{4}{7}=4\frac{6}{7}$

① 5에서 거꾸로 생각하여 $\frac{5}{7}$를 뺍니다. $5-\frac{5}{7}=4\frac{7}{7}-\frac{5}{7}=4\frac{2}{7}$

활동 문제 사다리 타기를 하여 나온 수가 다음과 같습니다. 처음 수를 구해 보세요.

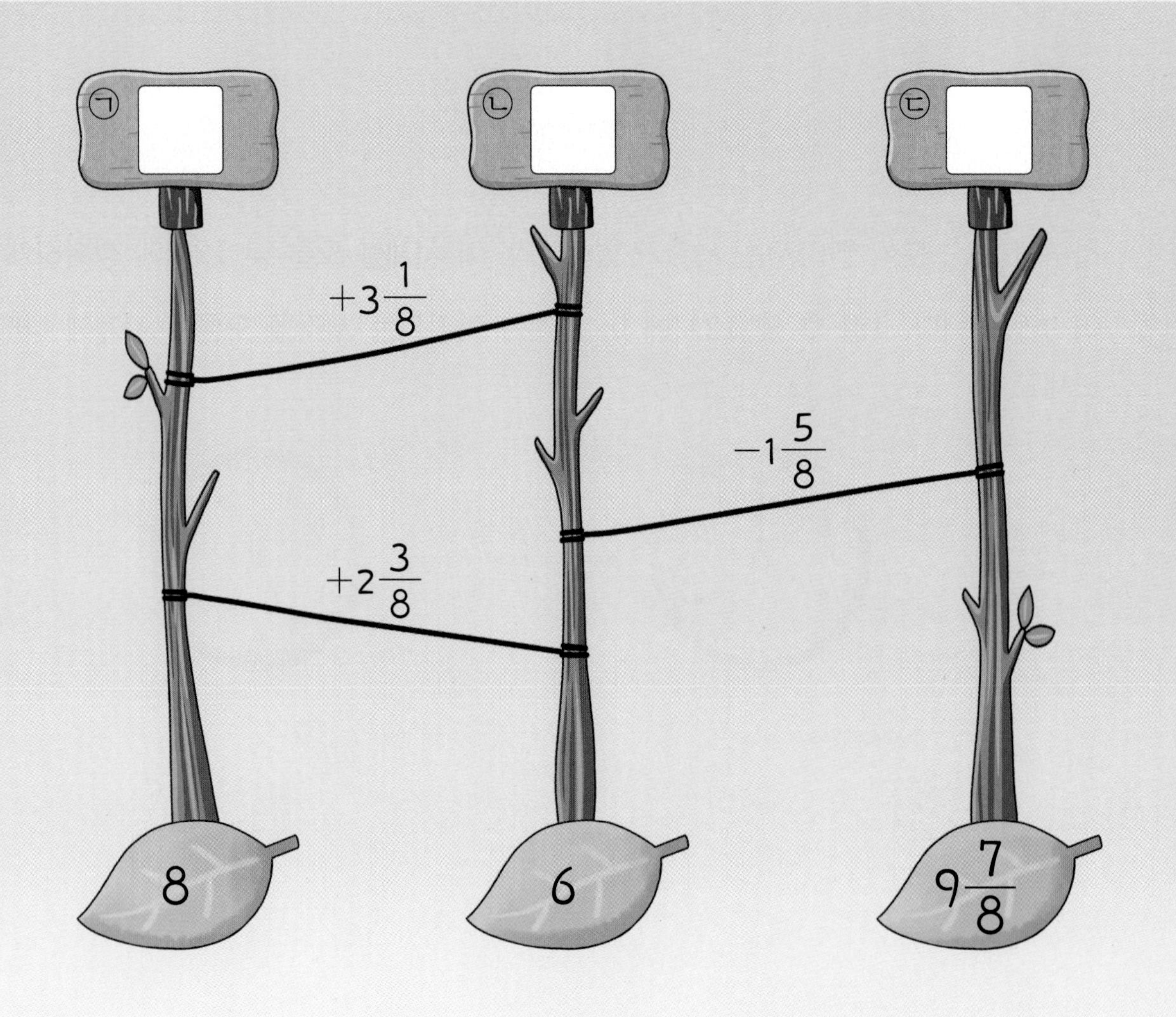

▶정답 및 해설 5쪽

2 바르게 계산하기

예 어떤 수에서 $\frac{2}{5}$를 빼야 할 것을 잘못하여 더했더니 5가 되었습니다.

바르게 계산한 값 구하기

- 어떤 수는 $\frac{2}{5}$를 더하기 전의 수이므로 $\frac{2}{5}$를 빼어 구합니다. ➔ $5-\frac{2}{5}=4\frac{5}{5}-\frac{2}{5}=4\frac{3}{5}$
- 바르게 계산한 값 ➔ $4\frac{3}{5}-\frac{2}{5}=4\frac{1}{5}$

활동 문제 어떤 수를 구해 알맞게 선을 그어 보세요.

어떤 수에서 $\frac{3}{10}$을 빼야 할 것을 잘못하여 더했더니 3이 되었습니다.

어떤 수에 $\frac{7}{10}$을 더해야 할 것을 잘못하여 뺐더니 $2\frac{3}{10}$이 되었습니다.

어떤 수에 $2\frac{1}{10}$을 더해야 할 것을 잘못하여 뺐더니 $4\frac{9}{10}$가 되었습니다.

3일 서술형 길잡이

1-1 어떤 수에서 $\frac{1}{7}$을 빼야 할 것을 잘못하여 더했더니 6이 되었습니다. 바르게 계산한 값을 구해 보세요.

( )

어떤 수는 $\frac{1}{7}$을 더하기 전의 수이므로 6에서 $\frac{1}{7}$을 빼어 구합니다.

1-2 어떤 수에서 $2\frac{3}{8}$을 빼야 할 것을 잘못하여 더했더니 10이 되었습니다. 바르게 계산한 값을 구해 보세요.

(1) 어떤 수를 구해 보세요.

( )

(2) 바르게 계산한 값을 구해 보세요.

( )

1-3 어떤 수에 $1\frac{4}{5}$를 더해야 할 것을 잘못하여 뺐더니 $7\frac{2}{5}$가 되었습니다. 바르게 계산한 값을 구해 보세요.

(1) 어떤 수를 구해 보세요.

( )

(2) 바르게 계산한 값을 구해 보세요.

( )

▶정답 및 해설 6쪽

2-1 빨간색 선을 따라 계산한 결과는 9입니다. ㉠에 알맞은 수를 구해 보세요.

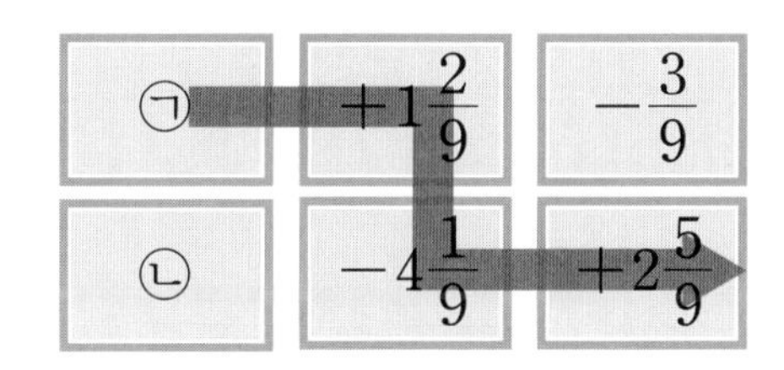

(　　　　　　　　　　)

- 구하려는 것: ㉠에 알맞은 수
- 주어진 조건: 빨간색 선을 따라 계산한 결과는 9
- 해결 전략: 거꾸로 생각하여 더한 수는 빼고, 뺀 수는 더해서 계산하기 전의 수를 구합니다.

✎ 구하려는 것(〜〜)과 주어진 조건(——)에 표시해 봅니다.

2-2 파란색 선을 따라 계산한 결과는 10입니다. ㉡에 알맞은 수를 구해 보세요.

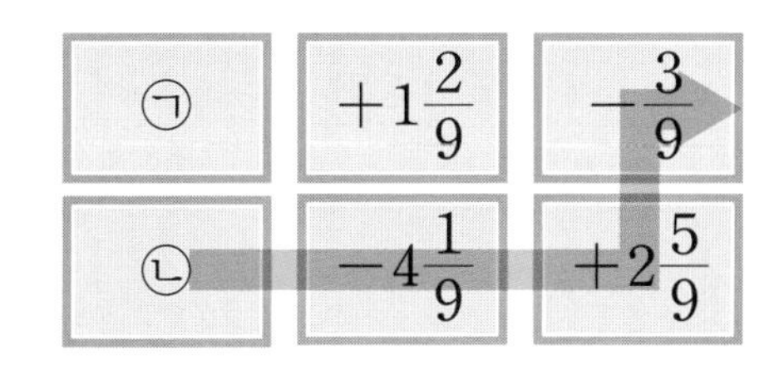

거꾸로 생각하여 더한 수는 빼고, 뺀 수는 더해서 계산하기 전의 수를 구합니다.

(　　　　　　　　　　)

2-3 초록색 선을 따라 계산한 결과는 $7\frac{8}{13}$입니다. ㉢에 알맞은 수를 구해 보세요.

㉢	$-2\frac{9}{13}$	$-5\frac{5}{13}$	$+1\frac{3}{13}$	$+2\frac{8}{13}$

(　　　　　　　　　　)

3일 사고력 · 코딩

1 문제 해결

두 원이 겹친 부분에 적힌 수는 원 안에 적힌 두 수의 합입니다. □ 안에 알맞은 수를 써넣으세요.

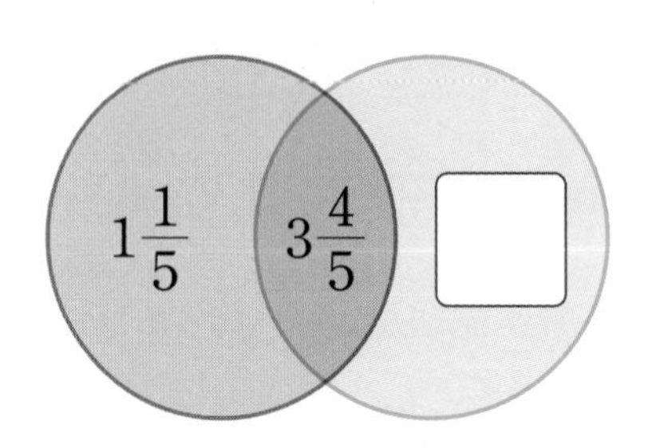

2 문제 해결

어떤 수에서 $2\frac{3}{7}$을 빼야 할 것을 잘못하여 더했더니 8이 되었습니다. 바르게 계산한 값을 구해 보세요.

(　　　　　　　　)

3 창의 · 융합

○ 안에 있는 자연수를 이용하여 일정한 규칙에 따라 대분수를 만들어 △ 안에 써넣고 있습니다. 빈 곳에 알맞은 수를 써넣고, 만든 대분수 중 분모가 같은 두 분수의 차를 구해 보세요.

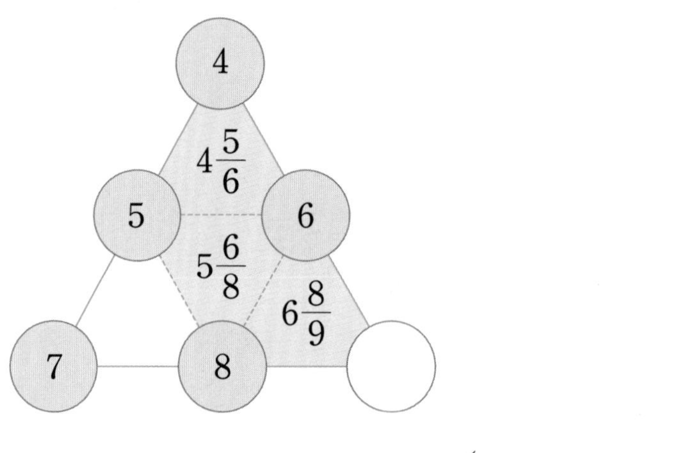

(　　　　　　　　)

▶정답 및 해설 6쪽

순서도에 따라 출력되는 값을 구해 보세요.

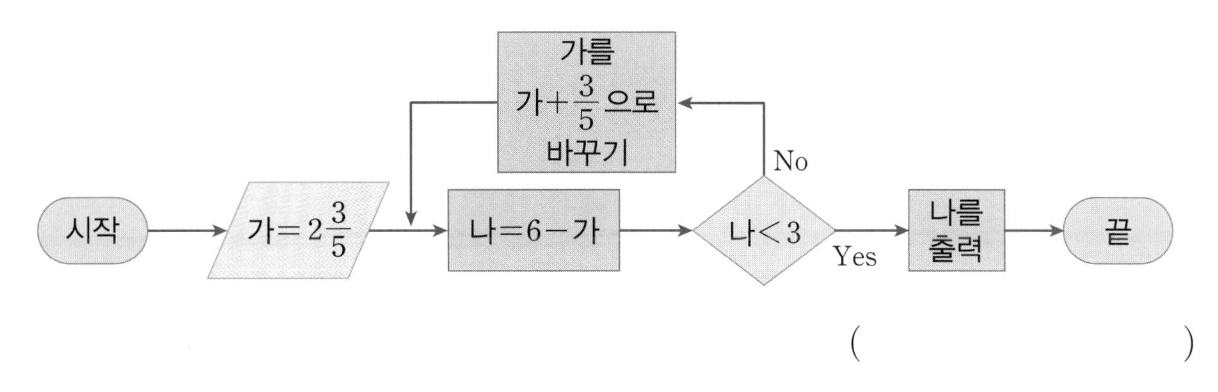

(　　　　　　　　)

어떤 별에서 시작하여 아래로 1칸, 오른쪽으로 2칸, 아래로 1칸을 가면 계산 결과는 4입니다. 어떤 별에서 출발하였는지 ○표 하고, 별이 나타내는 수를 구해 보세요.

★	★	★
$-2\frac{1}{8}$	$+1\frac{3}{8}$	$-3\frac{7}{8}$
$+4\frac{2}{8}$	$-2\frac{4}{8}$	$-5\frac{6}{8}$

(　　　　　　　　)

조건에 맞는 분수의 덧셈과 뺄셈

1 수 카드로 만든 진분수의 합

수 카드 중 4장을 골라 한 번씩 사용하여 분모가 같고 합이 가장 큰 두 진분수의 합 구하기

$\rightarrow \dfrac{\square}{\square}+\dfrac{\square}{\square}$

① 분모가 같아야 하므로 2장인 6을 분모로 사용합니다. ➔ $\dfrac{\square}{6}+\dfrac{\square}{6}$

② 진분수가 되려면 분자는 6보다 작은 5, 2, 3이 될 수 있고, $5>3>2$이므로

합이 가장 크려면 분자에 5와 3을 사용합니다. ➔ $\dfrac{5}{6}+\dfrac{3}{6}=\dfrac{8}{6}=1\dfrac{2}{6}$

활동 문제 주머니 속의 구슬에 써 있는 수를 한 번씩 사용하여 합이 가장 큰 두 진분수의 덧셈식을 완성하려고 합니다. □ 안에 알맞은 수를 써넣으세요.

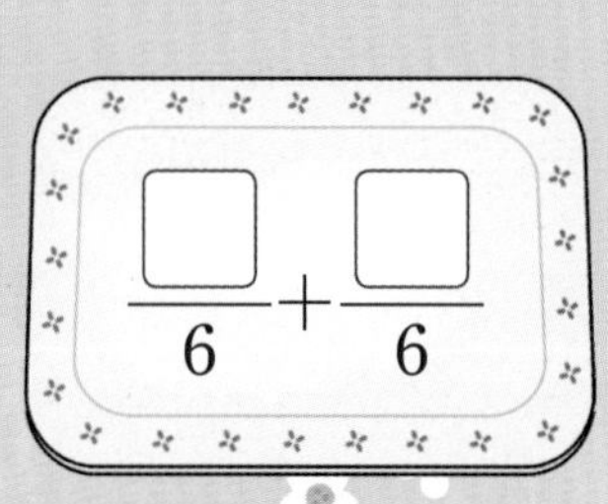

$\dfrac{\square}{6}+\dfrac{\square}{6}$

$\dfrac{\square}{9}+\dfrac{\square}{9}$

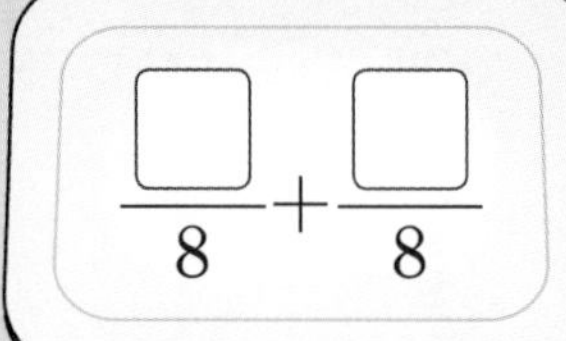

$\dfrac{\square}{8}+\dfrac{\square}{8}$

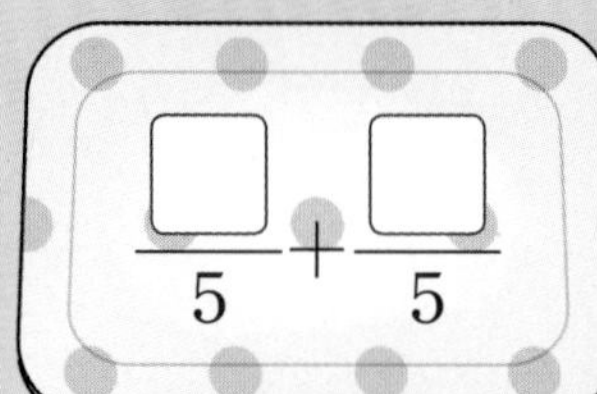

$\dfrac{\square}{5}+\dfrac{\square}{5}$

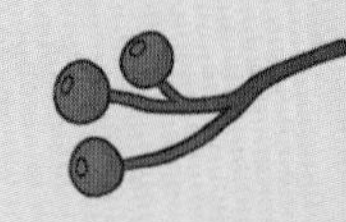

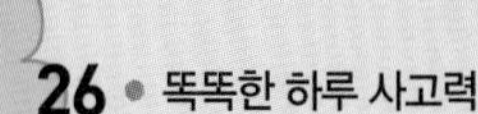

▶정답 및 해설 7쪽

2 가장 큰 진분수와 가장 작은 대분수의 차

수 카드를 한 번씩 사용하여 분모가 같은 가장 큰 진분수와 가장 작은 대분수를 만들고 차 구하기

7 4 1 7 3

① 분모가 같아야 하므로 2장인 7을 분모로 사용합니다. ➔ $\frac{\square}{7}$, $\square\frac{\square}{7}$

② 4 > 3 > 1이므로 가장 큰 진분수는 $\frac{4}{7}$이고, 남은 수는 3 > 1이므로

가장 작은 대분수는 $1\frac{3}{7}$입니다. ➔ $1\frac{3}{7}-\frac{4}{7}=\frac{10}{7}-\frac{4}{7}=\frac{6}{7}$

활동 문제 바구니 안의 도토리에 써 있는 수를 한 번씩 사용하여 분모가 같은 가장 큰 진분수와 가장 작은 대분수를 만들어 보세요.

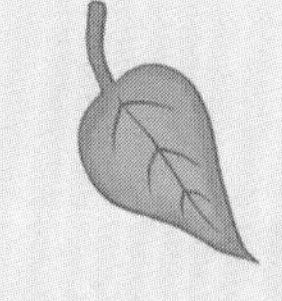

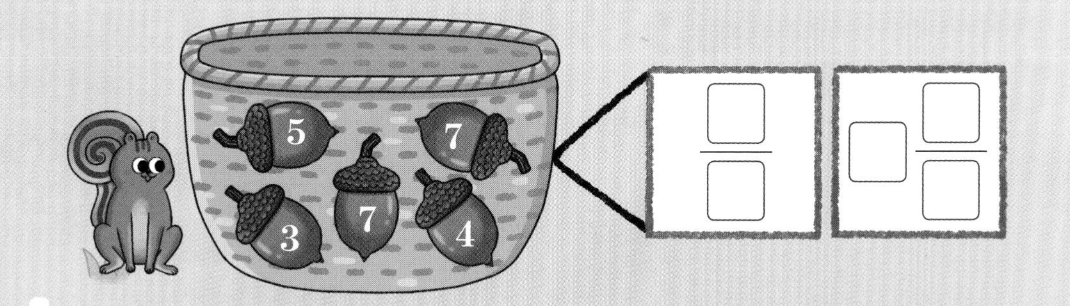

4일 서술형 길잡이

1-1 수 카드 중 4장을 골라 한 번씩 사용하여 분모가 같은 두 진분수의 덧셈식을 만들려고 합니다. 합이 가장 클 때 덧셈식을 완성하고 계산해 보세요.

(　　　　　　　　　　)

분모가 될 수 있는 수는 수 카드가 2장인 7이고, 진분수는 분자가 분모보다 작아야 합니다.
합이 가장 크려면 가장 큰 진분수와 둘째로 큰 진분수를 더해야 합니다.

1-2 수 카드 중 4장을 골라 한 번씩 사용하여 분모가 같은 두 진분수의 덧셈식을 만들려고 합니다. 합이 가장 클 때 덧셈식을 완성하고 계산해 보세요.

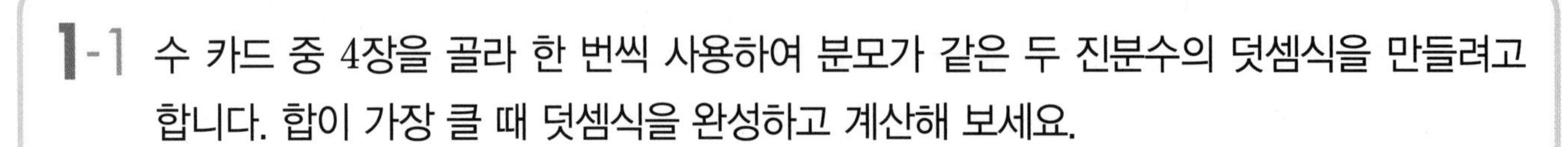

(1) 분모에 알맞은 수를 써넣으세요.

(2) 합이 가장 클 때 덧셈식을 완성하고 계산해 보세요.

(　　　　　　　　　　)

1-3 수 카드 중 4장을 골라 한 번씩 사용하여 분모가 같은 두 진분수의 덧셈식을 만들려고 합니다. 합이 가장 작을 때 덧셈식을 완성하고 계산해 보세요.

(1) 분모에 알맞은 수를 써넣으세요.

(2) 합이 가장 작을 때 덧셈식을 완성하고 계산해 보세요.

(　　　　　　　　　　)

▶ 정답 및 해설 7쪽

2-1 수 카드를 모두 한 번씩 사용하여 분모가 같은 진분수와 대분수를 만들려고 합니다. 만들 수 있는 가장 큰 진분수와 가장 작은 대분수의 차를 구해 보세요.

( )

- 구하려는 것: 만들 수 있는 가장 큰 진분수와 가장 작은 대분수의 차
- 주어진 조건: 수 카드 2, 9, 1, 4, 9를 모두 한 번씩 사용하여 분모가 같은 진분수와 대분수 만들기
- 해결 전략: 가장 큰 진분수 ➔ 분모가 9이고, 분자는 남은 수 중에서 가장 큰 수
  가장 작은 대분수 ➔ 분모가 9이고, 자연수 부분은 남은 수 중에서 더 작은 수

✎ 구하려는 것(～～)과 주어진 조건(——)에 표시해 봅니다.

2-2 수 카드를 모두 한 번씩 사용하여 분모가 같은 진분수와 대분수를 만들려고 합니다. 만들 수 있는 가장 큰 진분수와 가장 작은 대분수의 차를 구해 보세요.

7 6 3 7 4

해결 전략

❶ 분모가 7이고, 분자는 남은 수 중에서 가장 큰 수를 써서 가장 큰 진분수를 만듭니다.

❷ 분모가 7이고, 자연수 부분은 남은 수 중에서 더 작은 수를 써서 가장 작은 대분수를 만듭니다.

( )

2-3 수 카드를 모두 한 번씩 사용하여 분모가 같은 2개의 대분수를 만들려고 합니다. 만들 수 있는 가장 큰 대분수와 가장 작은 대분수의 차를 구해 보세요.

4 1 5 2 5 6

( )

4일 사고력 · 코딩

1 창의 · 융합

여러 가지 도형 안에 분수가 쓰여 있습니다. 두 개의 도형을 모아서 만든 모양 안에 도형에 쓰인 두 분수의 합을 써넣으세요.

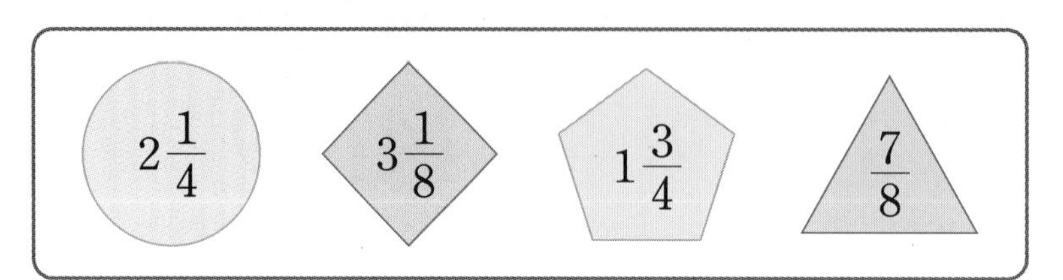

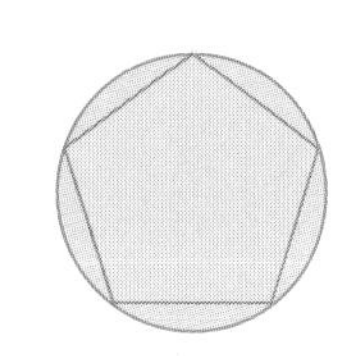

2 문제 해결

차가 가장 큰 두 수를 골라 색칠하고 그 차를 구하여 가운데 ○ 안에 써넣으세요.

(1)

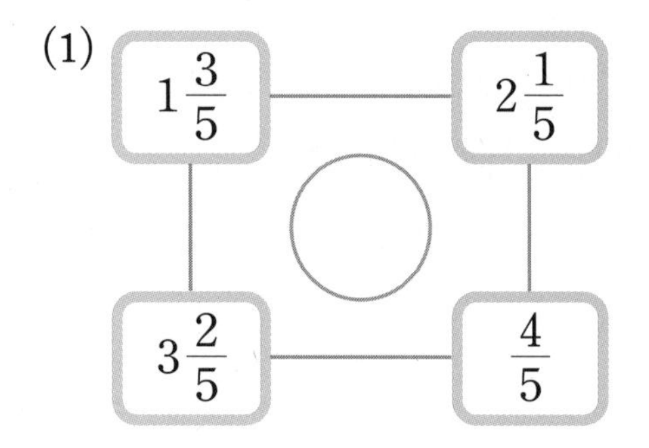

(2)

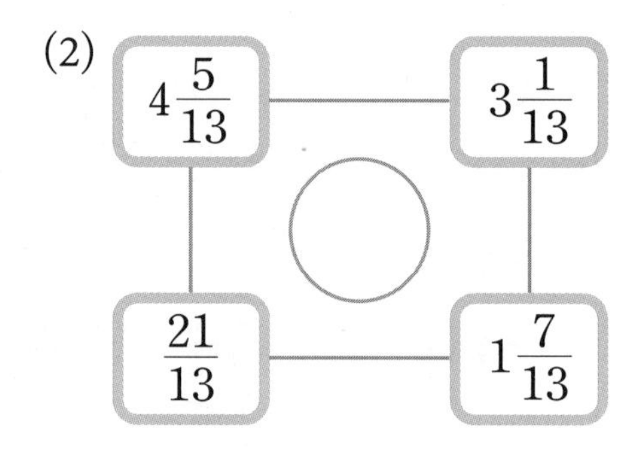

3 문제 해결

7개의 구슬 중에서 6개를 골라 한 번씩 사용하여 분모가 같은 2개의 대분수를 만들려고 합니다. 만들 수 있는 가장 큰 대분수와 가장 작은 대분수의 합을 구해 보세요.

( )

▶정답 및 해설 8쪽

선을 따라 가며 사다리 타기를 하려고 합니다. 사다리를 타고 가며 만나는 수 중 두 수를 한 번씩 사용하여 분모가 11인 가장 작은 대분수를 만들어 ㉠, ㉡, ㉢에 써넣습니다. ㉠, ㉡, ㉢ 중 가장 큰 수와 가장 작은 수의 차를 구해 보세요.

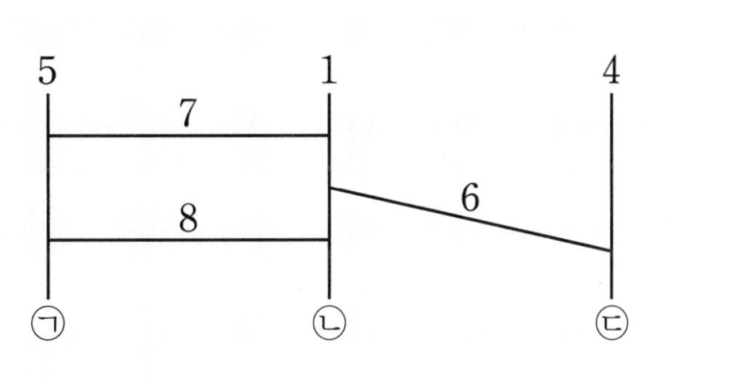

( )

다음과 같은 방법으로 분수 퍼즐을 만들려고 합니다. 빈 곳에 알맞은 수를 써넣으세요.

분수 퍼즐

- ○ 안의 수는 가로줄에 적힌 분수들의 합입니다.
- □ 안의 수는 세로줄에 적힌 수 중 가장 큰 수와 가장 작은 수의 차입니다.

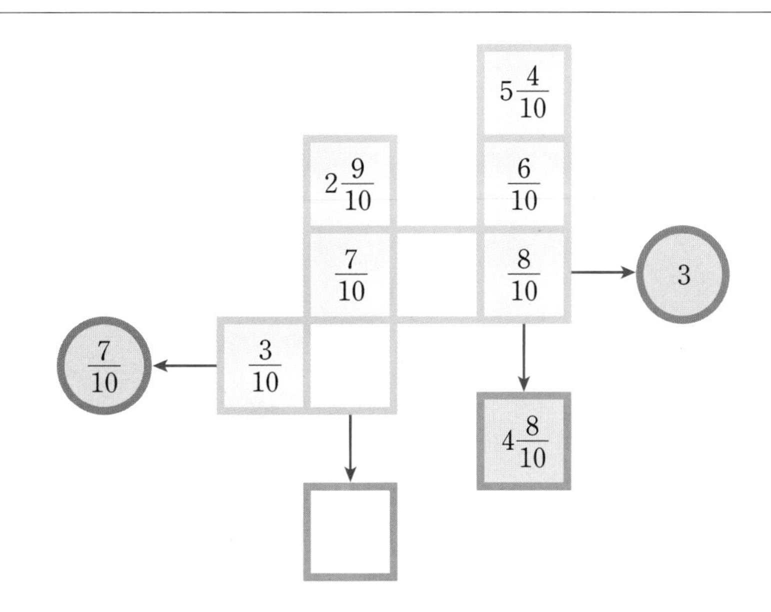

5일 개념·원리 길잡이

삼각형의 세 변의 길이의 합

1 이등변삼각형의 세 변의 길이의 합

색종이를 잘라 만든 삼각형의 세 변의 길이의 합 구하기

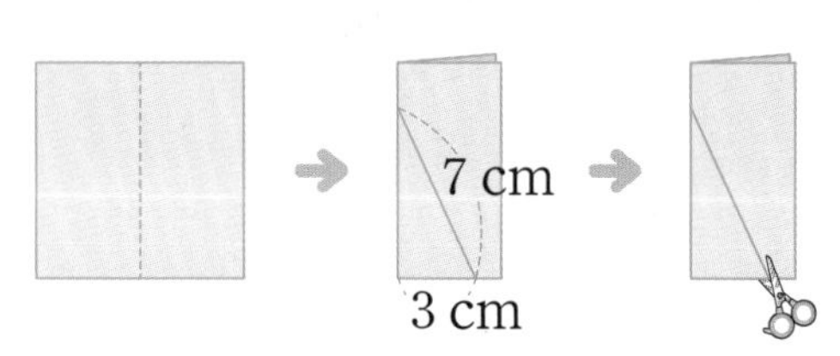

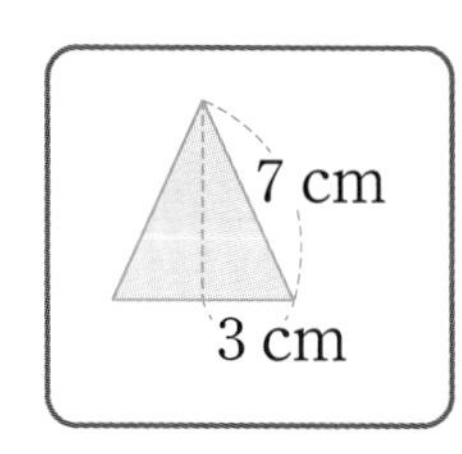

이등변삼각형의 세 변의 길이는 각각 7 cm, 7 cm, $3+3=6$(cm)입니다.

따라서 세 변의 길이의 합은 $7+7+6=20$(cm)입니다.

활동 문제 색종이를 잘라 삼각형을 만들려고 합니다. 만든 삼각형의 세 변의 길이를 찾아 선을 그어 보세요.

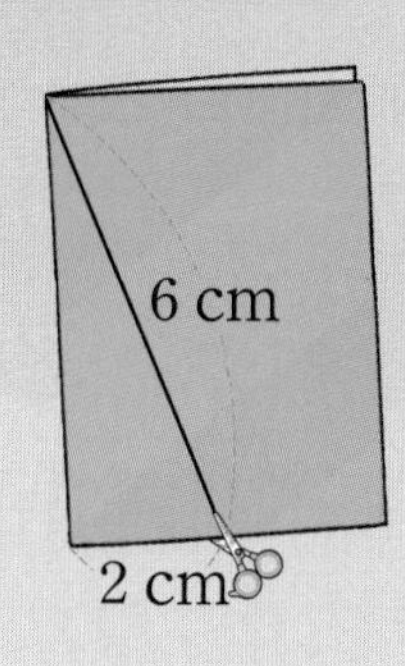

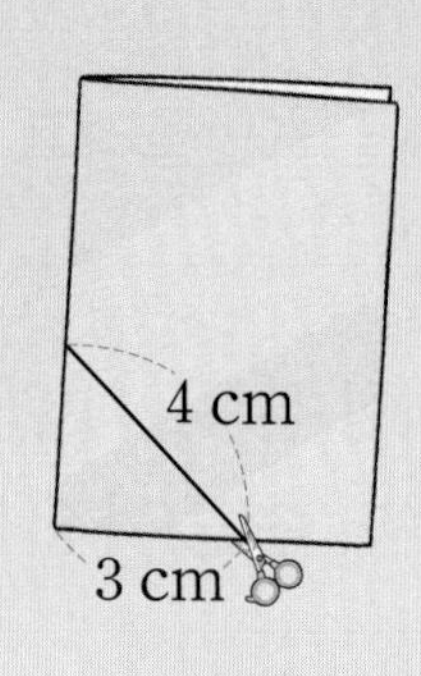

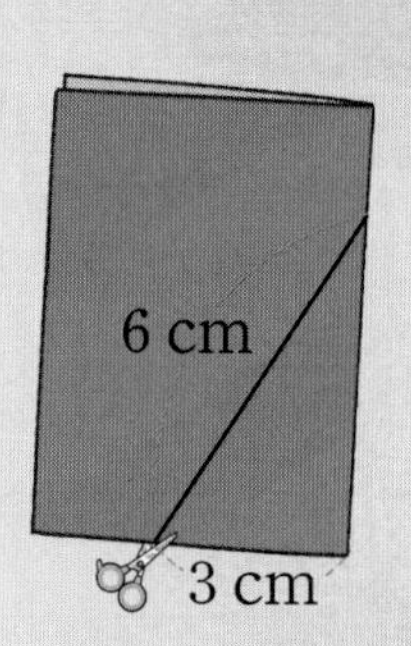

▶ 정답 및 해설 9쪽

2 정삼각형의 세 변의 길이의 합

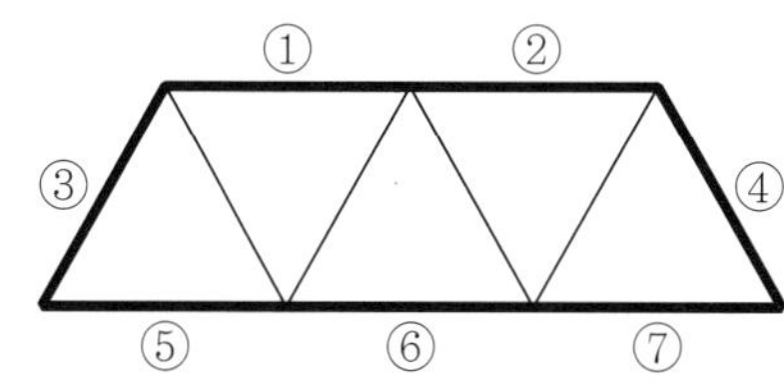

똑같은 정삼각형 5개를 변끼리 이어 붙여 만든 도형에서 굵은 선의 길이는 49cm일 때 정삼각형의 세 변의 길이의 합 구하기

굵은 선은 정삼각형의 한 변의 길이가 7개 모인 것과 같습니다.

➔ (정삼각형의 한 변의 길이) $= 49 \div 7 = 7$ (cm)

➔ (정삼각형의 세 변의 길이의 합) $= 7 \times 3 = 21$ (cm)

활동 문제 똑같은 정삼각형 여러 개를 변끼리 이어 붙여 만든 도형입니다. 굵은 선의 길이가 다음과 같을 때 가장 작은 정삼각형의 한 변의 길이를 구해 □ 안에 써 보세요.

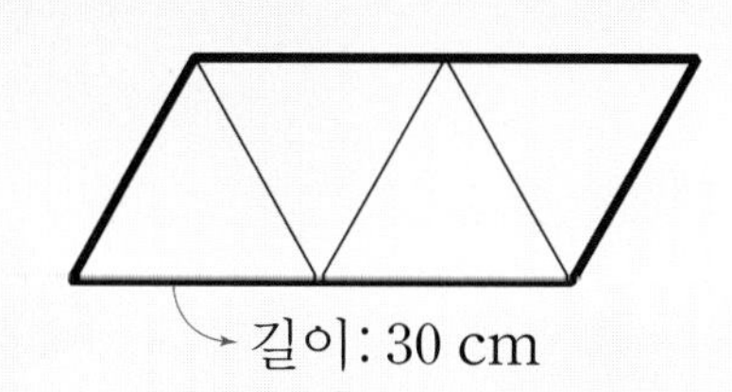

길이: 30 cm

➔

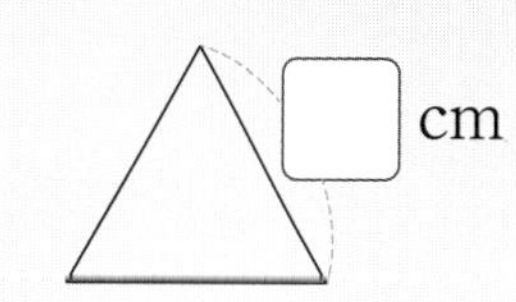

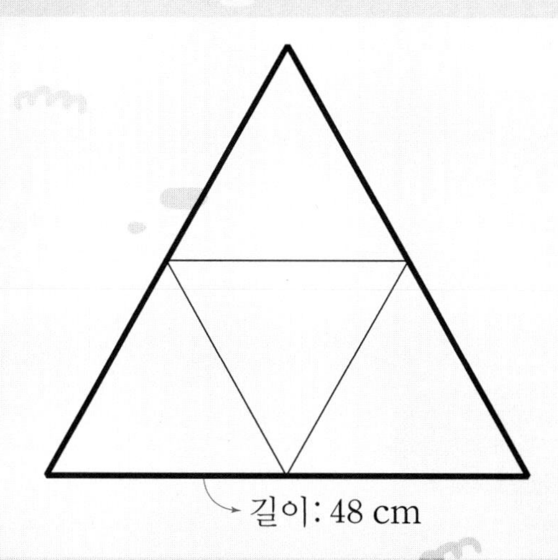

길이: 48 cm

➔

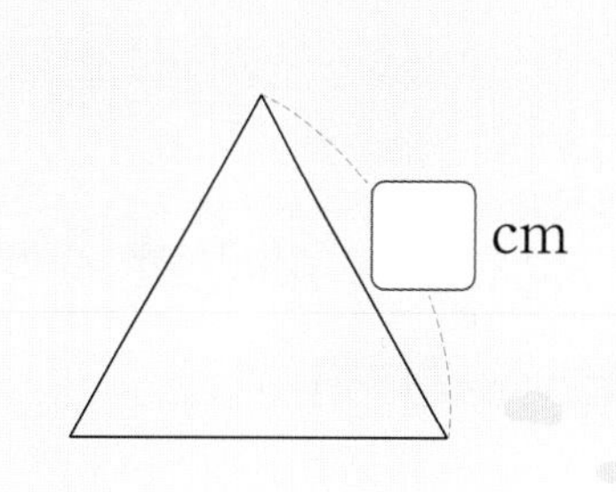

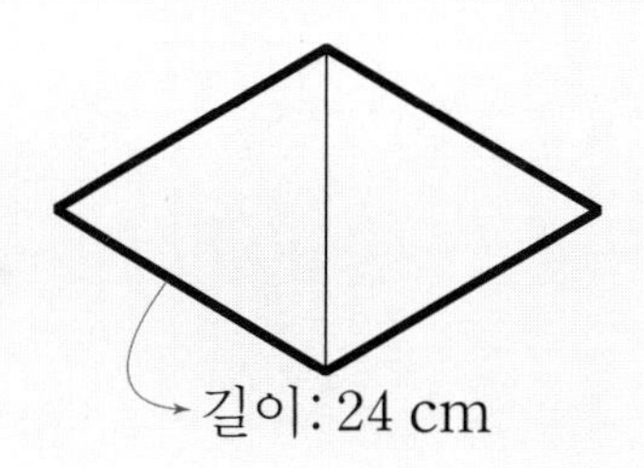

길이: 24 cm

➔

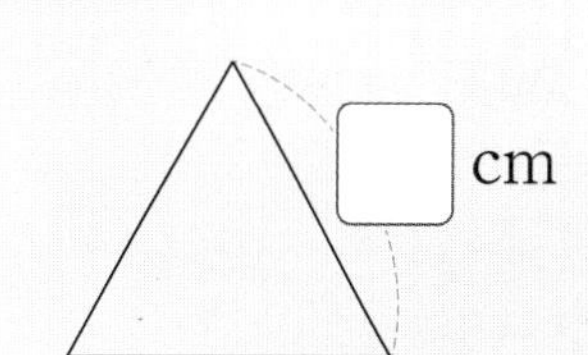

1-1 오른쪽과 같이 직사각형 모양의 색종이를 반으로 접고 선을 그은 후, 선을 따라 잘랐습니다. 잘라낸 삼각형을 펼쳤을 때, 펼친 삼각형의 세 변의 길이의 합은 몇 cm인지 구해 보세요.

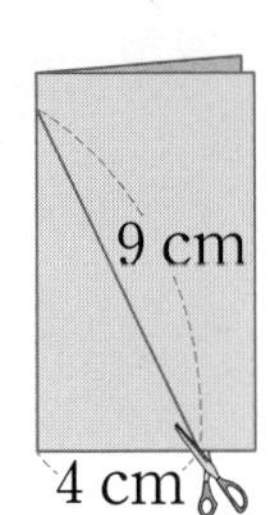

(　　　　　　　　)

잘라낸 삼각형을 펼치면 이등변삼각형입니다.

1-2 다음과 같이 직사각형 모양의 색종이를 반으로 접고 선을 그은 후, 선을 따라 잘랐습니다. 잘라낸 삼각형을 펼쳤을 때, 펼친 삼각형의 세 변의 길이의 합은 몇 cm인지 구해 보세요.

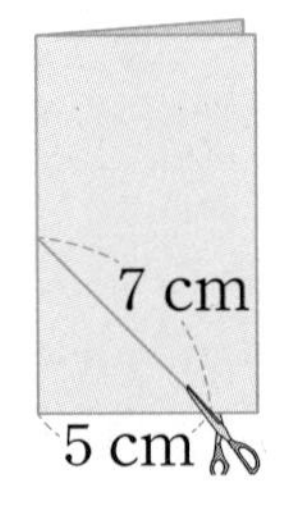

(1) 삼각형의 세 변의 길이를 각각 구해 보세요.

(　　　　　　), (　　　　　　), (　　　　　　)

(2) 삼각형의 세 변의 길이의 합을 구해 보세요.

(　　　　　　)

1-3 다음과 같이 직사각형 모양의 색종이를 반으로 접고 선을 그은 후, 선을 따라 잘랐습니다. 잘라낸 삼각형을 펼쳤을 때, 펼친 삼각형의 세 변의 길이의 합이 14 cm입니다. ㉠은 몇 cm인지 구해 보세요.

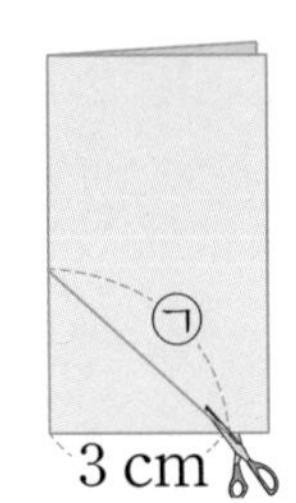

(1) 삼각형의 세 변의 길이의 합을 구하는 식을 써 보세요.

식 ______________________

(2) ㉠은 몇 cm인지 구해 보세요.

(　　　　　　)

▶정답 및 해설 9쪽

2-1 똑같은 정삼각형 6개를 변끼리 이어 붙여 만든 도형입니다. 파란색 선의 길이가 32 cm일 때, 가장 작은 정삼각형의 세 변의 길이의 합은 몇 cm인지 구해 보세요.

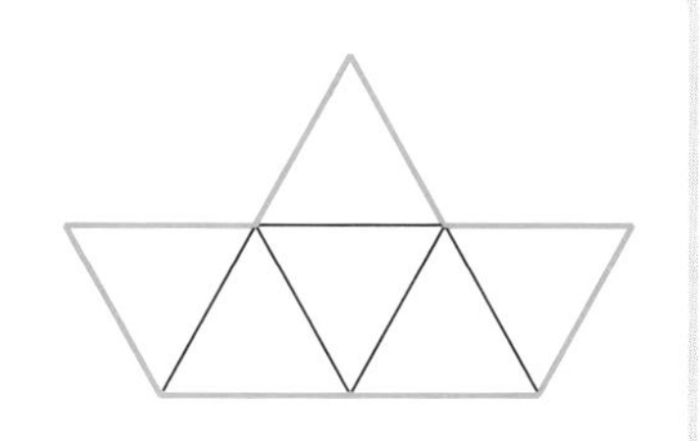

(　　　　　　　　)

- 구하려는 것: 가장 작은 정삼각형의 세 변의 길이의 합
- 주어진 조건: 똑같은 정삼각형 6개를 변끼리 이어 붙여 만든 도형, 파란색 선의 길이가 32 cm
- 해결 전략: 파란색 선은 가장 작은 정삼각형의 한 변의 길이가 몇 개 모인 것인지 알아봅니다.

구하려는 것(～～)과 주어진 조건(——)에 표시해 봅니다.

2-2 똑같은 정삼각형 6개를 변끼리 이어 붙여 만든 도형입니다. 파란색 선의 길이가 54 cm일 때, 가장 작은 정삼각형의 세 변의 길이의 합은 몇 cm인지 구해 보세요.

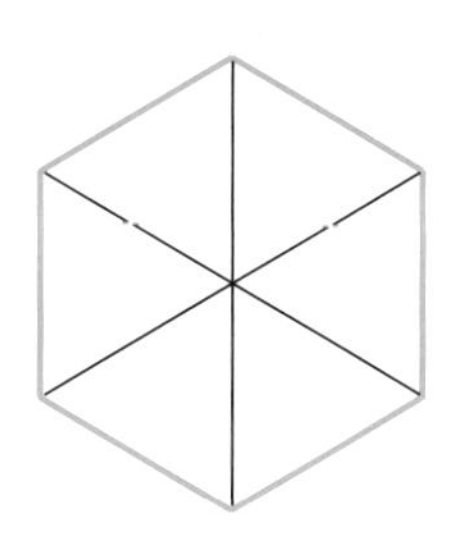

해결 전략

파란색 선은 가장 작은 정삼각형의 한 변의 길이가 몇 개 모인 것인지 알아봅니다.

(　　　　　　　　)

2-3 세 변의 길이의 합이 6 cm인 정삼각형 9개를 변끼리 이어 붙여 만든 도형입니다. 파란색 선의 길이는 몇 cm인지 구해 보세요.

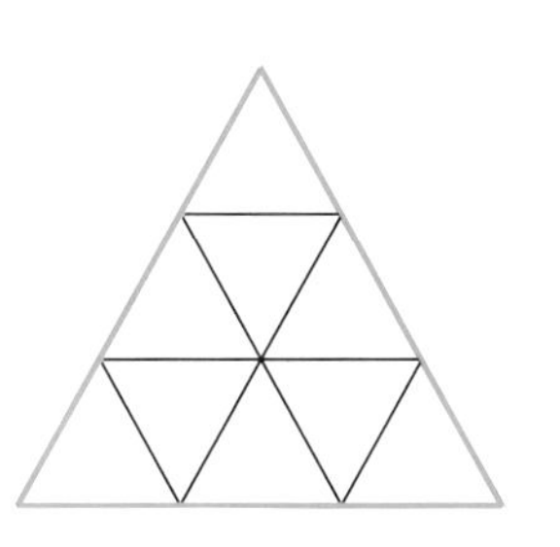

(　　　　　　　　)

5일 사고력 · 코딩

봄의 밤하늘에 보이는 별자리 중 세 개의 별을 연결하면 정삼각형을 이루는 데 이를 봄밤의 정삼각형이라고 합니다. 봄밤의 정삼각형을 찾아 그려 보세요.

봄하늘의 대표적인 별자리는 처녀자리, 목동자리, 사자자리입니다.

재일이는 다음과 같이 가지고 있던 줄을 5 cm 잘라낸 다음 정삼각형을 만들었습니다. 재일이가 가지고 있던 줄은 몇 cm인지 구해 보세요.

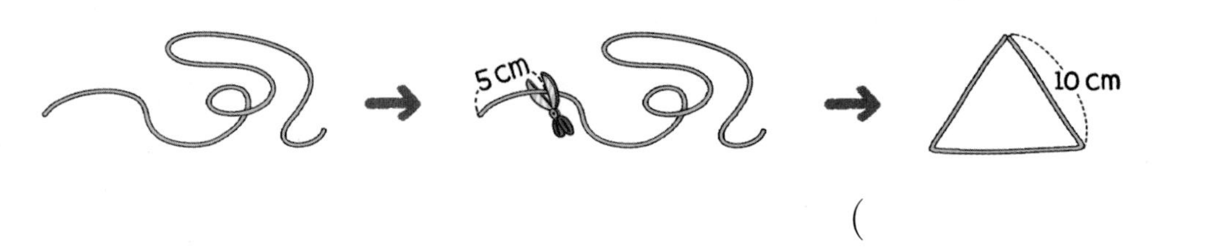

(　　　　　　　　　　)

다음 도형은 이등변삼각형입니다. 가려진 한 각의 크기는 몇 도인지 구해 보세요.

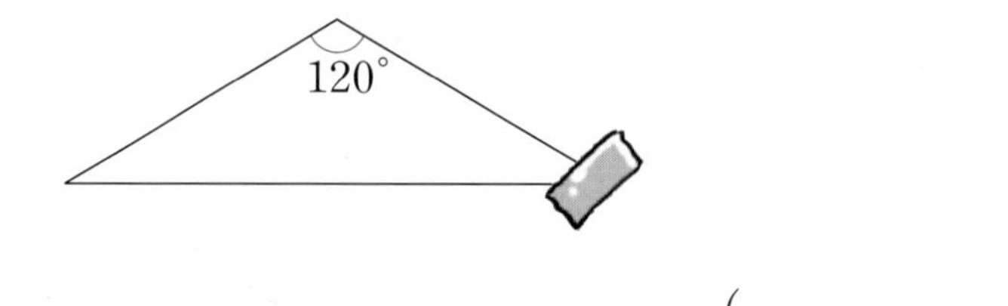

(　　　　　　　　　　)

성냥개비 9개를 사용하여 그림과 같은 모양을 만들었습니다. 성냥개비 2개를 움직여서 크기가 같은 정삼각형 4개를 만들어 보세요.

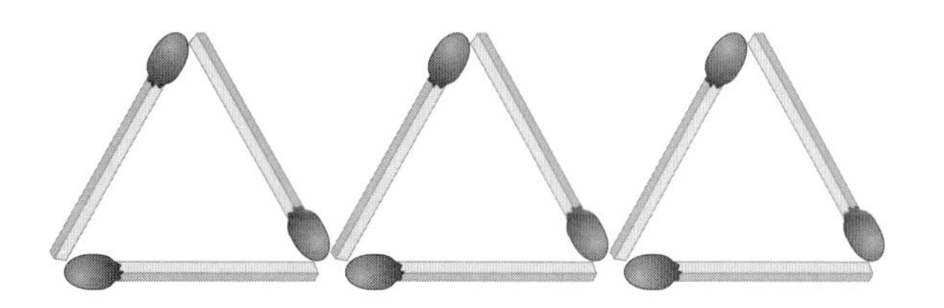

직사각형 모양의 색종이를 반으로 접고 선을 그은 후, 선을 따라 잘랐더니 삼각형 3개가 만들어졌습니다. 세 삼각형의 모든 변의 길이의 합은 몇 cm인지 구해 보세요.

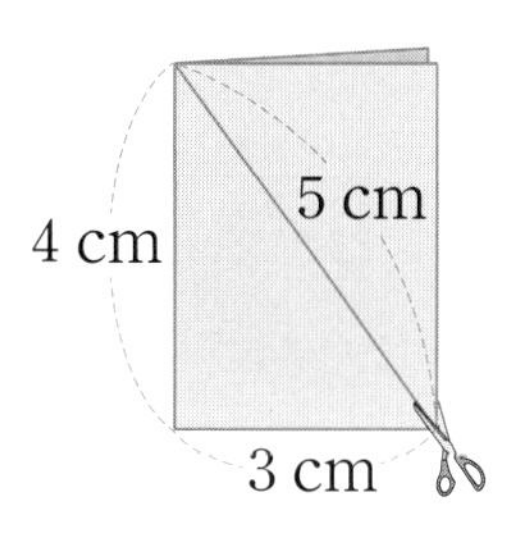

( )

똑같은 정삼각형 6개를 변끼리 이어 붙여 만든 도형입니다. 굵은 선의 길이가 40 cm일 때, 파란색 선의 길이는 몇 cm인지 구해 보세요.

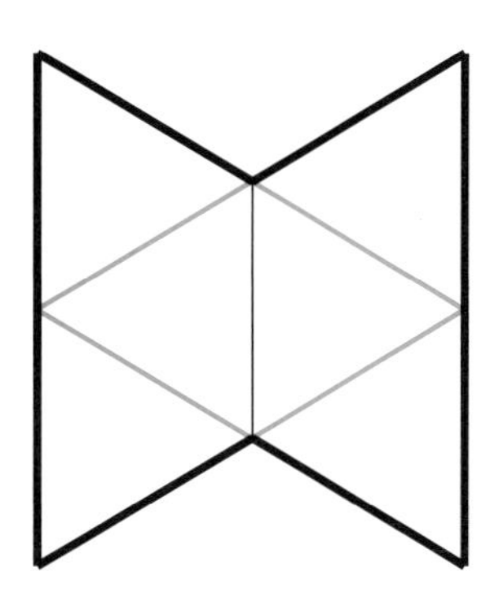

( )

1주 특강 창의・융합・코딩

1 주어진 분수와 같은 종류의 분수가 적힌 징검돌을 차례로 찾아 선으로 이어 징검다리를 건너가세요. 지나온 징검돌의 수 중에서 가장 큰 수와 가장 작은 수의 합과 차를 빈 곳에 써넣으세요. (단, 다른 징검돌을 가로지르지 않고 직선으로만 연결할 수 있어요.) 문제 해결

2 이등변삼각형이 그려진 부분에 색칠한 다음 정삼각형이 그려진 부분에 빗금을 그어 보세요. 창의·융합

3 보기에서 규칙을 찾아 ♡와 ☆안에 알맞은 수를 써넣으세요. 문제 해결

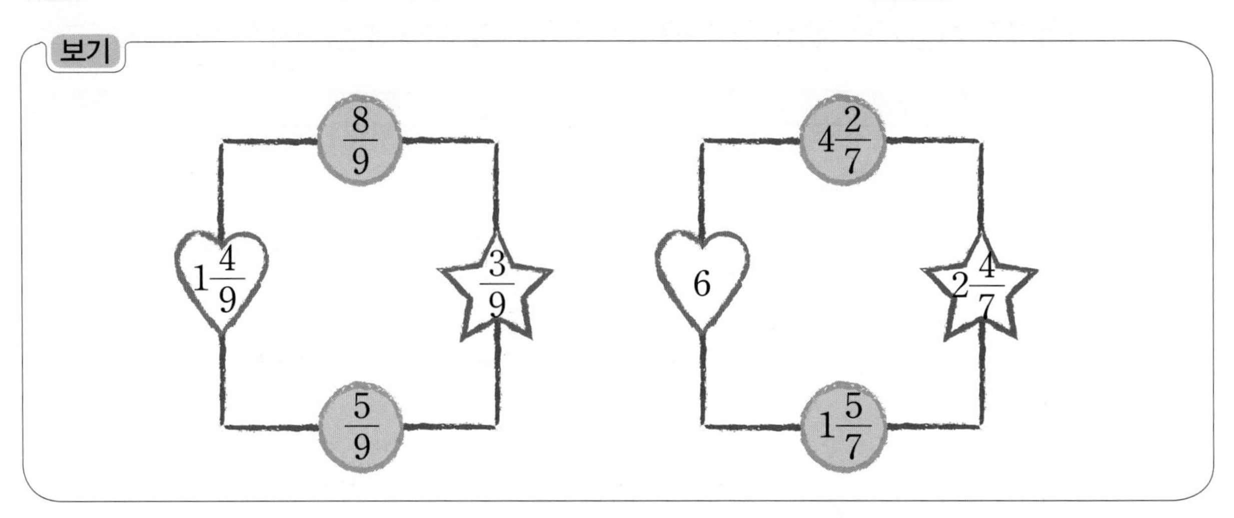

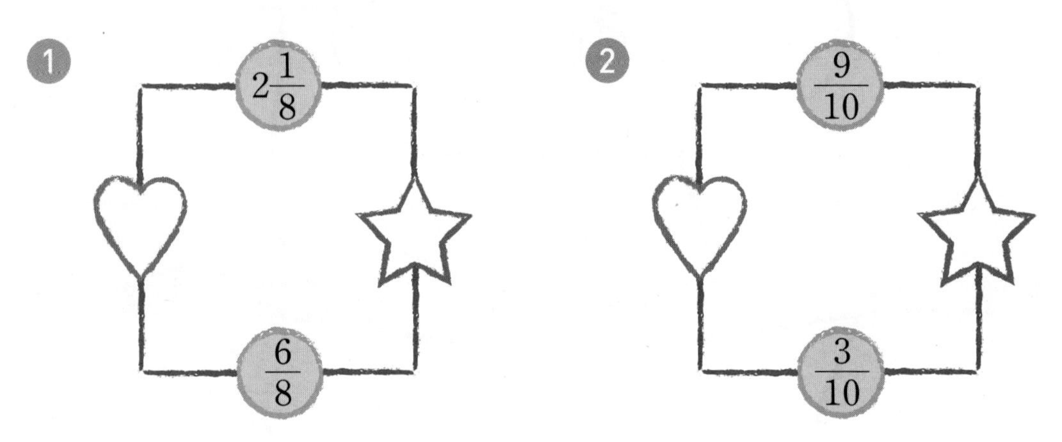

4 분모가 같은 진분수의 합을 구하여 대분수로 나타냈는데 종이가 찢어졌습니다. 분수의 분모는 얼마인지 구해 보세요. 문제 해결

$\frac{5}{\square}+\frac{4}{\square}=1\frac{3}{\square}$

(　　　　　　　　　　)

▶정답 및 해설 10쪽

5 해민, 자욱, 승규가 줄넘기를 하고 있습니다. 세 사람이 준비한 줄넘기는 다음과 같습니다. 자욱이의 줄넘기는 몇 m인지 구하려고 합니다. 물음에 답하세요. 문제 해결

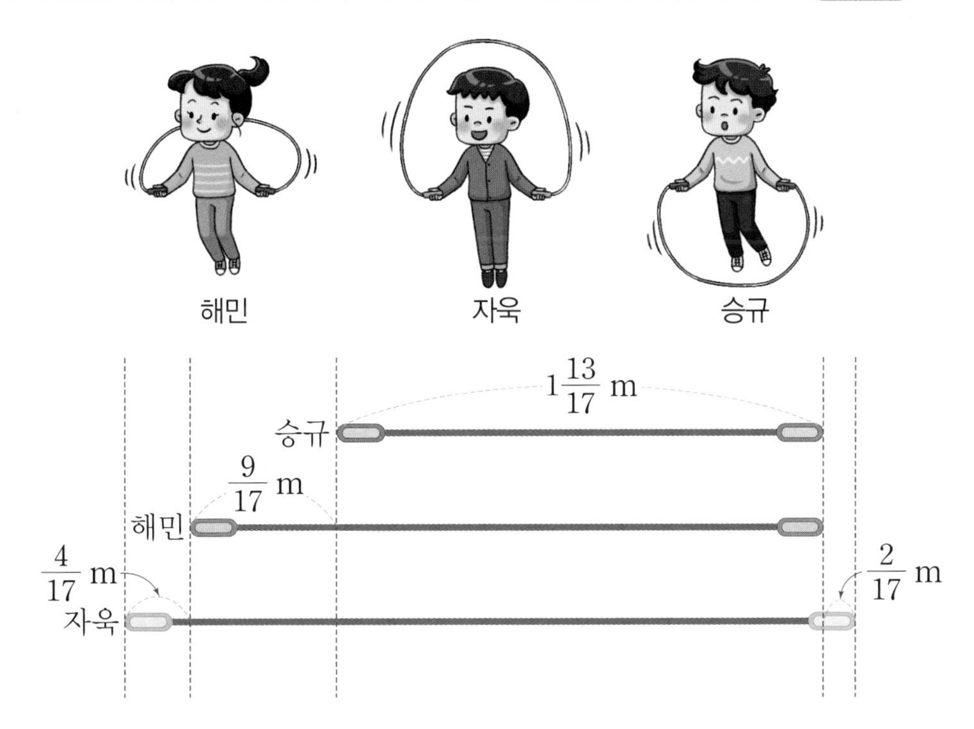

1 해민이의 줄넘기는 몇 m인지 구해 보세요.

( )

2 자욱이의 줄넘기는 몇 m인지 구해 보세요.

( )

1주 특강

6 우리 모둠은 색 테이프 $3\frac{13}{15}$ m를 가지고 있고, 리본 한 개를 만드는 데 색 테이프 $\frac{8}{15}$ m가 필요합니다. 리본을 몇 개까지 만들 수 있는지 다음 코드를 실행하여 구하려고 합니다. 물음에 답하세요. 코딩

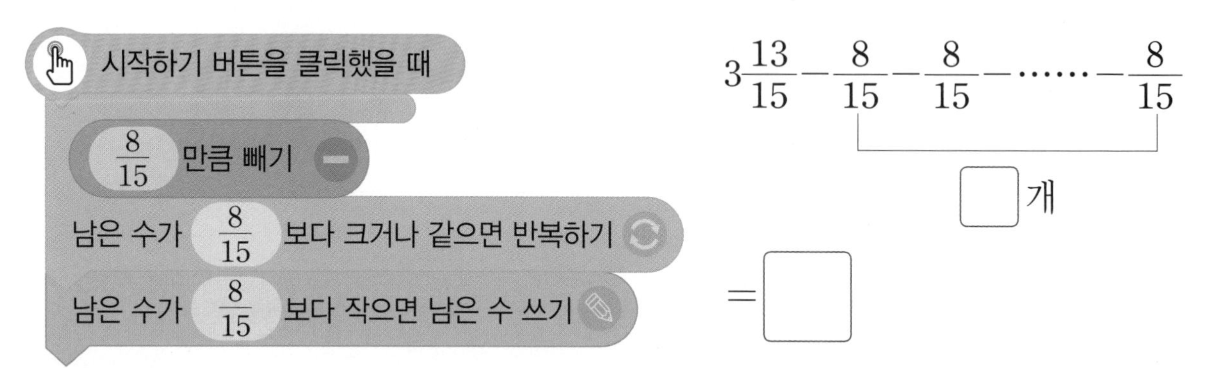

❶ □ 안에 알맞은 수를 써넣으세요.

❷ 리본은 몇 개까지 만들 수 있는지 구해 보세요.

( )

❸ 리본을 만들고 남은 색 테이프는 몇 m인지 구해 보세요.

( )

7 45° 간격으로 반지름을 그렸습니다. 반지름을 두 변으로 하는 삼각형을 그리려고 합니다. 자를 사용하여 한 각의 크기가 45°인 삼각형을 2개 그려 보세요. 문제 해결

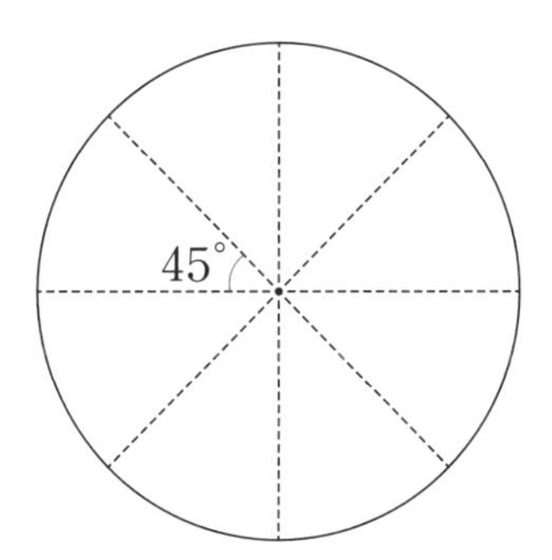

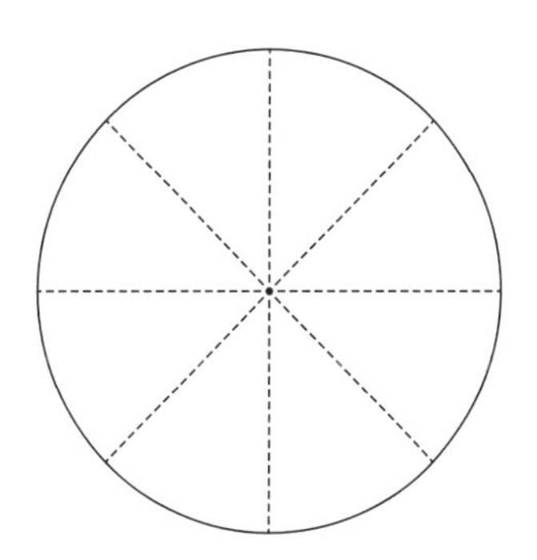

8 숲속에 여러 동물들이 있습니다. 모눈종이에 각각의 동물을 완전히 둘러싸는 이등변삼각형을 그려 보세요. 창의・융합

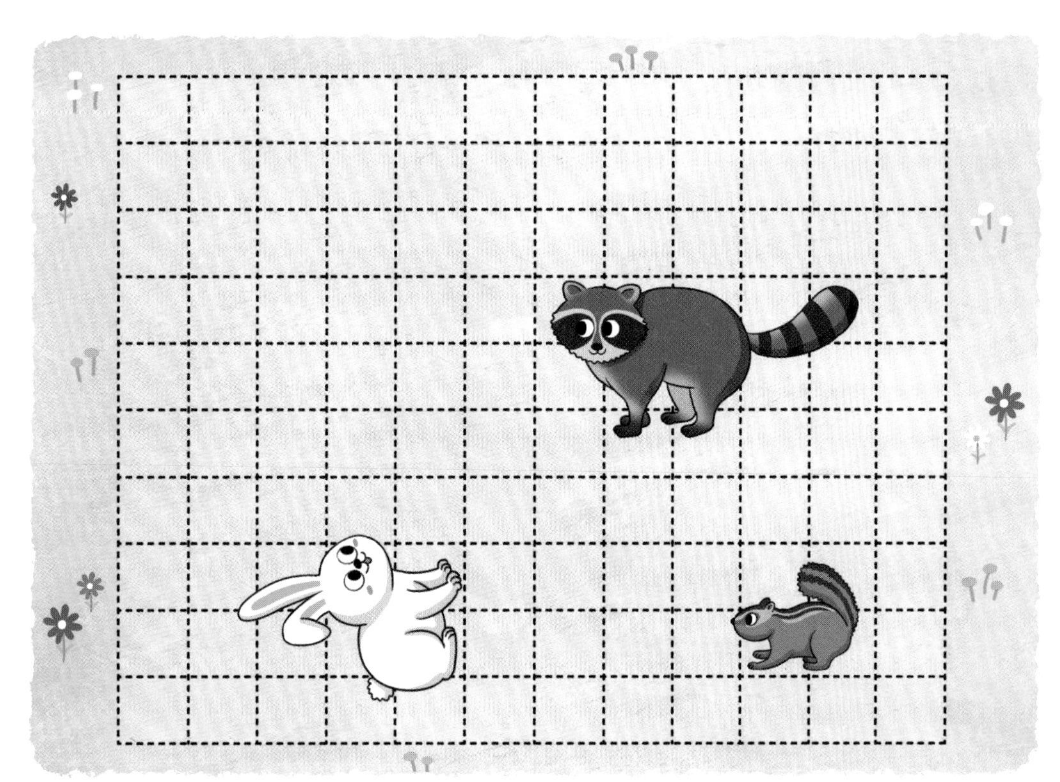

누구나 100점 TEST

맞은 개수 /7개

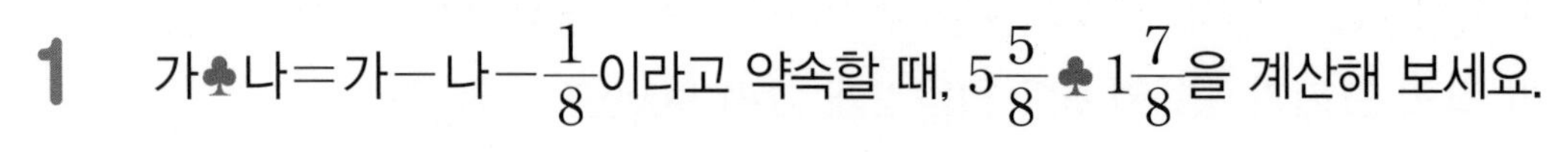

1 가♣나=가−나−$\frac{1}{8}$이라고 약속할 때, $5\frac{5}{8}$♣$1\frac{7}{8}$을 계산해 보세요.

(　　　　　　　　　　)

2 덧셈 상자에 $\frac{3}{9}$을 넣었더니 1이 나왔습니다. 이 덧셈 상자에 $\frac{5}{9}$를 넣었을 때 나오는 수를 구해 보세요.

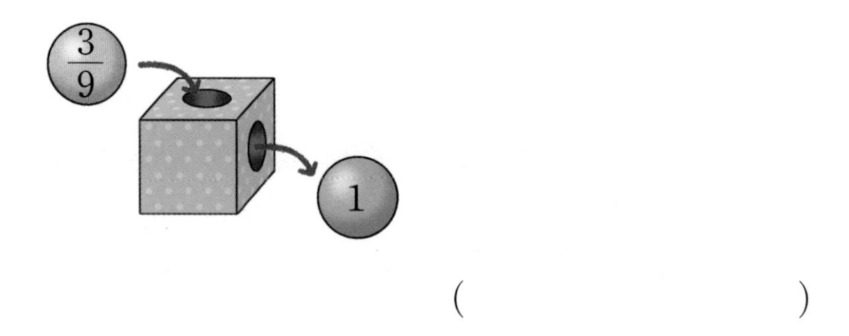

(　　　　　　　　　　)

3 집에서 시청까지 가는 데 걸리는 시간은 $\frac{7}{20}$시간이고, 시청에서 공항까지 가는 데 걸리는 시간은 $\frac{5}{20}$시간입니다. 집에서 시청을 지나 공항까지 가는 데 걸리는 시간은 몇 분인지 구해 보세요.

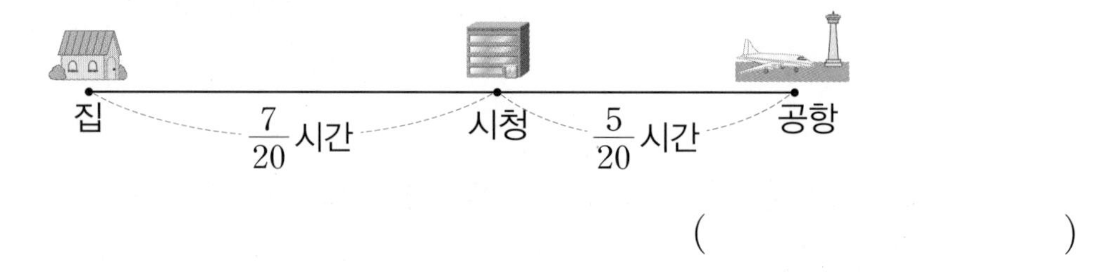

(　　　　　　　　　　)

4 하루에 $2\frac{3}{10}$분씩 빨라지는 시계가 있습니다. 6일 동안 시계가 빨라지는 시간은 몇 분 몇 초인지 구해 보세요.

(　　　　　　　　　　)

5 빨간색 선을 따라 계산한 결과는 $9\frac{3}{7}$입니다. ㉡에 알맞은 수를 구해 보세요.

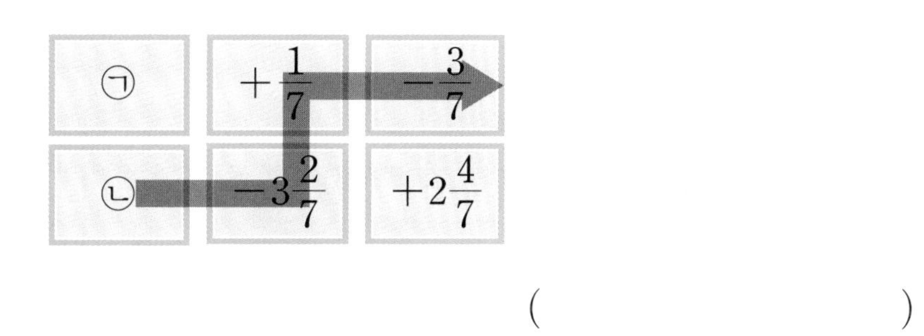

(　　　　　　　　　　)

6 다음과 같이 정사각형 모양의 색종이를 반으로 접고 선을 그은 후, 선을 따라 잘랐습니다. 잘라내 펼친 삼각형에서 □ 안에 알맞은 수를 써넣고, 세 변의 길이의 합을 구해 보세요.

7 cm
2 cm
□ cm
□ cm
□ cm

(　　　　　　　　　　)

7 수 카드 3장 중 2장을 골라 한 번씩 사용하여 계산 결과가 가장 큰 뺄셈식을 만들고 계산해 보세요.

9　2　5 → $8-\square\frac{\square}{11}$

(　　　　　　　　　　)

2주

2주에는 무엇을 공부할까? ①

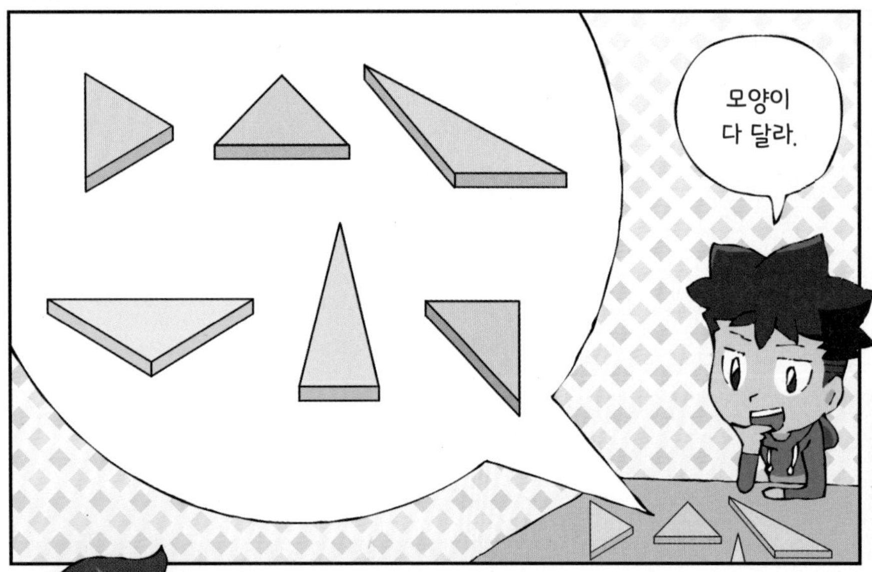

아~
왜 한숨이야?

학원까지 걸어가야 하는데 너무 멀어서……

거리가 얼마나 되길래?

1 km나 돼. ㅠ.ㅠ
1 km는 1000 m 이지.

1 m는 분수로 $\frac{1}{1000}$ km

분수 $\frac{1}{1000}$을 소수로 0.001이라 쓰고 영점 영영일이라고 읽지.

내가 학원까지 전동 킥보드를 빌려줄까?
정말?

너 킥보드 잘 못 타는구나.
비틀
비틀
킥보드 타본 적이 없어서……

2주에는 무엇을 공부할까? ②

• 예각삼각형과 둔각삼각형

확인 문제

1-1 예각삼각형에 ○표 하세요.

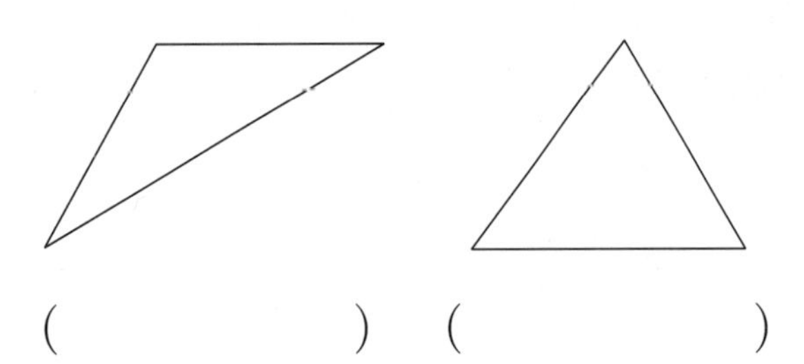

(　　　　　) (　　　　　)

한번 더

1-2 둔각삼각형에 ○표 하세요.

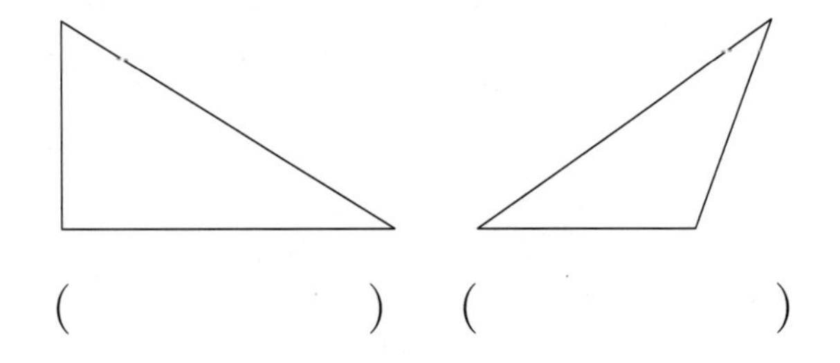

(　　　　　) (　　　　　)

2-1 삼각형을 분류해 보세요.

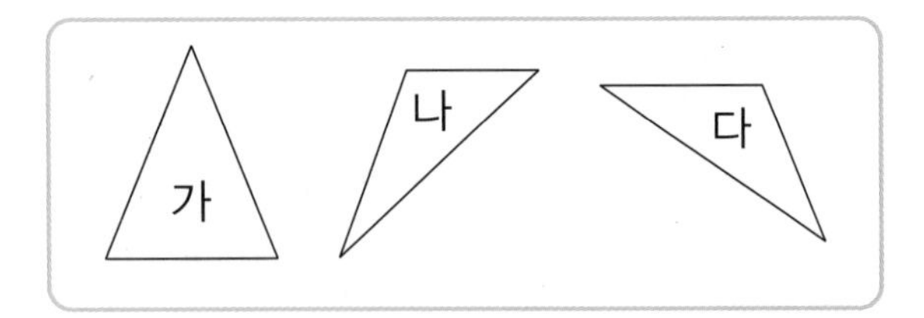

(1) 이등변삼각형을 찾아 기호를 써 보세요.

(　　　　　)

(2) 위 (1)에서 찾은 삼각형 중 둔각삼각형을 찾아 기호를 써 보세요.

(　　　　　)

2-2 삼각형을 분류해 보세요.

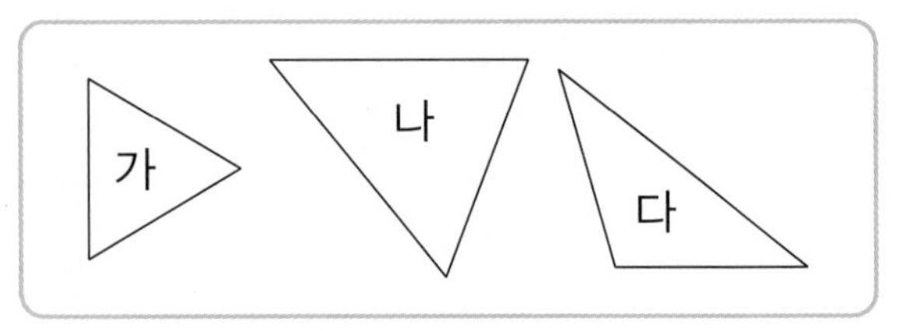

(1) 예각삼각형을 찾아 기호를 써 보세요.

(　　　　　)

(2) 위 (1)에서 찾은 삼각형 중 정삼각형을 찾아 기호를 써 보세요.

(　　　　　)

▶정답 및 해설 12쪽

• 소수의 덧셈

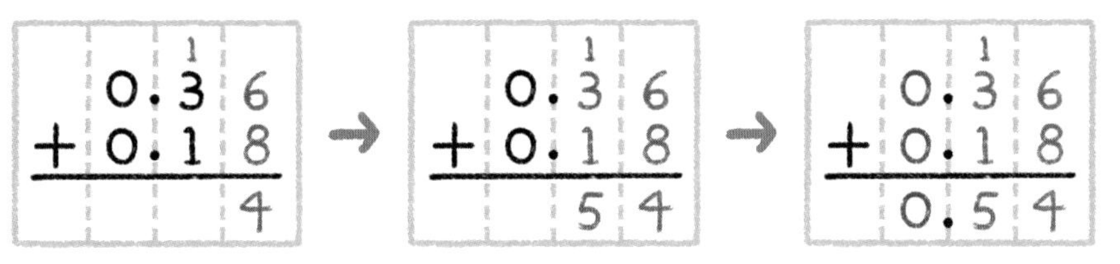

• 소수의 뺄셈

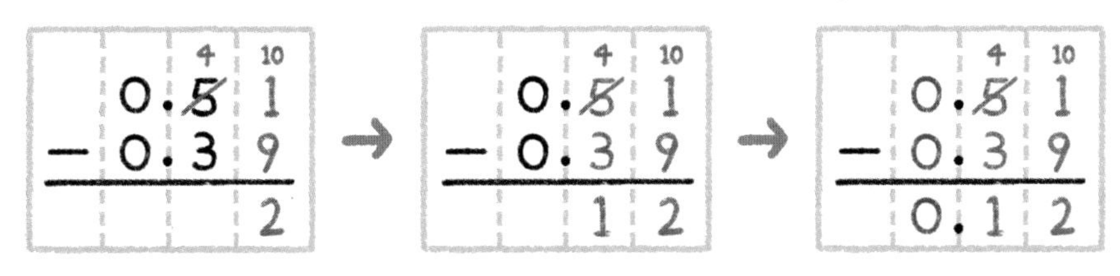

확인 문제

3-1 □ 안에 알맞은 수를 써넣으세요.

(1)
```
   0 . 1
 + 0 . 7
 -------
   □ . □
```

(2)
```
   □
   1 . 6
 + 2 . 8
 -------
   □ . □
```

한번 더

3-2 □ 안에 알맞은 수를 써넣으세요.

(1)
```
   0 . 9
 - 0 . 5
 -------
   □ . □
```

(2)
```
   □   □
   4̸ . 3
 - 1 . 6
 -------
   □ . □
```

4-1 계산해 보세요.

(1)
```
   0 . 2 4
 + 5 . 3 7
 ---------
```

(2)
```
   1 . 1 6
 + 2 . 9 1
 ---------
```

4-2 계산해 보세요.

(1)
```
   5 . 2 7
 - 1 . 2 6
 ---------
```

(2)
```
   4 . 8 3
 - 1 . 0 5
 ---------
```

1일 개념·원리 길잡이 크고 작은 삼각형 찾기

① 크고 작은 정삼각형 찾기

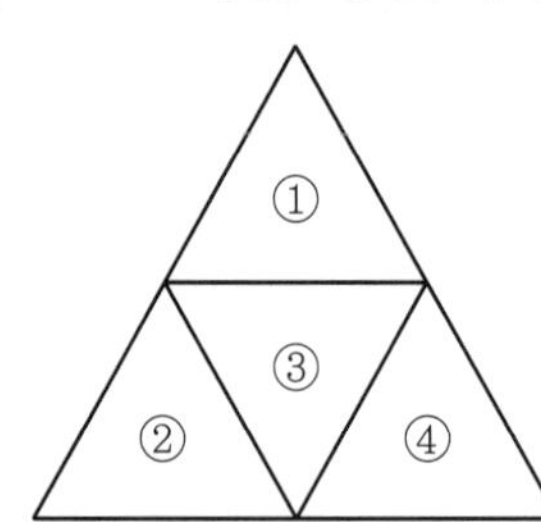

가장 작은 정삼각형 1개짜리, 4개짜리 정삼각형의 수를 세어 봅니다.

가장 작은 정삼각형 1개짜리: ①, ②, ③, ④ → 4개

가장 작은 정삼각형 4개짜리: ①②③④ → 1개

따라서 크고 작은 정삼각형은 모두 $4+1=5$(개)입니다.

활동 문제 크고 작은 정삼각형의 수를 세어 가며 길을 찾아 가 보세요.

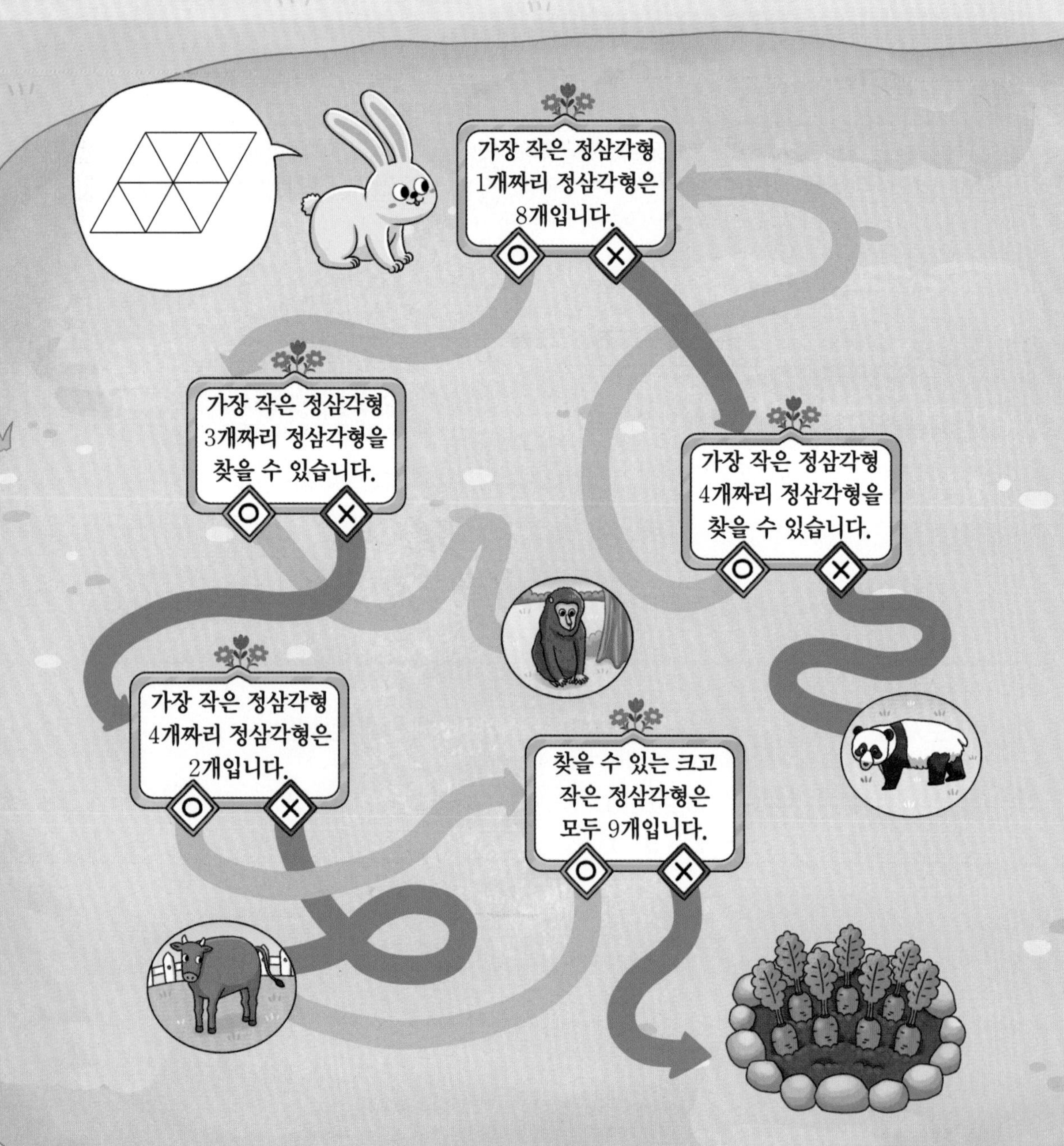

▶정답 및 해설 12쪽

2 크고 작은 예각삼각형(둔각삼각형) 찾기

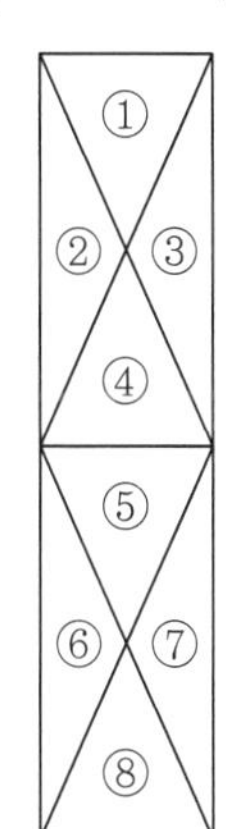

- 크고 작은 예각삼각형 찾기

  삼각형 1개짜리: ①, ④, ⑤, ⑧ ➔ 4개

  삼각형 2개짜리, 3개짜리, 4개짜리 예각삼각형은 없습니다.

  따라서 모두 4개입니다.

- 크고 작은 둔각삼각형 찾기

  삼각형 1개짜리: ②, ③, ⑥, ⑦ ➔ 4개

  삼각형 4개짜리: ②④⑤⑥, ③④⑤⑦ ➔ 2개

  따라서 모두 $4+2=6$(개)입니다.

활동 문제 그림에서 찾을 수 있는 크고 작은 예각삼각형과 둔각삼각형의 수를 각각 세어 보세요.

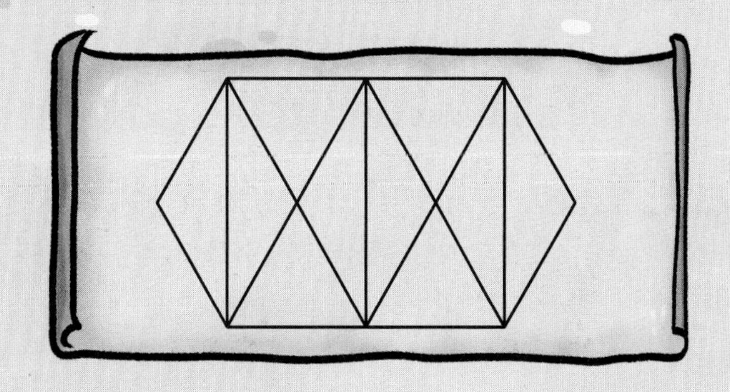

예각삼각형

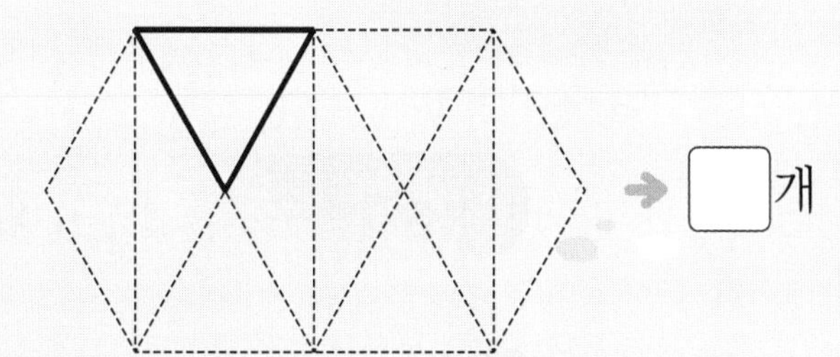

➔ □개

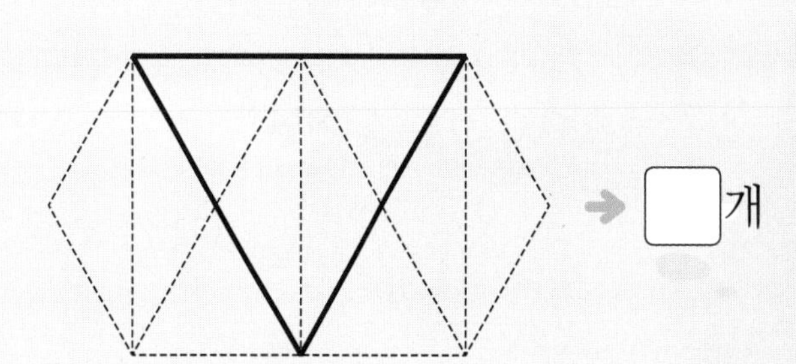

➔ □개

둔각삼각형

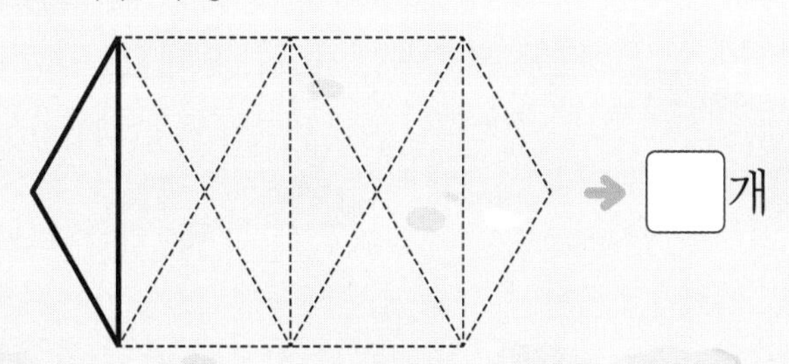

➔ □개

1-1 그림에서 찾을 수 있는 크고 작은 정삼각형은 모두 몇 개인지 써 보세요.

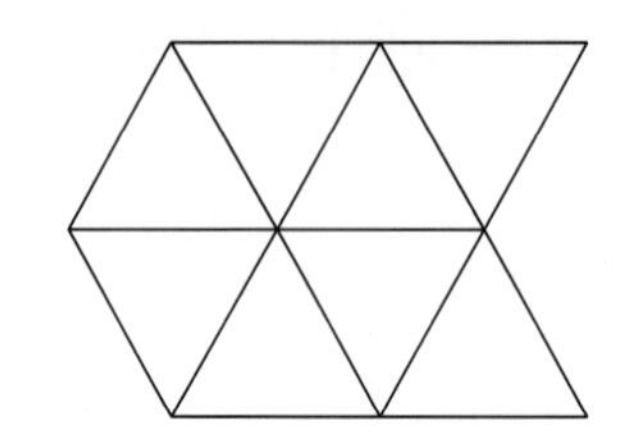

( )

가장 작은 정삼각형 1개짜리, 2개짜리, 3개짜리…… 정삼각형으로 나누어 찾은 후 모두 더합니다.

1-2 그림에서 찾을 수 있는 크고 작은 정삼각형은 모두 몇 개인지 써 보세요.

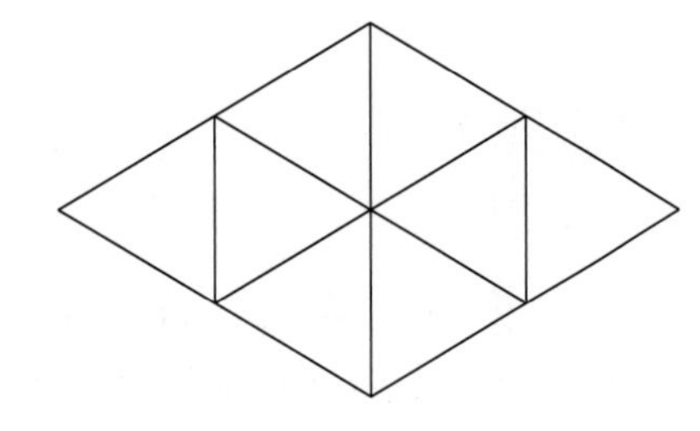

(1) 가장 작은 정삼각형 1개짜리 정삼각형은 몇 개인지 써 보세요. ( )

(2) 가장 작은 정삼각형 4개짜리 정삼각형은 몇 개인지 써 보세요. ( )

(3) 크고 작은 정삼각형은 모두 몇 개인지 써 보세요.

( )

1-3 그림에서 찾을 수 있는 크고 작은 정삼각형은 모두 몇 개인지 써 보세요.

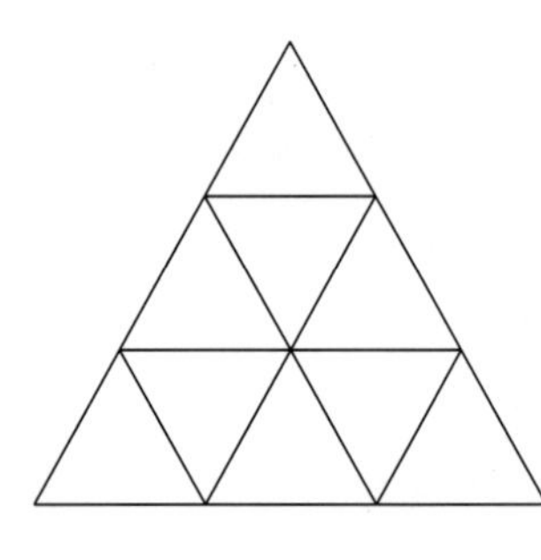

(1) 가장 작은 정삼각형 1개짜리 정삼각형은 몇 개인지 써 보세요. ( )

(2) 가장 작은 정삼각형 4개짜리 정삼각형은 몇 개인지 써 보세요. ( )

(3) 크고 작은 정삼각형은 모두 몇 개인지 써 보세요.

( )

▶정답 및 해설 12쪽

2-1 다음 그림에서 찾을 수 있는 크고 작은 예각삼각형은 모두 몇 개인지 구해 보세요.

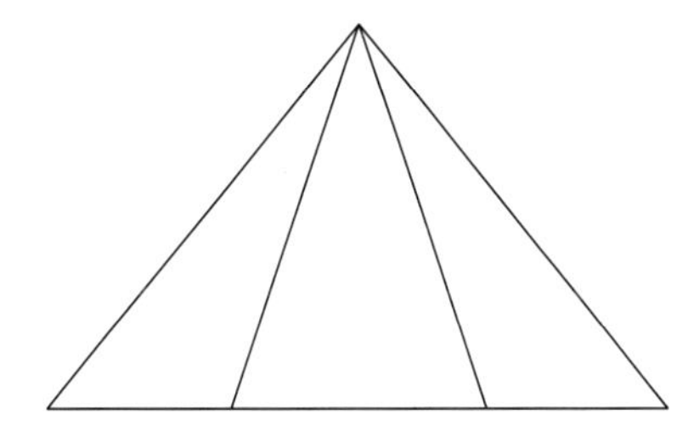

( )

- 구하려는 것: 크고 작은 예각삼각형의 수
- 주어진 조건: 주어진 그림
- 해결 전략: 작은 삼각형 1개짜리, 2개짜리, 3개짜리 예각삼각형으로 나누어 찾은 후 모두 더합니다.

✎ 구하려는 것(〰)과 주어진 조건(──)에 표시해 봅니다.

2-2 다음 그림에서 찾을 수 있는 크고 작은 둔각삼각형은 모두 몇 개인지 구해 보세요.

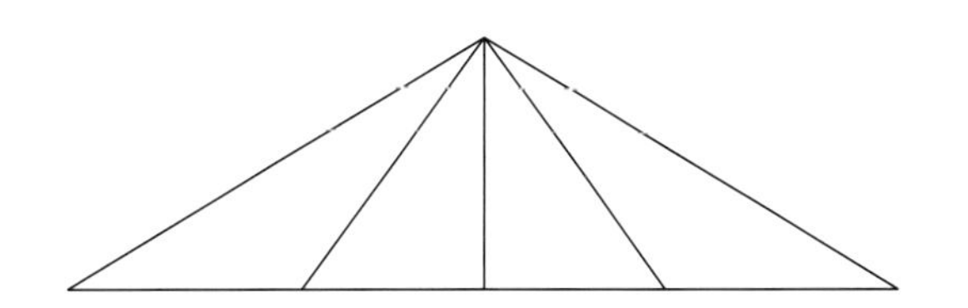

해결 전략

작은 삼각형 1개짜리, 2개짜리, 3개짜리…… 둔각삼각형으로 나누어 찾은 후 모두 더합니다.

( )

2-3 다음 그림에서 찾을 수 있는 크고 작은 예각삼각형과 둔각삼각형은 각각 모두 몇 개인지 구해 보세요.

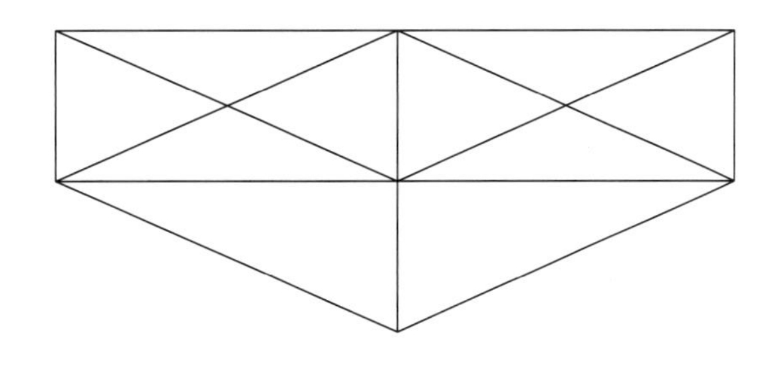

예각삼각형 ( ), 둔각삼각형 ( )

1일 사고력 · 코딩

1 창의 · 융합

다음과 같이 옷걸이가 여러 개 걸려 있습니다. 옷걸이가 걸려 있는 모습에서 찾을 수 있는 크고 작은 둔각삼각형은 모두 몇 개인지 구해 보세요.

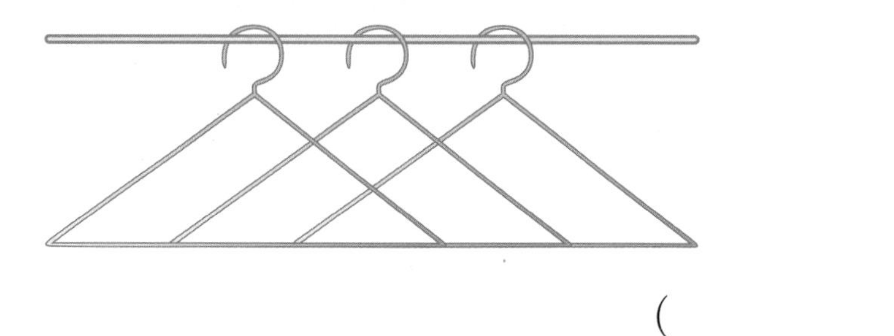

(　　　　　　　　　　)

2 추론

다음과 같이 삼각형 모양 블록이 있습니다. 이 삼각형 블록 2개를 이어 붙여서 예각삼각형과 둔각삼각형을 각각 만들어 보세요.

3 창의 · 융합

칠교판에서 찾을 수 있는 크고 작은 이등변삼각형은 모두 몇 개인지 구해 보세요.

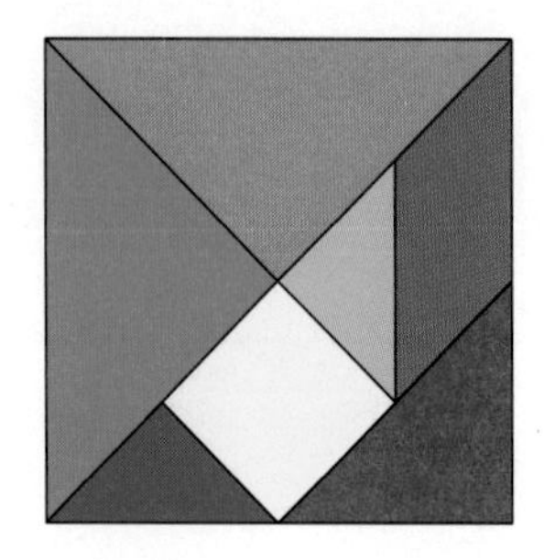

(　　　　　　　　　　)

▶정답 및 해설 13쪽

모든 변의 길이와 각의 크기가 같은 오각형입니다. 오각형의 변과 이웃하지 않는 두 꼭짓점을 이은 선분을 이용하여 삼각형을 만들려고 합니다. 만들 수 있는 이등변삼각형은 모두 몇 개인지 구해 보세요.

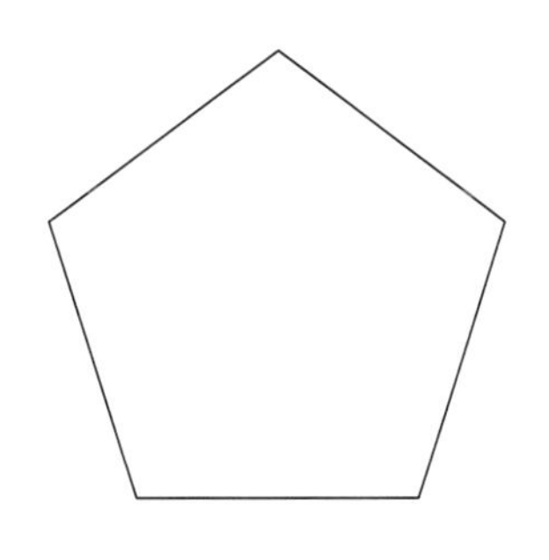

( )

석진이가 성냥개비로 그림과 같이 규칙적으로 정삼각형으로 이루어진 모양을 만들고 있습니다. 물음에 답하세요.

첫 번째

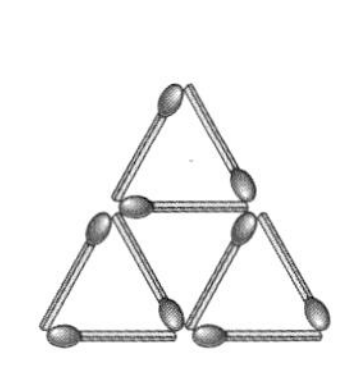
두 번째

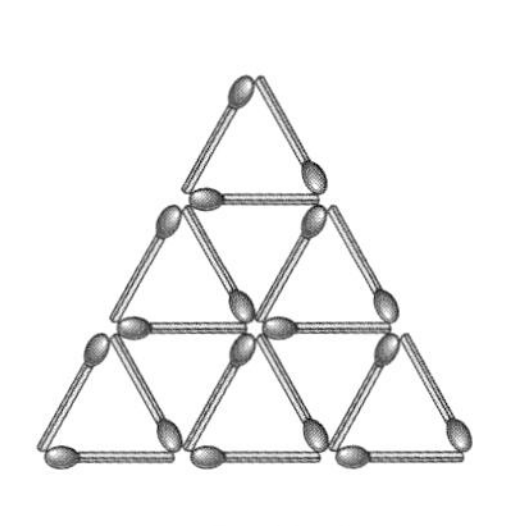
세 번째

네 번째

(1) 네 번째에 올 성냥개비 모양을 그려 보세요.

(2) 네 번째 모양에서 찾을 수 있는 크고 작은 정삼각형은 모두 몇 개인지 구해 보세요.

( )

삼각형의 이름

1 세 조각을 이어 붙인 삼각형의 이름

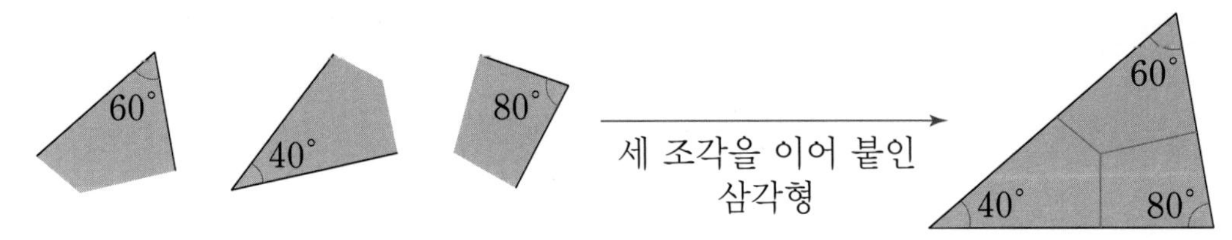

세 조각을 이어 붙여 만든 삼각형은 세 각의 크기가 60°, 40°, 80°로 세 각이 모두 예각입니다. 세 각이 모두 예각인 삼각형은 예각삼각형이라고 합니다.

활동 문제 삼각형을 세 조각으로 잘랐습니다. 세 조각을 이어 붙여 만든 삼각형의 이름에 ○표 하세요.

1

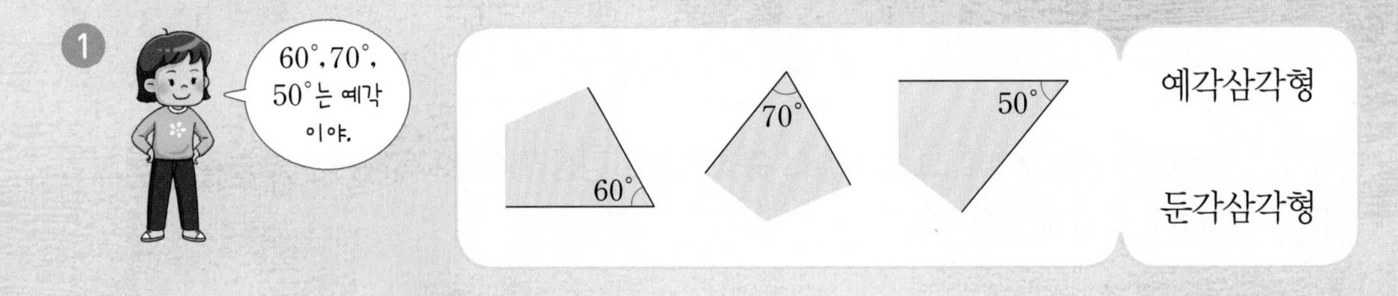

2

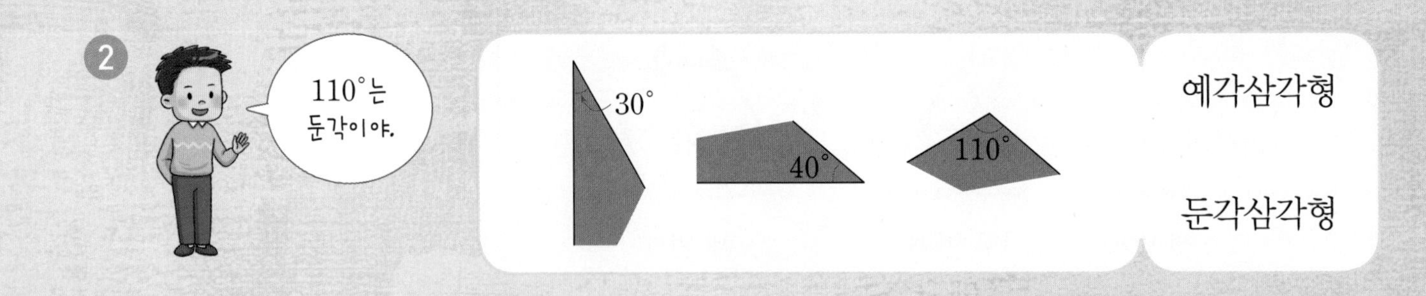

3

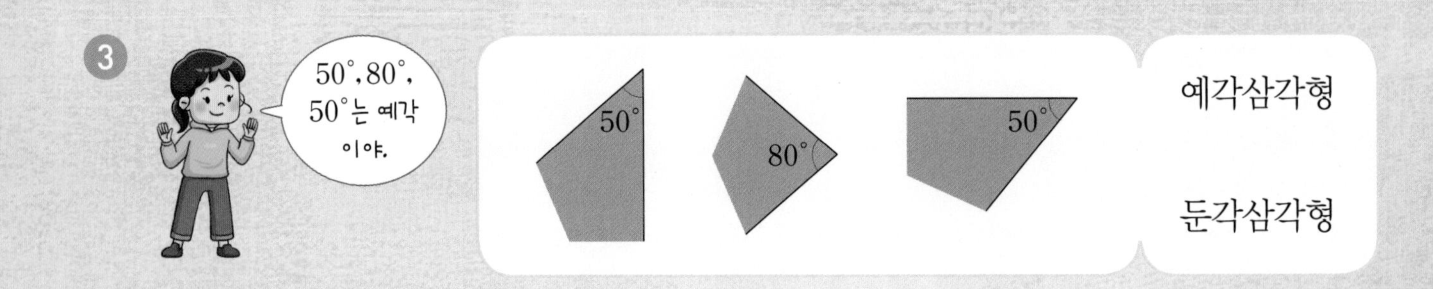

▶정답 및 해설 14쪽

2 일부가 가려진 삼각형의 이름

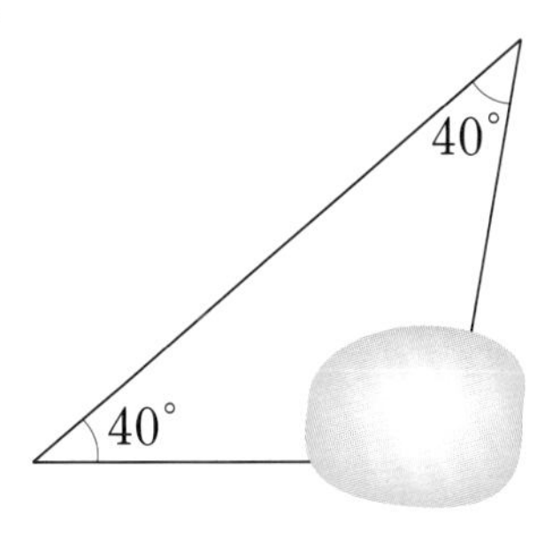

1. 삼각형의 **두 각의 크기가 40°로 같으므로** 이등변삼각형입니다.
2. 삼각형의 세 각의 크기의 합은 180°입니다.
   ➔ 삼각형의 세 각의 크기는 40°, 40°, 180°−40°−40°=100° 입니다.

   삼각형의 **한 각이 둔각**이므로 둔각삼각형입니다.

활동 문제 일부가 가려진 삼각형의 이름이 될 수 있는 것을 모두 찾아 선을 그어 보세요.

- 예각삼각형
- 직각삼각형
- 둔각삼각형
- 이등변삼각형
- 정삼각형

2일 서술형 길잡이

1-1 삼각형의 한 각이 가려져서 보이지 않습니다. 이 삼각형의 이름이 될 수 있는 것을 모두 써 보세요.

(　　　　　　　　　　　　　　　　　　)

가려진 나머지 한 각의 크기를 구해 이 삼각형이 예각삼각형, 직각삼각형, 둔각삼각형, 이등변삼각형, 정삼각형 중 어떤 삼각형인지 알아봅니다.

1-2 삼각형의 한 각이 가려져서 보이지 않습니다. 이 삼각형의 이름이 될 수 있는 것을 모두 써 보세요.

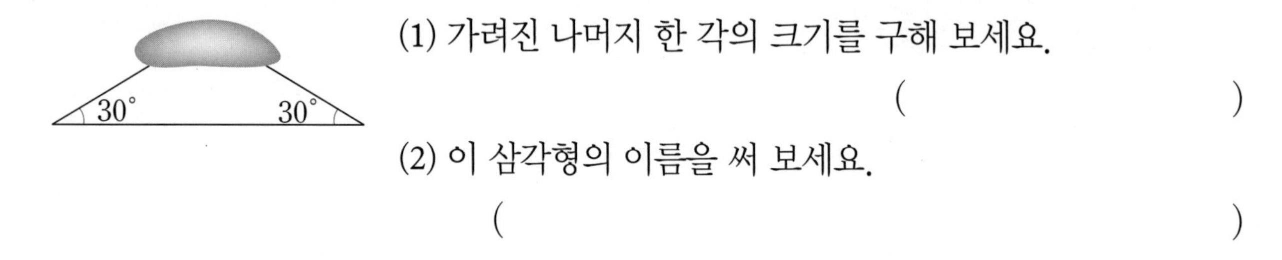

(1) 가려진 나머지 한 각의 크기를 구해 보세요.

(　　　　　　　　　　)

(2) 이 삼각형의 이름을 써 보세요.

(　　　　　　　　　　　　　　　　　　)

1-3 두 각의 크기가 다음과 같은 삼각형이 있습니다. 이 삼각형의 이름이 될 수 있는 것을 모두 써 보세요.

80°	25°

(1) 나머지 한 각의 크기를 구해 보세요.

(　　　　　　　　　　)

(2) 이 삼각형의 이름이 될 수 있는 것을 모두 써 보세요.

(　　　　　　　　　　　　　　　　　　)

▶정답 및 해설 14쪽

2-1 삼각형을 세 조각으로 잘랐습니다. 한 조각이 왼쪽과 같을 때 나머지 두 조각을 찾아 ○표 하고, 삼각형의 이름이 될 수 있는 것을 모두 써 보세요.

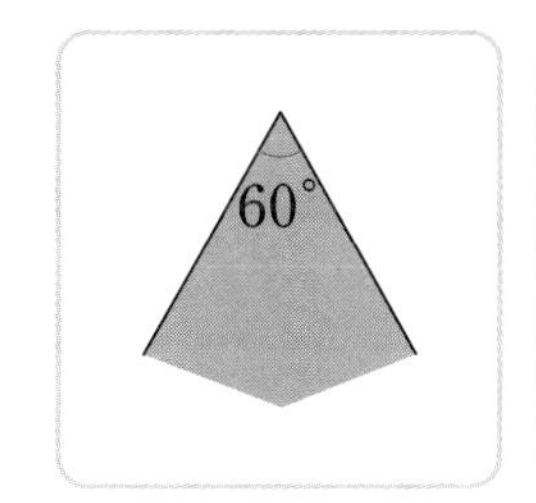

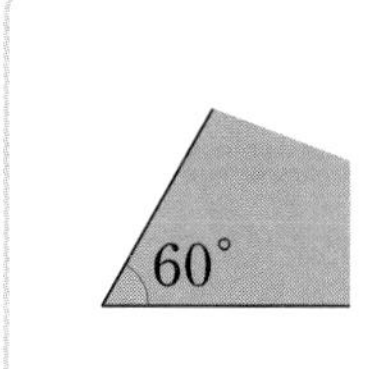

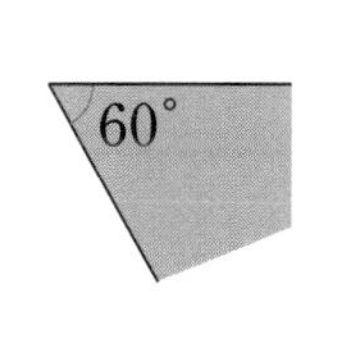

(　　　　　　　　　　　　　　　　　　　　)

- 구하려는 것: 삼각형의 나머지 두 조각, 삼각형의 이름
- 주어진 조건: 삼각형을 세 조각으로 자른 것 중 한 조각
- 해결 전략: 각의 크기의 합이 (180°−60°)인 조각 2개를 찾습니다.

✎ 구하려는 것(〰)과 주어진 조건(——)에 표시해 봅니다.

2-2 삼각형을 세 조각으로 잘랐습니다. 한 조각이 왼쪽과 같을 때 나머지 두 조각을 찾아 ○표 하고, 삼각형의 이름이 될 수 있는 것을 모두 써 보세요.

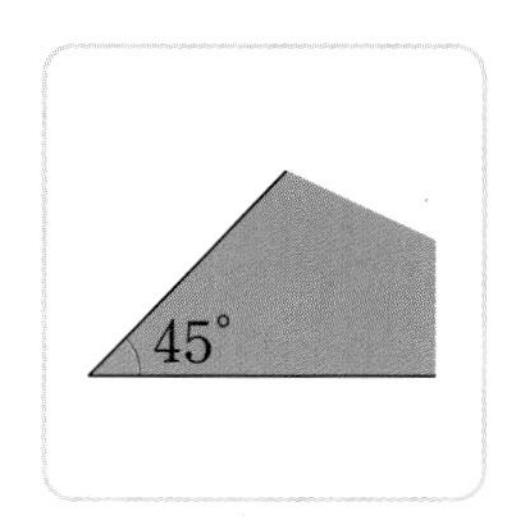

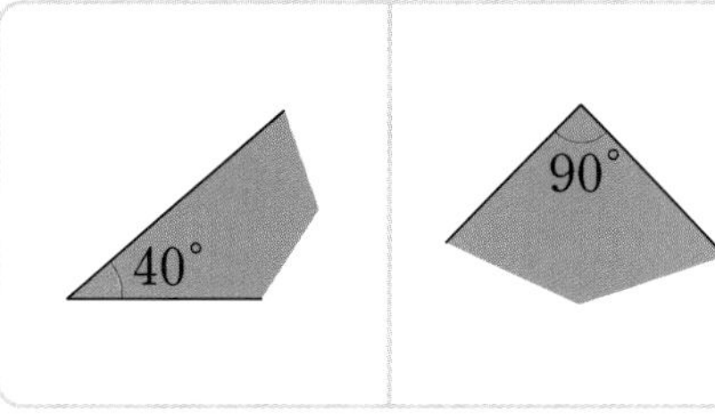

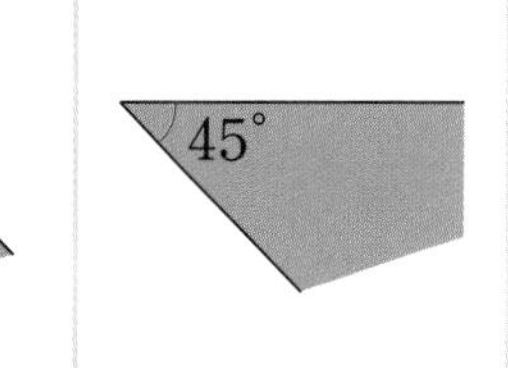

해결 전략

각의 크기의 합이 (180°-45°)인 조각 2개를 찾습니다.

(　　　　　　　　　　　　　　　　　　　　)

2-3 삼각형을 세 조각으로 잘랐습니다. 한 조각이 왼쪽과 같을 때 나머지 두 조각을 찾아 ○표 하고, 삼각형의 이름이 될 수 있는 것을 모두 써 보세요.

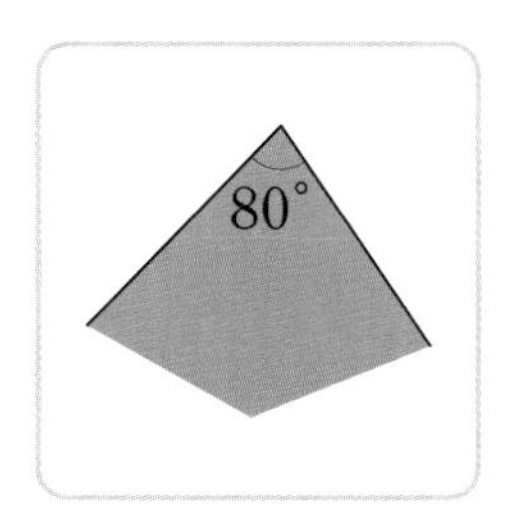

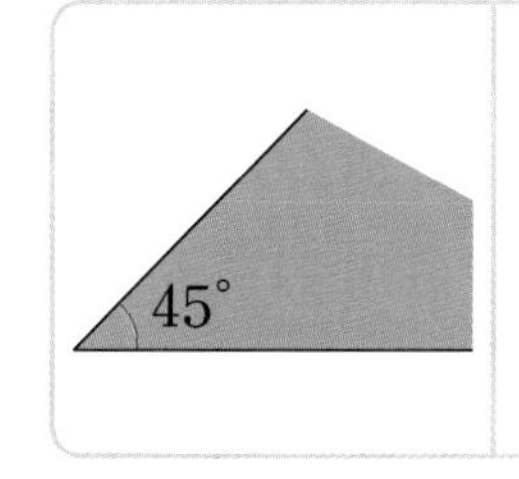

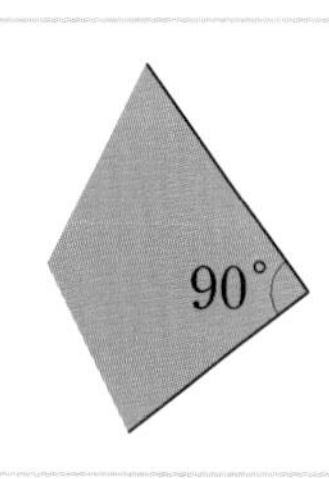

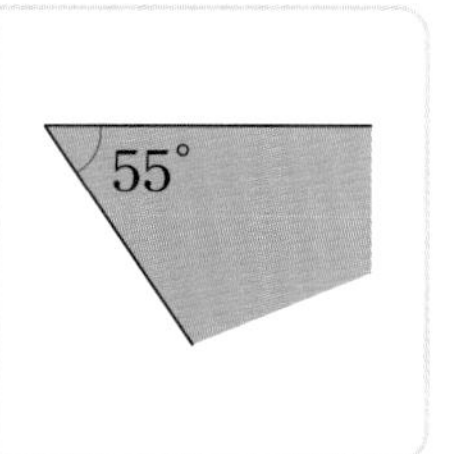

(　　　　　　　　　　　　　　　　　　　　)

2일 사고력 · 코딩

다음과 같은 상자에 삼각형 모양 블록이 1개 들어 있습니다. 이 삼각형의 이름이 될 수 있는 것을 모두 써 보세요.

(1)

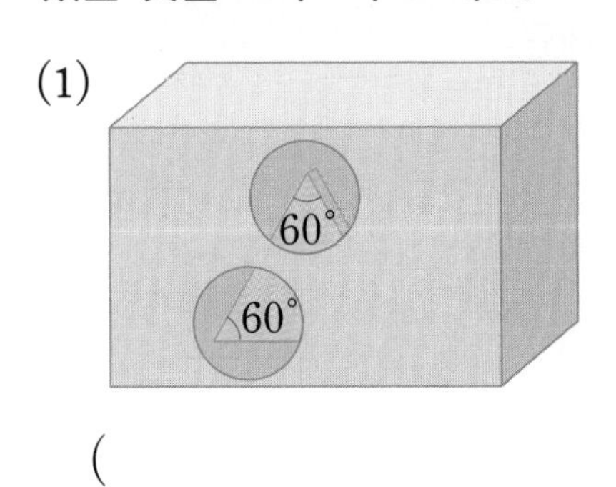

(2)

50°
40°

( ) ( )

정사각형 모양의 색종이를 다음과 같은 방법으로 접었습니다. 색종이를 다시 펼쳤을 때 접은 선을 따라 생기는 삼각형은 어떤 삼각형인지 모두 써 보세요.

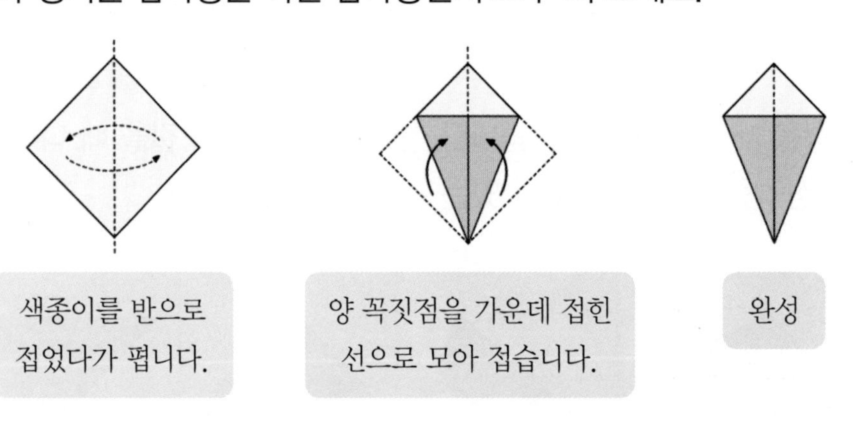

( )

다음 쿠키를 두 조각으로 잘랐을 때, 예각삼각형 2개를 만들려고 합니다. 쿠키를 어떻게 잘라야 할지 선을 그어 보세요.

▶정답 및 해설 15쪽

해민, 재희, 승현이가 다음과 같은 점 종이에 빨간색 점이 삼각형의 세 꼭짓점이 되도록 선을 그어 삼각형을 만들려고 합니다. 물음에 답하세요.

해민　　　재희　　　승현

(1) 세 사람이 만든 삼각형을 각각 그려 보세요.

(2) 만든 삼각형이 이등변삼각형이면서 예각삼각형인 사람은 누구인지 써 보세요.

(　　　　　　　　)

5 추론

재현이가 다음과 같이 삼각형을 그리고 있습니다. 재현이가 그린 삼각형의 이름이 될 수 있는 것을 모두 써 보세요.

(　　　　　　　　　　　　　　　　)

단위 사이의 관계

1 길이, 무게, 들이에서의 소수

길이	1 mm = 0.1 cm 1 cm = 0.01 m 1 m = 0.001 km	1 cm = 10 mm 1 m = 100 cm 1 km = 1000 m
무게	1 g = 0.001 kg	1 kg = 1000 g
들이	1 mL = 0.001 L	1 L = 1000 mL

예 ① 윤기의 키는 154 cm입니다. 1 cm는 0.01 m이므로 윤기의 키는 1.54 m입니다.

② 햄스터의 몸무게는 35 g입니다. 1 g은 0.001 kg이므로 햄스터의 몸무게는 0.035 kg 입니다.

③ 생수 한 병의 들이는 500 mL입니다. 1 mL는 0.001 L이므로 생수 한 병의 들이는 0.5 L입니다.

활동 문제 여러 가지 물건들을 보고 □ 안에 알맞은 수를 써넣으세요.

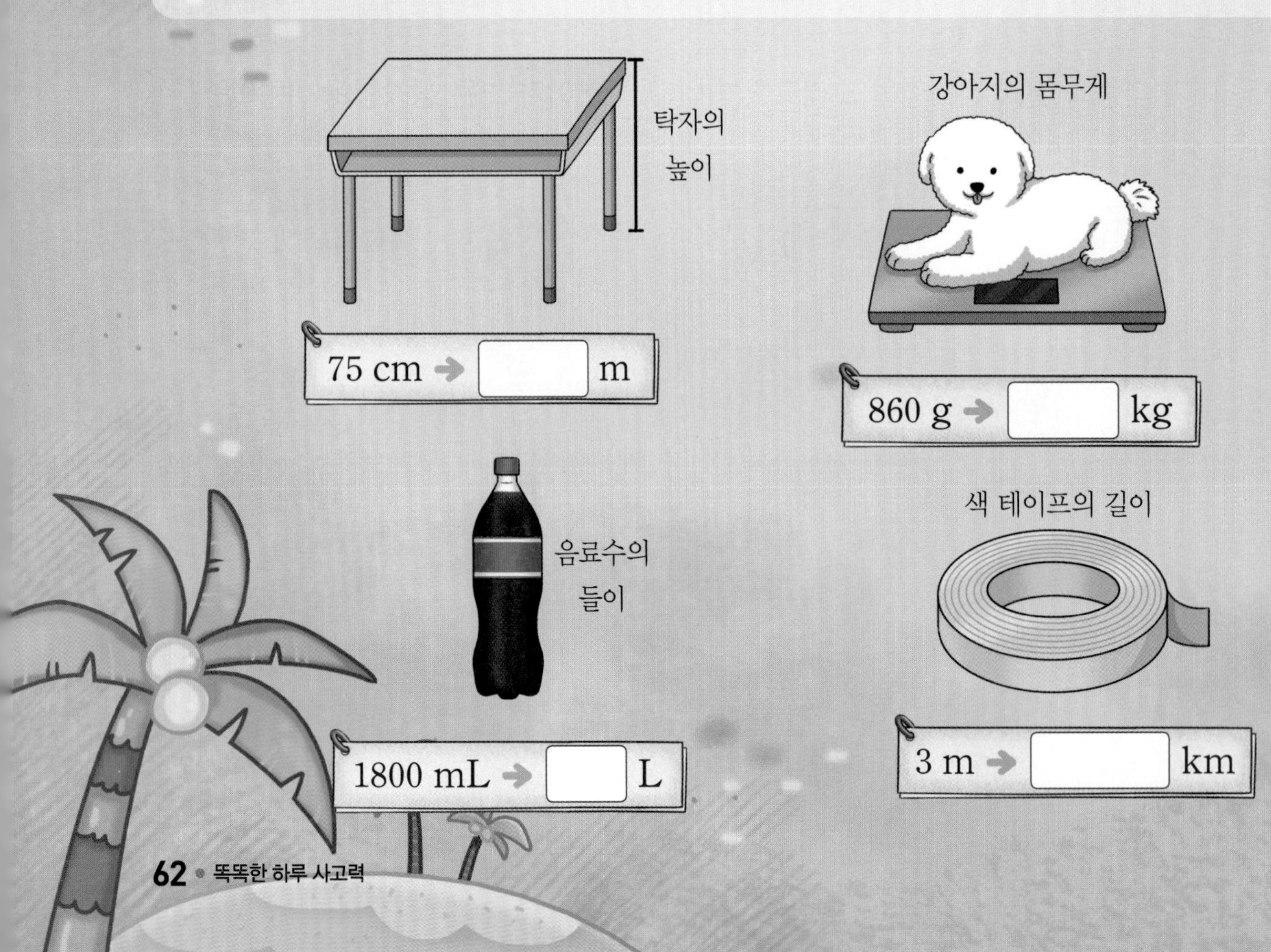

▶정답 및 해설 15쪽

2 단위가 다른 길이(무게, 들이)의 크기 비교

① 같은 단위로 통일합니다.

② **자연수**끼리, **소수 첫째 자리**끼리, **소수 둘째 자리**끼리……

순서대로 크기를 비교합니다.

예 2.139 km, 2309 m, 1.234 km의 길이 비교

2309 m=2.309 km이고, 자연수끼리 비교하면 2>1이므로 1.234 km가 가장 짧습니다. 2.139 km와 2.309 km의 소수 첫째 자리끼리 비교하면 1<3이므로 2.309 km가 가장 깁니다.

➔ 2309 m(2.309 km)>2.139 km>1.234 km

활동 문제 길이, 무게, 들이가 작은 것부터 차례로 1, 2, 3을 써넣으세요.

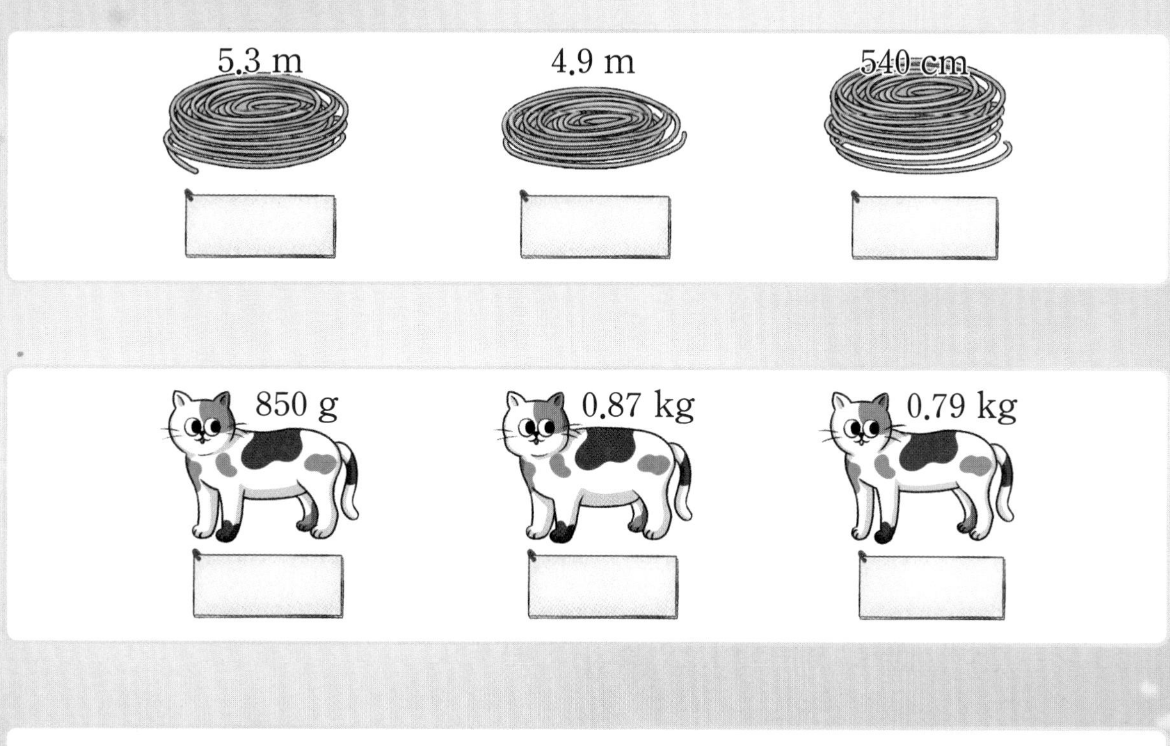

1.83 L

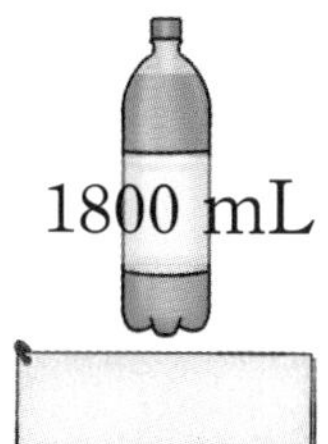

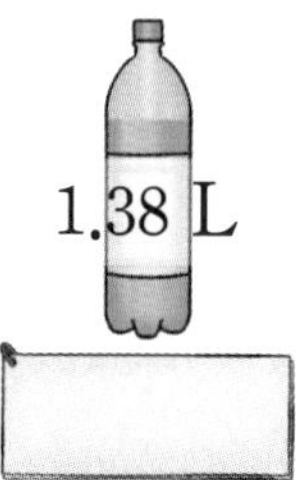

1-1 수민이가 48 cm 높이의 의자 위에 올라가서 바닥부터 머리끝까지 높이를 재었더니 192 cm였습니다. 수민이의 키는 몇 m인지 구해 보세요.

( )

수민이의 키가 몇 cm인지 구한 다음 m 단위로 바꾸어 봅니다.

1-2 해솔이가 60 cm 높이의 단상 위에 올라가서 바닥부터 머리끝까지 높이를 재었더니 213 cm였습니다. 해솔이의 키는 몇 m인지 구해 보세요.

(1) 해솔이의 키는 몇 cm인지 구해 보세요.

( )

(2) 해솔이의 키는 몇 m인지 구해 보세요.

( )

1-3 강아지 2마리를 저울에 올려 무게를 재었더니 1560 g이었습니다. 강아지 한 마리의 무게가 870 g일 때, 다른 한 마리의 무게는 몇 kg인지 구해 보세요.

(1) 다른 한 마리의 무게는 몇 g인지 구해 보세요.

( )

(2) 다른 한 마리의 무게는 몇 kg인지 구해 보세요.

( )

▶정답 및 해설 15쪽

2-1 정우네 집에서 병원, 학교, 도서관까지의 거리는 각각 1.487 km, 1519 m, 1.493 km 입니다. 집에서 병원, 학교, 도서관까지의 거리를 비교하여 빈 곳에 알맞게 써넣으세요.

- 구하려는 것: 집에서 병원, 학교, 도서관까지의 거리를 비교하여 빈 곳에 써넣기
- 주어진 조건: 집에서 병원, 학교, 도서관까지의 거리
- 해결 전략: 1519 m를 km 단위로 바꾸어서 크기를 비교합니다.

✎구하려는 것(～～)과 주어진 조건(——)에 표시해 봅니다.

2-2 석호네 집에서 은행, 시청, 놀이공원까지의 거리는 각각 0.997 km, 2187 m, 2.153 km 입니다. 집에서 은행, 시청, 놀이공원까지의 거리를 비교하여 빈 곳에 알맞게 써넣으세요.

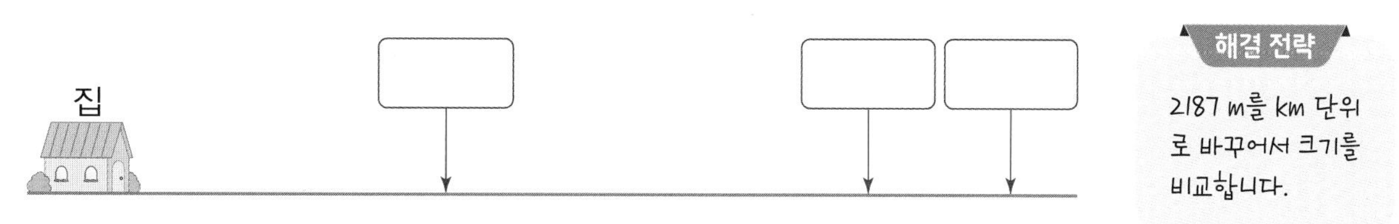

해결 전략

2187 m를 km 단위로 바꾸어서 크기를 비교합니다.

2-3 승현, 태인, 민지는 각각 주스를 0.35 L, 370 mL, 0.48 L를 마셨습니다. 주스를 많이 마신 사람부터 차례로 써 보세요.

(　　　　　　　　　　)

3일 사고력 · 코딩

1 창의 · 융합

등고선을 살펴보면 땅의 모양과 높낮이를 알 수 있습니다. 등고선에 나타낸 소수 중에서 7이 0.07을 나타내는 높이를 찾아 ○표 하세요.

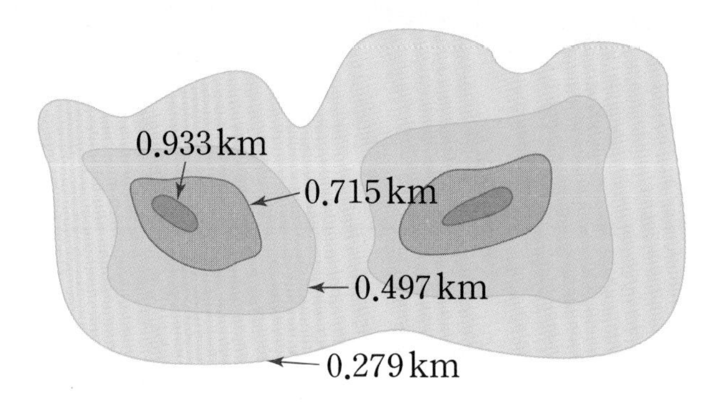

2 문제 해결

가, 나, 다 농장에서 가장 가벼운 오리의 무게는 각각 다음과 같습니다. 오리의 무게를 kg 단위로 바꾸었을 때 소수 둘째 자리 숫자가 다른 한 농장은 어디인지 찾아 써 보세요.

가 농장	나 농장	다 농장
485 g	847 g	887 g

(　　　　　　　　)

3 문제 해결

가로가 174 cm이고 세로가 79 cm인 직사각형 모양의 종이를 다음과 같이 반으로 접은 후 접은 선을 따라 반으로 잘랐습니다. 자른 종이 한 장의 네 변의 길이의 합은 소수로 몇 m인지 구해 보세요.

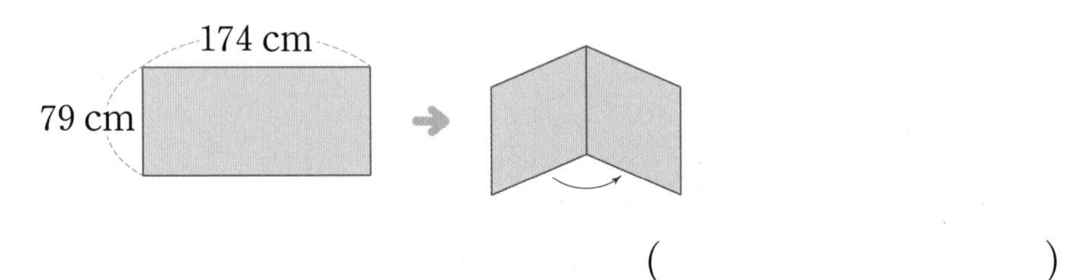

(　　　　　　　　)

▶정답 및 해설 16쪽

화살표의 약속에 따라 계산할 때 빈 곳에 알맞게 써넣으세요.

화살표 약속	
➡	100배
⬆	$\frac{1}{10}$

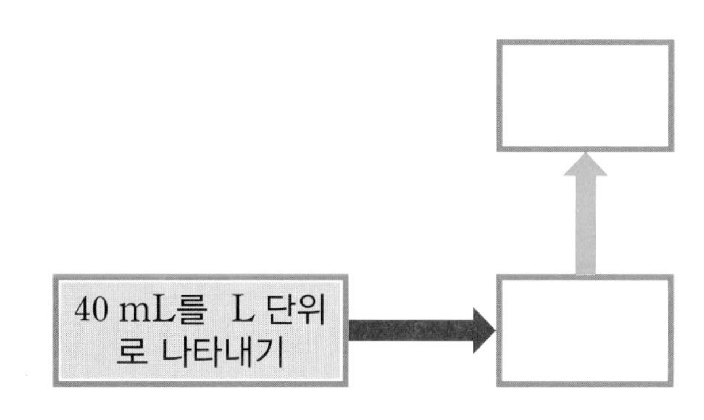

윤주, 해민, 장원, 은희가 키를 재었습니다. 다음 설명을 보고 빈 곳에 알맞게 키를 써넣으세요.

- 4명의 키는 1.35 m, 124 cm, 1.27 m, 1.3 m입니다.
- 해민이는 장원이보다 크지만 은희보다 작습니다.
- 윤주는 해민이보다 작지만 장원이보다 큽니다.

숨겨진 수 구하기

1 덧셈식에서 숨겨진 수 구하기

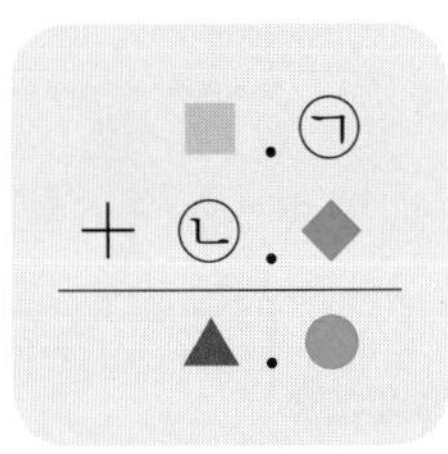

- ㉠+◆=●인 ㉠을 구합니다.
  ➔ ■+㉡=▲인 ㉡을 구합니다.
- ㉠+◆이 ●가 될 수 없는 경우 ㉠+◆=1●인 ㉠을 구합니다.
  ➔ 1+■+㉡=▲인 ㉡을 구합니다.

예

$$\begin{array}{r} 2\,.\,㉠ \\ +\ ㉡\,.\,7 \\ \hline 8\,.\,3 \end{array}$$

㉠+7은 3이 될 수 없으므로 ㉠+7=13입니다.
㉠=13−7=6
받아올림이 있으므로 1+2+㉡=8, 3+㉡=8,
㉡=8−3=5입니다.

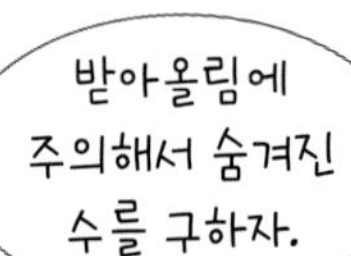

활동 문제 소수의 덧셈 계산 방법을 생각하면서 □ 안에 알맞은 수를 써넣으세요.

$$\begin{array}{r} 6\,.\,\square \\ +\ 3\,.\,2 \\ \hline 9\,.\,7 \end{array}$$

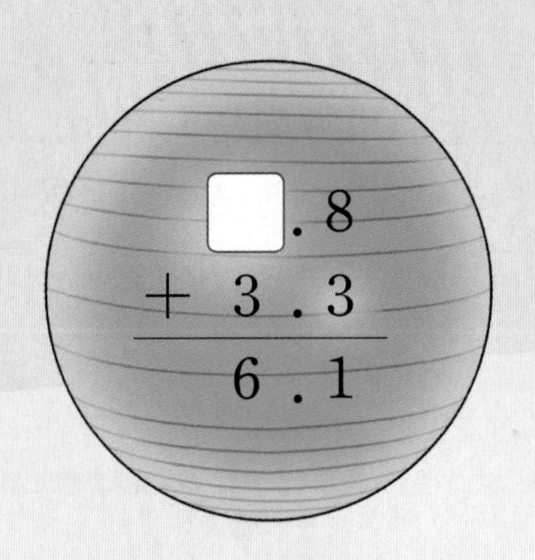

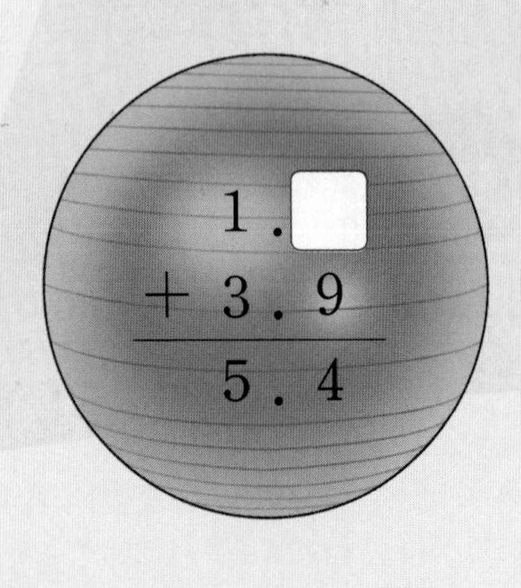

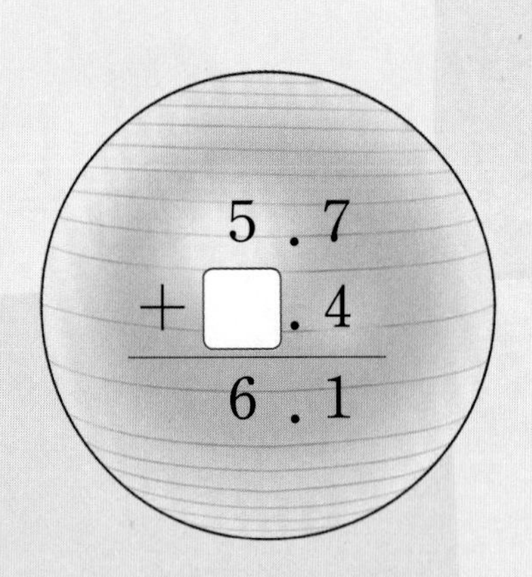

▶정답 및 해설 16쪽

2 뺄셈식에서 숨겨진 수 구하기

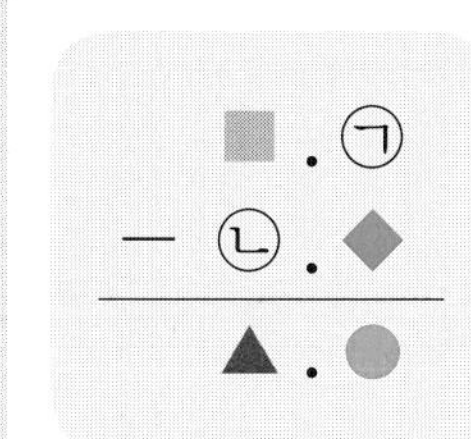

- ㉠－◆＝●인 ㉠을 구합니다.
  ➜ ■－㉡＝▲인 ㉡을 구합니다.
- ㉠－◆이 ●가 될 수 없는 경우 10＋㉠－◆＝●인 ㉠을 구합니다. ➜ ■－1－㉡＝▲인 ㉡을 구합니다.

예

```
    6 . ㉠
 －  ㉡ . 8
 ─────────
    3 . 4
```

㉠－8이 4가 되는 ㉠은 없으므로 받아내림하여 10＋㉠－8＝4입니다.
㉠＋2＝4, ㉠＝4－2＝2
받아내림하였으므로 6－1－㉡＝3,
5－㉡＝3, ㉡＝5－3＝2입니다.

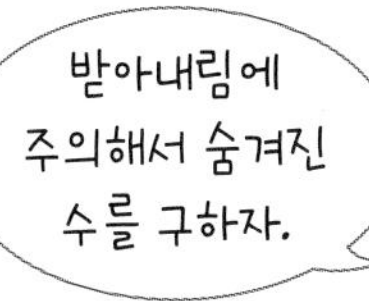

활동 문제 소수의 뺄셈 계산 방법을 생각하면서 □ 안에 알맞은 수를 써넣으세요.

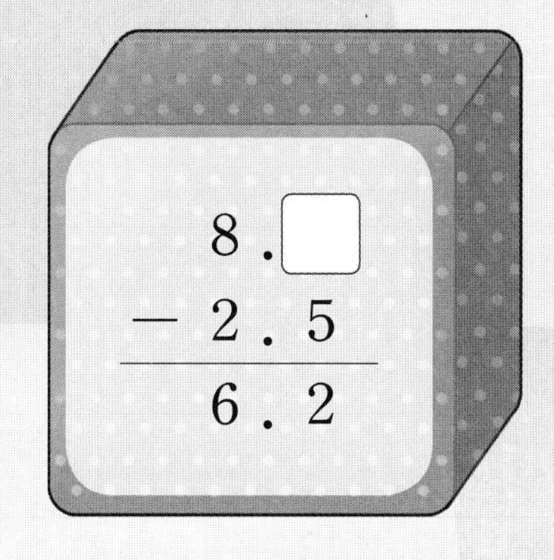

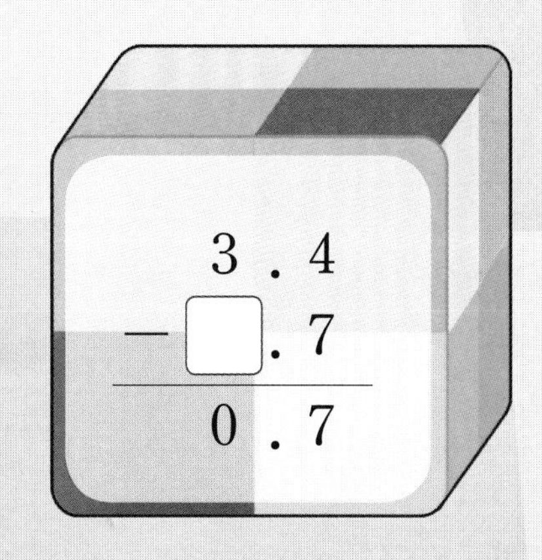

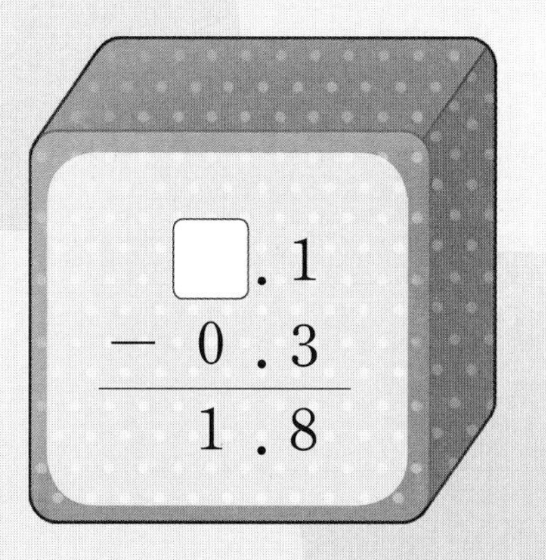

4일 서술형 길잡이

1-1 물감에 가려져 보이지 않는 수를 구해 보세요.

(1)
```
   5 . ●
+  ○ . 2
---------
   9 . 3
```
●=☐, ○=☐

(2)
```
   ○ . 9
+  2 . ●
---------
   6 . 3
```
●=☐, ○=☐

(1) ●+2=3인 ●을 구합니다. ➔ 5+○=9인 ○을 구합니다.
(2) 9+●은 3이 될 수 없으므로 9+●=13인 ●을 구합니다.
➔ 받아올림이 있으므로 1+○+2=6인 ○을 구합니다.

1-2 물감에 가려져 보이지 않는 수를 구해 보세요.

```
   1 . ○
+  ● . 8
---------
   4 . 6
```

(1) ○에 가려진 수를 구해 보세요.

(　　　　　　　　)

(2) ●에 가려진 수를 구해 보세요.

(　　　　　　　　)

1-3 물감에 가려져 보이지 않는 수를 구해 보세요.

```
   1 . ○ ●
+  ○ . 0 7
-----------
   5 . 6 1
```

(1) ●에 가려진 수를 구해 보세요.

(　　　　　　　　)

(2) ○에 가려진 수를 구해 보세요.

(　　　　　　　　)

(3) ○에 가려진 수를 구해 보세요.

(　　　　　　　　)

▶정답 및 해설 16쪽

2-1 정우는 종이에 뺄셈식을 적고 계산해 보았습니다. 뺄셈식이 적힌 종이가 다음과 같이 찢어졌습니다. 찢어진 부분에 들어갈 수를 구해 뺄셈식을 완성해 보세요.

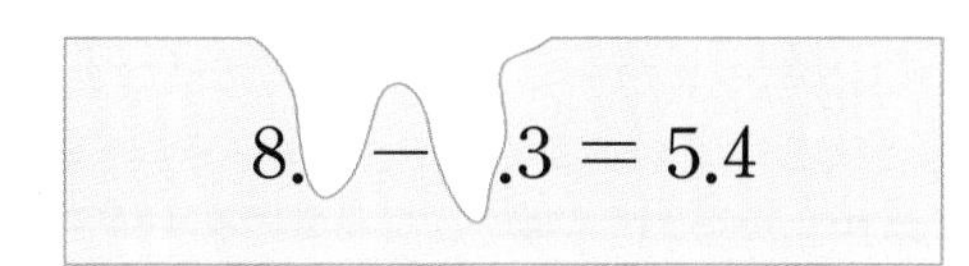

➔ 뺄셈식 ______________________

- 구하려는 것: 찢어진 부분에 들어갈 수를 구해 뺄셈식 완성하기
- 주어진 조건: 8.□−□.3=5.4
- 해결 전략: □−3=4를 이용하여 □ 안에 알맞은 수를 구한 다음 8−□=5를 이용하여 □ 안에 알맞은 수를 구합니다.

✎ 구하려는 것(～～)과 주어진 조건(——)에 표시해 봅니다.

2-2 한울이는 종이에 뺄셈식을 적고 계산해 보았습니다. 뺄셈식이 적힌 종이가 다음과 같이 찢어졌습니다. 찢어진 부분에 들어갈 수를 구해 뺄셈식을 완성해 보세요.

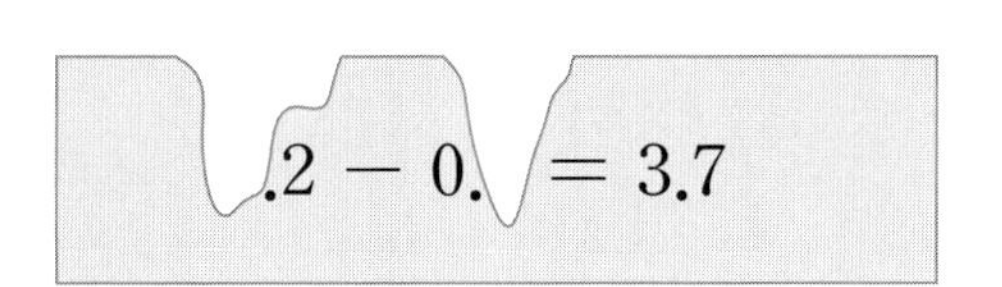

➔ 뺄셈식 ______________________

2−□=7인 □가 없으므로 받아내림하여 10+2−□=7이 되는 수를 구한 다음 받아내림하였으므로 □−1−0=3이 되는 수를 구합니다.

2-3 소수 두 자리 수끼리의 뺄셈을 계산한 것입니다. □ 안에 알맞은 수를 써넣어 뺄셈식을 완성해 보세요.

9.□1−□.6□=0.25

사고력 · 코딩

1 추론

0부터 9까지의 수를 □ 안에 써넣어 그 합이 자연수가 되게 하려고 합니다. 덧셈식을 만들 수 있는 방법은 모두 몇 가지인지 써 보세요.

1.□+2.□

( )

2 문제 해결

물감에 가려져 보이지 않는 수를 구해 보세요.

(1)
```
    ○. 8
+   6 .●
---------
    7 . 1
```
●=□, ○=□

(2)
```
    4 .●
−   ○. 5
---------
    2 . 9
```
●=□, ○=□

3 문제 해결

수 카드를 한 번씩만 사용하여 소수의 뺄셈을 완성해 보세요.

2 

→ □.0□−□.□□=3.21

▶정답 및 해설 17쪽

4 코딩

순서도에 따라 출력되는 값을 구해 보세요.

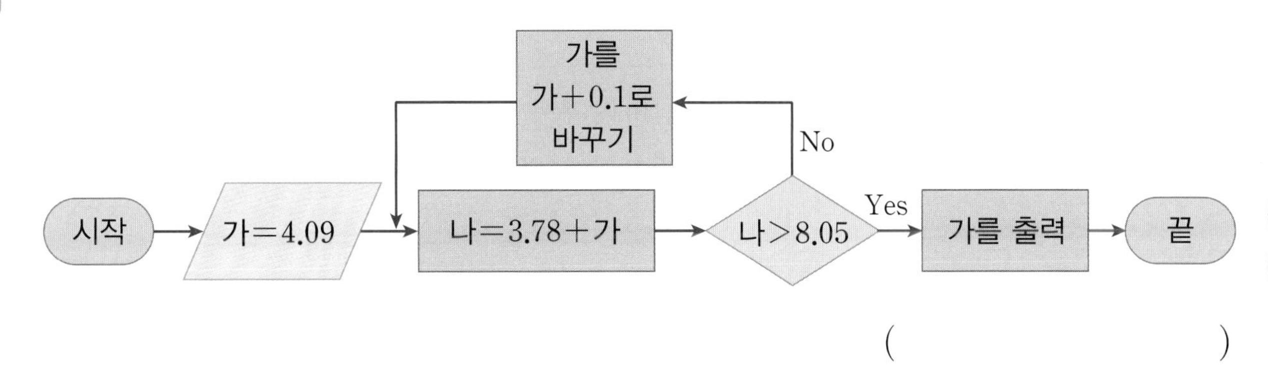

(   )

5 문제 해결

♥, ▲, ★은 각각 서로 다른 수를 나타냅니다. □ 안에 알맞은 수를 써넣으세요.

(1)

```
   ★.♥ 7            □.□ 7
 − ▲.6 4     ➔    − □.6 4
 ───────          ───────
   ▲.6 ★            □.6 □
```

(2)

```
   ♥.1 9            □.1 9
 − 3.♥ ★     ➔    − 3.□ □
 ───────          ───────
   ▲.★ 5            □.□ 5
```

1 겹쳐 붙인 색 테이프의 길이 구하기

각 색 테이프의 길이의 합에서 겹치는 부분의 길이를 빼어 전체 길이를 구합니다.

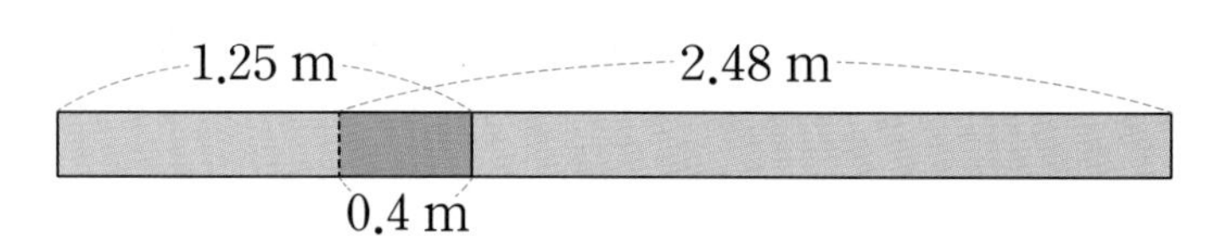

① 각 색 테이프의 길이를 더합니다. ➔ 1.25+2.48=3.73 (m)

② 겹친 부분의 길이를 뺍니다. ➔ 3.73−0.4=3.33 (m)

활동 문제 색 테이프 2장을 겹쳐 붙였습니다. 겹쳐 붙인 색 테이프의 전체 길이를 구해 보세요.

2.7 m 1.6 m ➔ 길이의 합: ☐ m

0.4 m ➔ 전체 길이: ☐−☐ = ☐ (m)

1.42 m 3.05 m ➔ 길이의 합: ☐ m

0.36 m ➔ 전체 길이: ☐−☐ = ☐ (m)

▶정답 및 해설 17쪽

2 전체 거리 구하기

• 집에서 학교까지의 거리 구하기

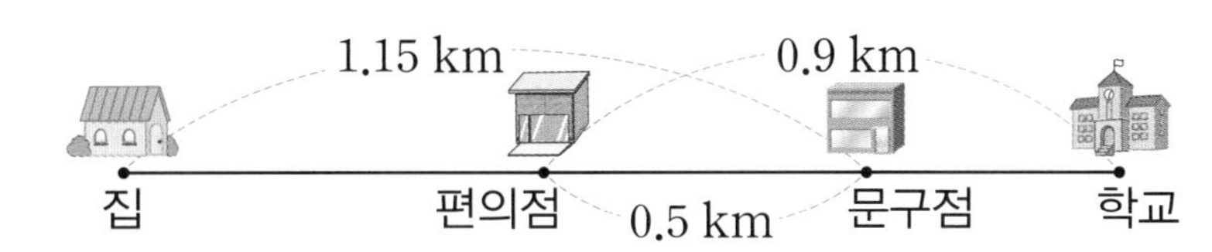

① 집에서 문구점까지의 거리와 편의점에서 학교까지의 거리를 더합니다.

➜ (집 ~ 문구점)+(편의점 ~ 학교)=1.15+0.9=2.05 (km)

② 편의점에서 문구점까지의 거리를 뺍니다.

➜ (집 ~ 학교)=2.05−0.5=1.55 (km)

활동 문제 지도를 보고 □ 안에 알맞은 수를 써넣으세요.

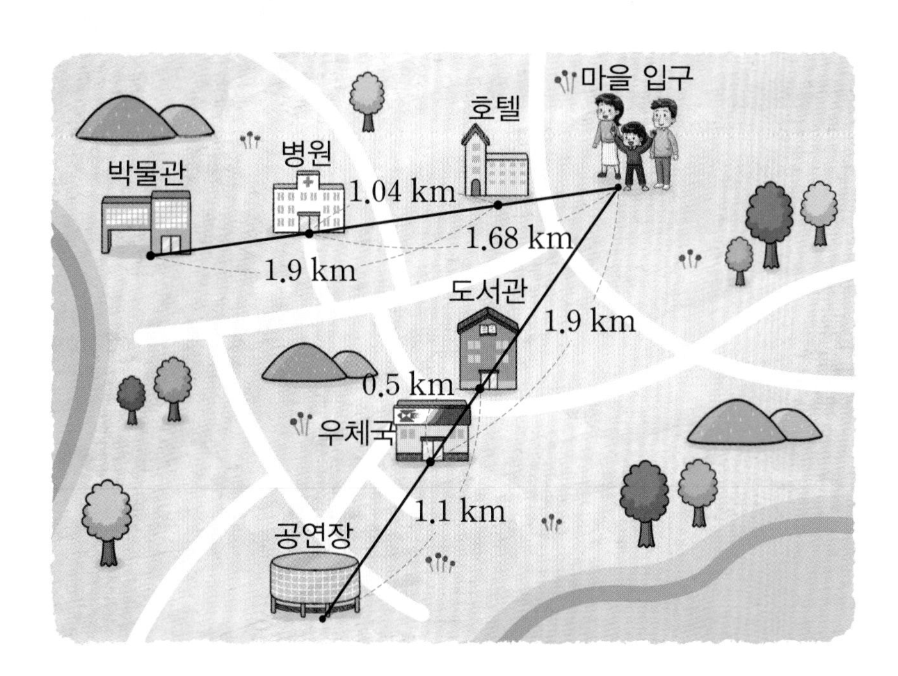

• 마을 입구에서 박물관까지의 거리는 1.68+□=□ (km)

➜ □−□=□ (km)입니다.

• 마을 입구에서 공연장까지의 거리는 1.9+□=□ (km)

➜ □−□=□ (km)입니다.

5일 서술형 길잡이

1-1 색 테이프 2장을 다음과 같이 겹쳐 붙였습니다. 겹쳐 붙인 색 테이프의 길이는 몇 m인지 구해 보세요.

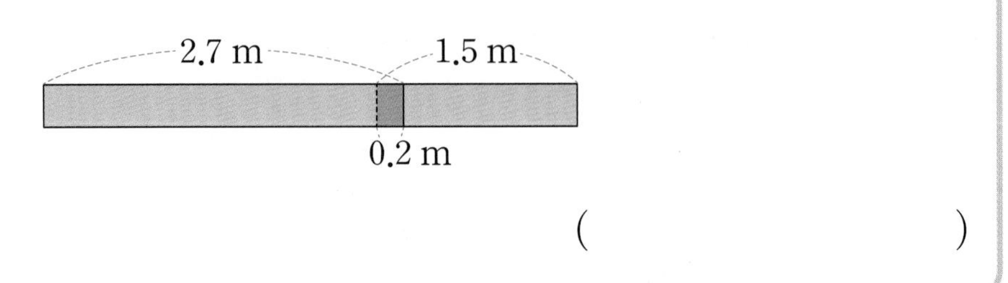

(　　　　　　　　　　)

색 테이프 2장의 길이의 합에서 겹친 부분의 길이를 뺍니다.

1-2 색 테이프 2장을 다음과 같이 겹쳐 붙였습니다. 겹쳐 붙인 색 테이프의 길이는 몇 m인지 구해 보세요.

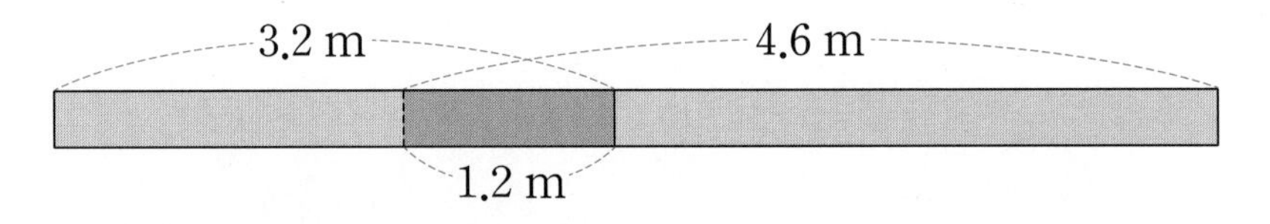

(1) 색 테이프 2장의 길이의 합은 몇 m인지 구해 보세요.

(　　　　　　　　　　)

(2) 겹쳐 붙인 색 테이프의 길이는 몇 m인지 구해 보세요.

(　　　　　　　　　　)

1-3 색 테이프 2장을 다음과 같이 겹쳐 붙였습니다. 겹쳐 붙인 색 테이프의 길이는 몇 m인지 구해 보세요.

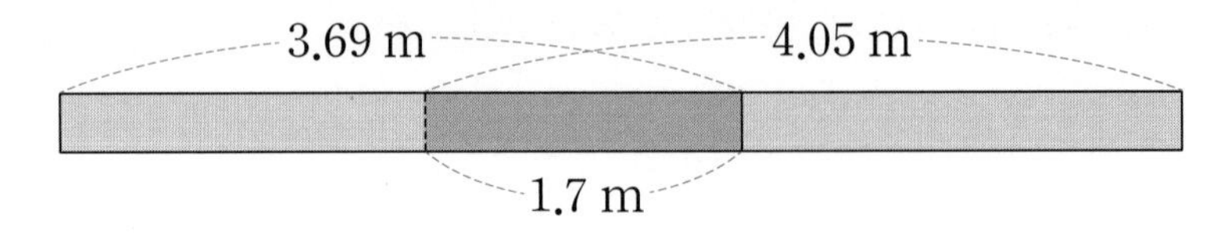

(1) 색 테이프 2장의 길이의 합은 몇 m인지 구해 보세요.

(　　　　　　　　　　)

(2) 겹쳐 붙인 색 테이프의 길이는 몇 m인지 구해 보세요.

(　　　　　　　　　　)

▶정답 및 해설 18쪽

2-1 태인이네 집에서 놀이터까지의 거리는 0.85 km이고, 마트에서 야구장까지의 거리는 1.43 km입니다. 마트와 놀이터 사이의 거리가 0.16 km일 때 태인이네 집에서 야구장까지의 거리는 몇 km인지 구해 보세요.

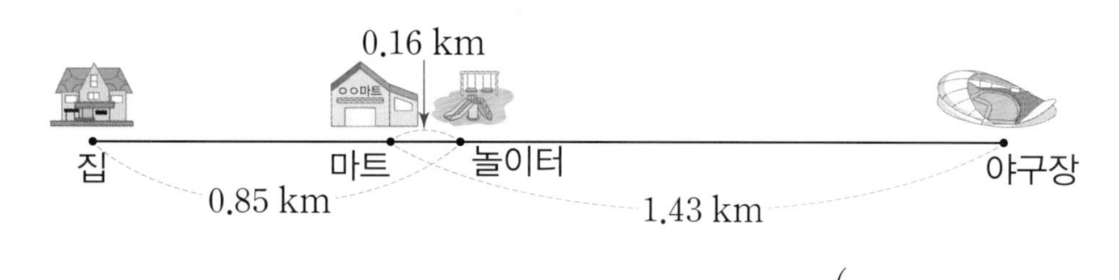

(　　　　　　　　)

- 구하려는 것: 태인이네 집에서 야구장까지의 거리
- 주어진 조건: 태인이네 집에서 놀이터까지의 거리는 0.85 km이고, 마트에서 야구장까지의 거리는 1.43 km, 마트와 놀이터 사이의 거리가 0.16 km
- 해결 전략: ❶ 집에서 놀이터까지의 거리와 마트에서 야구장까지의 거리 더하기
  ❷ ❶에서 구한 거리에서 마트와 놀이터 사이의 거리 빼기

✎ 구하려는 것(～～)과 주어진 조건(——)에 표시해 봅니다.

2-2 한울이네 집에서 학교까지의 거리는 2.21 km이고, 서점에서 놀이공원까지의 거리는 3.08 km입니다. 서점과 학교 사이의 거리가 1.7 km일 때 한울이네 집에서 놀이공원까지의 거리는 몇 km인지 구해 보세요.

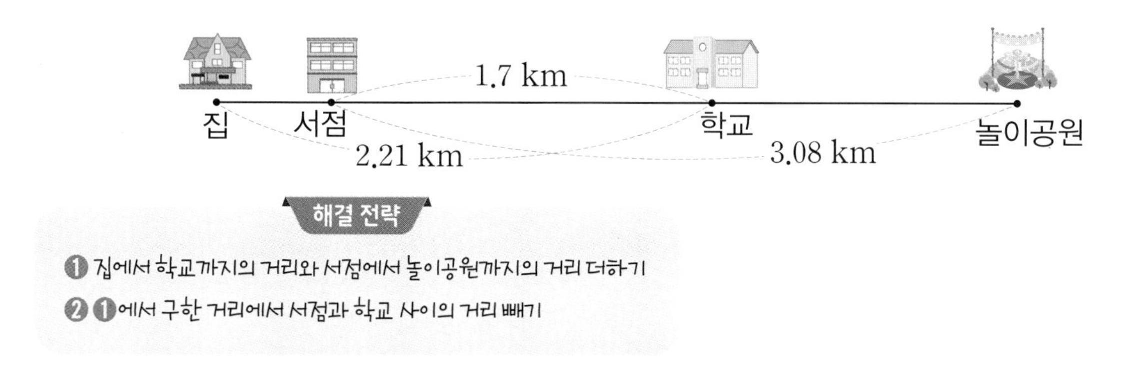

(　　　　　　　　)

5일 사고력 · 코딩

1 문제 해결

가, 나, 다 막대 중 가 막대의 길이는 11.45 cm입니다. 나 막대의 길이는 몇 cm인지 구해 보세요.

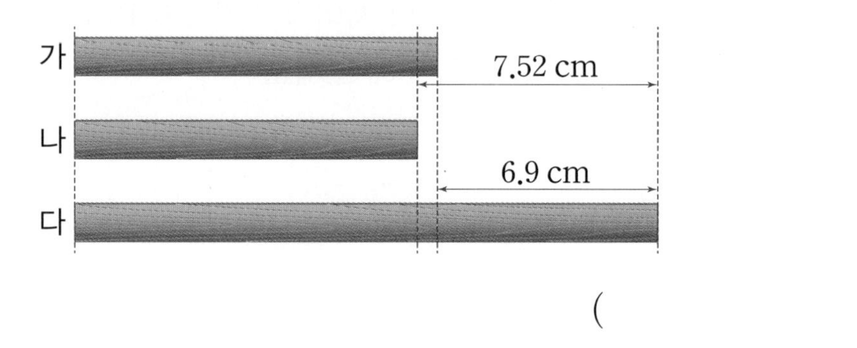

(   )

2 문제 해결

색 테이프 3장을 다음과 같이 겹쳐 붙였습니다. 겹쳐 붙인 색 테이프의 길이는 몇 cm인지 구해 보세요.

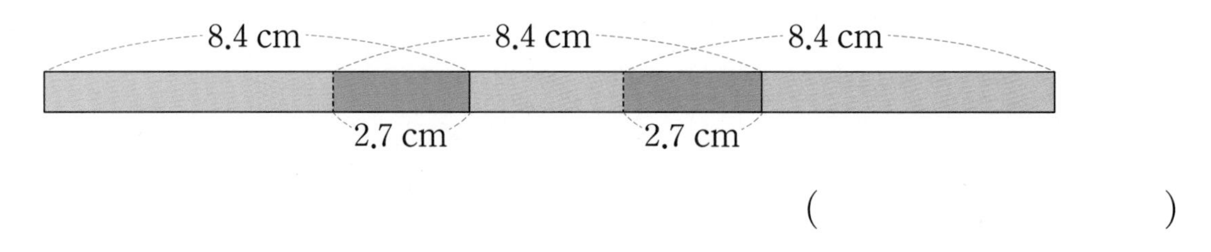

(   )

3 창의 · 융합

민호의 몸무게는 38.75 kg입니다. 성표는 민호보다 2.37 kg 더 가볍고, 해영이는 성표보다 5.35 kg 더 무겁습니다. 해영이의 몸무게는 몇 kg인지 구해 보세요.

(   )

▶정답 및 해설 18쪽

집, 병원, 서점, 은행, 시청이 다음과 같은 위치에 있습니다. 집에서 시청까지의 거리는 몇 km인지 구해 보세요.

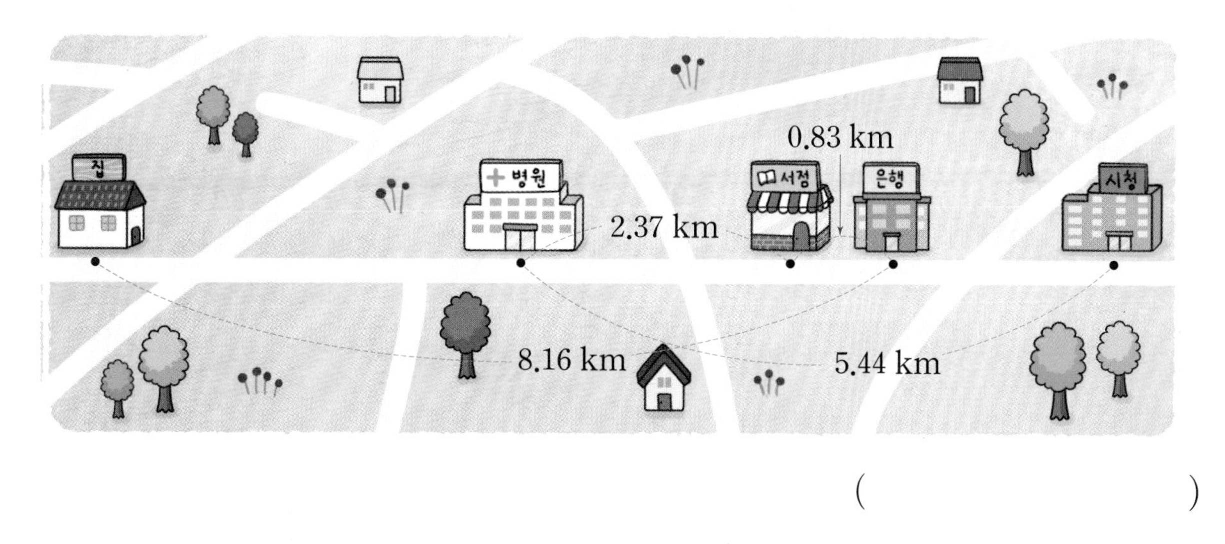

( )

한 장의 길이가 3.54 m인 색 테이프 3장을 겹쳐서 이어 붙였더니 전체 길이가 9.02 m가 되었습니다. ㉠은 몇 m인지 구해 보세요.

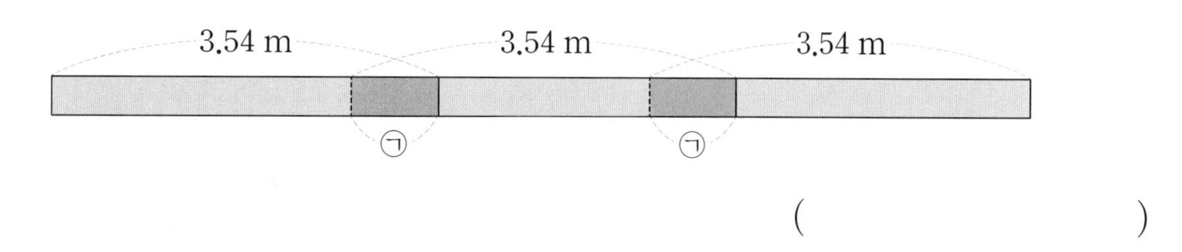

( )

2주 특강 창의 · 융합 · 코딩

1 미로 속의 ○, × 문제를 풀어 수민이가 식물원을 찾아갈 수 있도록 도와주세요. 창의 · 융합

2 해적들이 보물을 찾아 아마존 강을 지나가고 있어요. 아마존 강에서 길을 잃으면 악어나 아나콘다 등에게 잡아 먹히므로 조심해야 해요. 이정표의 문제를 해결하면 보물섬에 가는 길을 찾을 수 있답니다. 이정표를 보고 알맞은 길을 따라가 보물을 찾아보세요. 문제 해결

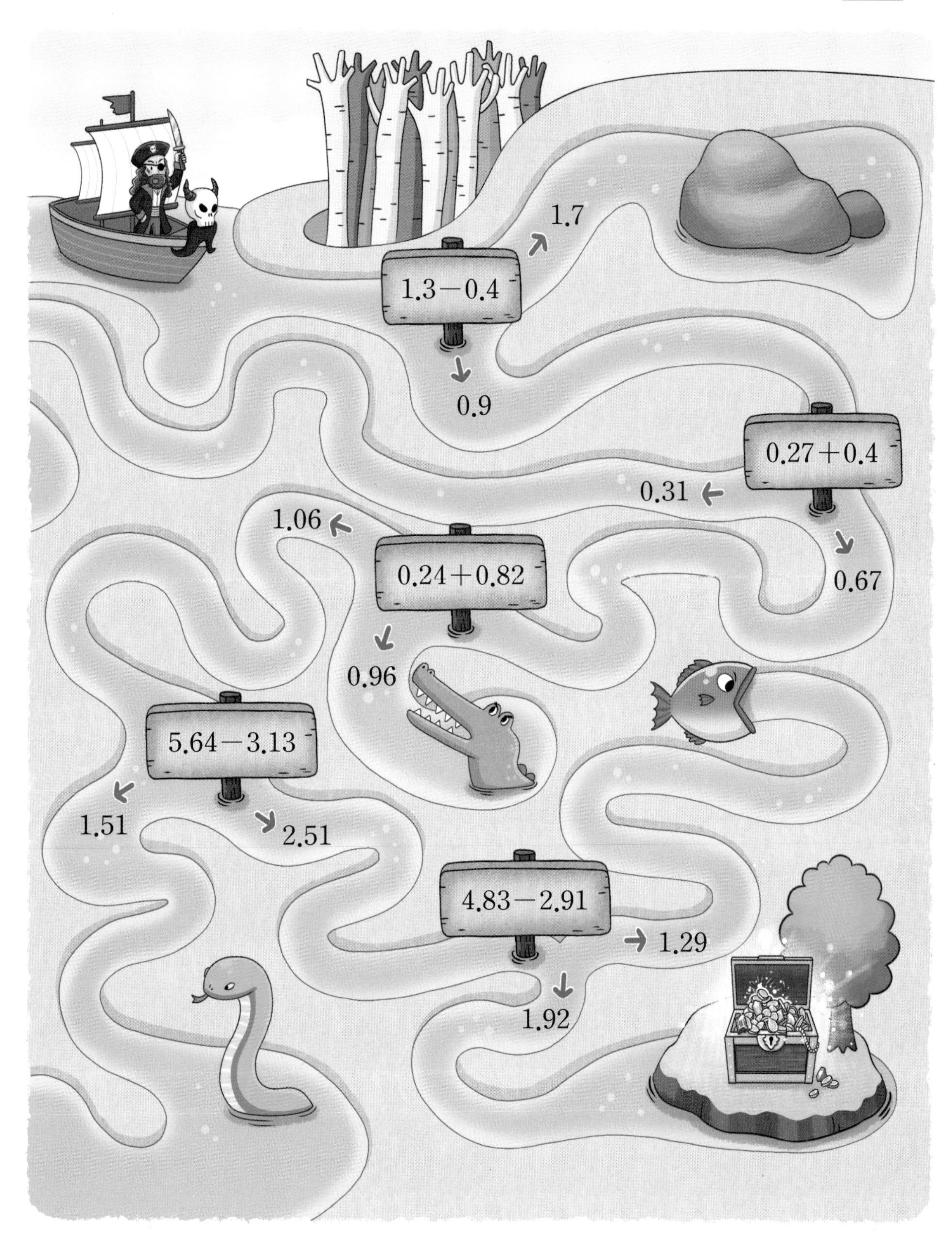

3 4장의 수 카드를 한 번씩 모두 사용하여 소수 두 자리 수를 만들려고 합니다. 만들 수 있는 가장 큰 수와 가장 작은 수의 차는 얼마인지 구해 보세요. 창의 · 융합

① 만들 수 있는 가장 큰 소수 두 자리 수를 써 보세요.

( )

② 만들 수 있는 가장 작은 소수 두 자리 수를 써 보세요.

( )

③ 만들 수 있는 가장 큰 수와 가장 작은 수의 차를 구해 보세요.

( )

4 다음 그림에서 찾을 수 있는 크고 작은 둔각삼각형은 모두 몇 개인지 구해 보세요. 추론

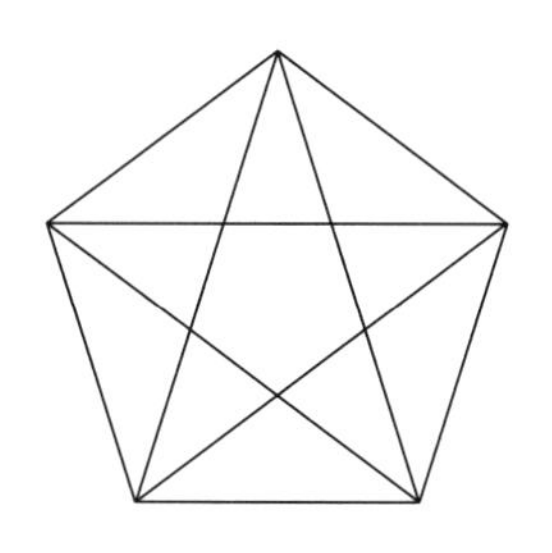

( )

5 다음 명령문을 반복하여 도형을 만들 수 있습니다. 명령문을 3번 반복하여 만들 수 있는 도형을 그리고 도형의 이름이 될 수 있는 것을 모두 써 보세요. 코딩

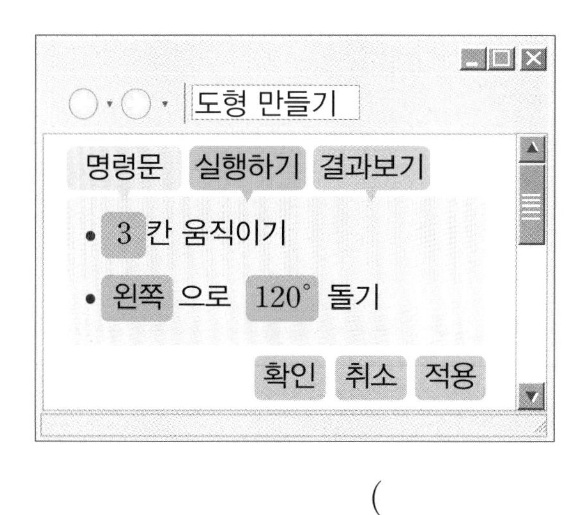

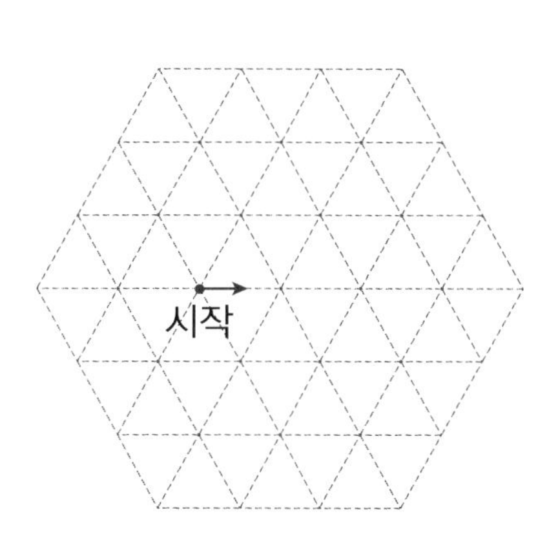

( )

6 네덜란드의 수학자 시몬 스테빈은 소수를 만들어 다음과 같이 썼습니다. 스테빈은 소수점은 ◎로, 소수 첫째 자리는 ①, 소수 둘째 자리는 ②, 소수 셋째 자리는 ③으로 나타내었습니다.

예 3.687 ➔ 3◎6①8②7③

6◎4①0②1③의 100배인 수와 $\frac{1}{10}$인 수를 각각 현재의 소수로 쓰려고 합니다. 물음에 답하세요. 문제 해결

1 6◎4①0②1③을 현재의 소수로 써 보세요.

( )

2 1에서 쓴 소수의 100배인 수를 구해 보세요.

( )

3 1에서 쓴 소수의 $\frac{1}{10}$인 수를 구해 보세요.

( )

7 세 개의 양초가 있습니다. 다 양초의 길이가 7.13 cm일 때 세 양초의 길이의 합은 몇 cm인지 구해 보세요. 문제 해결

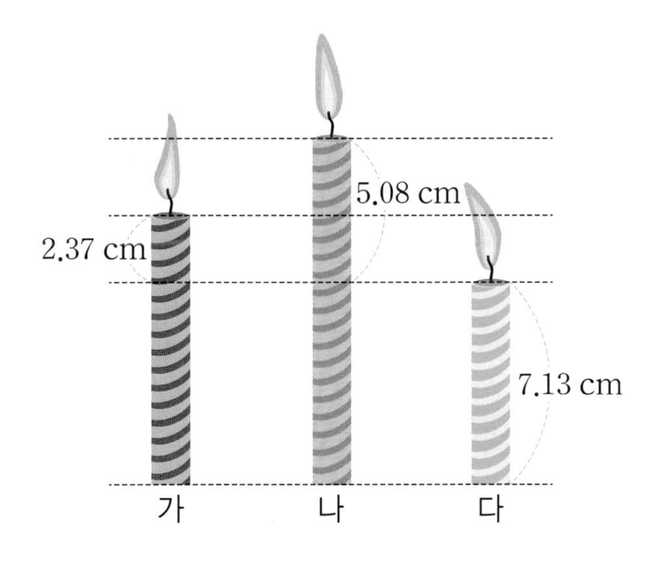

❶ 가 양초의 길이는 몇 cm인지 구해 보세요.

( )

❷ 나 양초의 길이는 몇 cm인지 구해 보세요.

( )

❸ 세 양초의 길이의 합은 몇 cm인지 구해 보세요.

( )

맞은 개수 /7개

1 바르게 나타낸 것에 모두 ○표 하세요.

619 g=0.619 kg	89 mL=0.89 L
134 mm=1.34 cm	70 cm=0.7 m

2 병규네 집에서 병원, 학교, 도서관까지의 거리는 각각 1406 m, 1.387 km, 1.311 km 입니다. 병규네 집에서 먼 곳부터 차례로 써 보세요.

( )

3 그림에서 찾을 수 있는 크고 작은 정삼각형은 모두 몇 개인지 써 보세요.

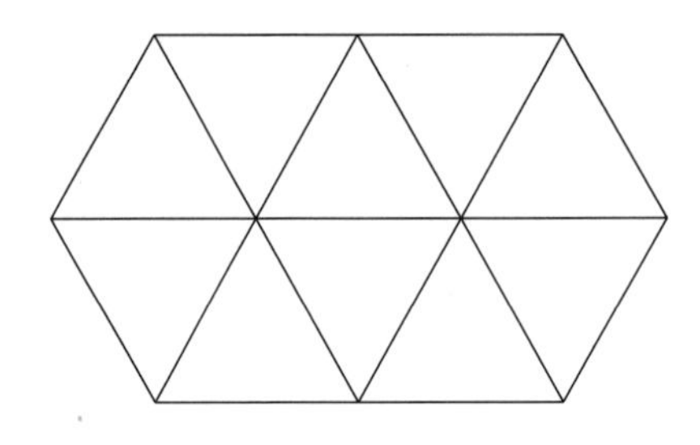

( )

4 색 테이프 2장을 다음과 같이 겹쳐 붙였습니다. 겹쳐 붙인 색 테이프의 길이는 몇 m 인지 구해 보세요.

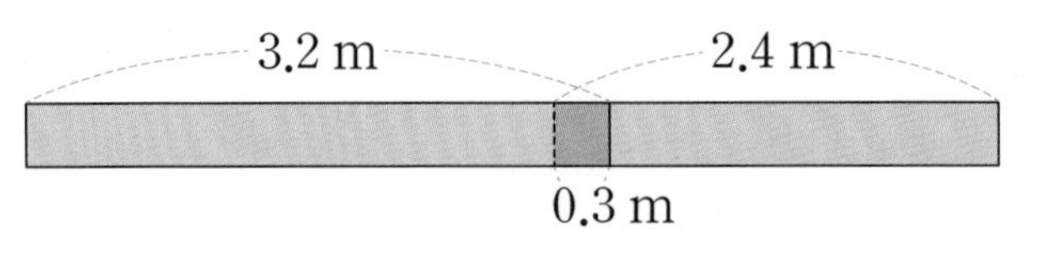

( )

5 소수 한 자리 수끼리의 뺄셈을 계산한 것입니다. 뺄셈식을 완성해 보세요.

$9.\square - \square.5 = 7.3$

6 물감에 가려져 보이지 않는 수를 구해 보세요.

(1)
```
    4 . ●
 +  ● . 5
 ────────
    5 . 7
```
● = □, ● = □

(2)
```
    ● . 6
 +  0 . ●
 ────────
    1 . 1
```
● = □, ● = □

7 윤수네 집에서 PC방까지의 거리는 0.77 km이고, 문구점에서 박물관까지의 거리는 1.39 km입니다. 문구점과 PC방 사이의 거리가 0.31 km일 때 윤수네 집에서 박물관까지의 거리는 몇 km인지 구해 보세요.

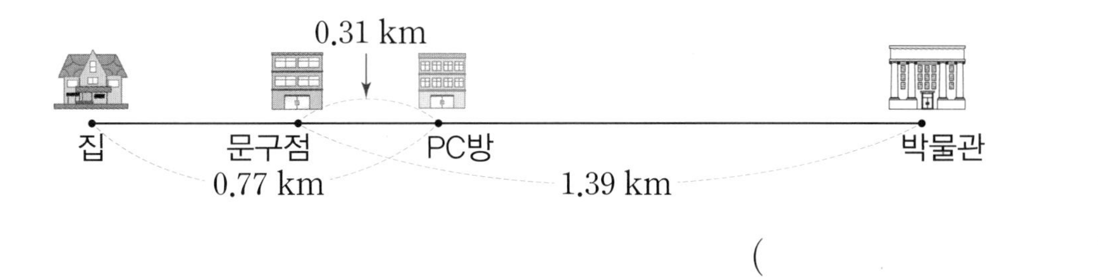

(　　　　　　　　)

3주 3주에는 무엇을 공부할까? ①

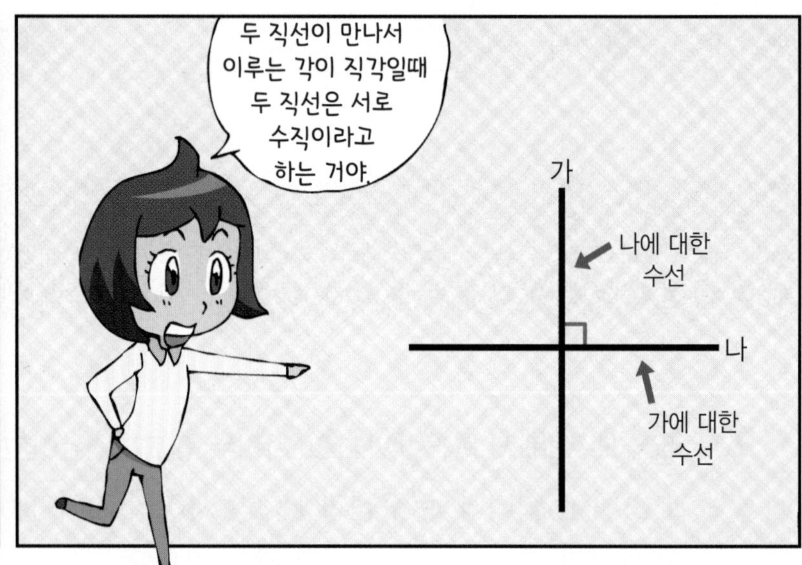

만화로 미리 보기

사다리꼴
모양의 종이를
골랐네.

사다리꼴?
꼴뚜기 같은
건가?

평행한 변이
한 쌍이라도
있는 사각형이
사다리꼴이야.
평행

나는 이런
모양의 종이를
골랐지.
그건 무슨
모양이지?

네 변의
길이가 모두 같은
마름모라고 하는
사각형이야.

쏴아아
사다리꼴과 마름모
모양 종이를
쓰고 집까지
전력질주!

그런데
소나기가 마치
장맛비같아.
맞아!

쏴아아
이상한
비구름이네.
P

3주

3주에는 무엇을 공부할까? ②

• 여러 가지 사각형

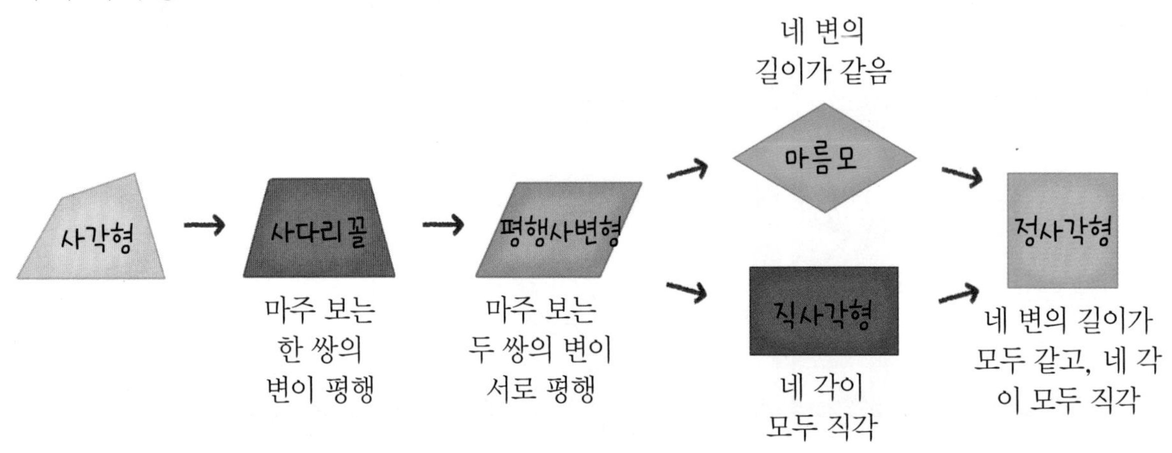

확인 문제

1-1 사다리꼴에 ○표 하세요.

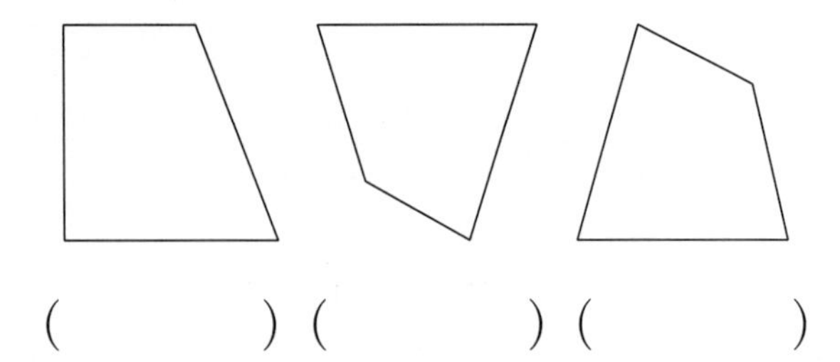

( ) ( ) ( )

한번 더

1-2 평행사변형에 ○표 하세요.

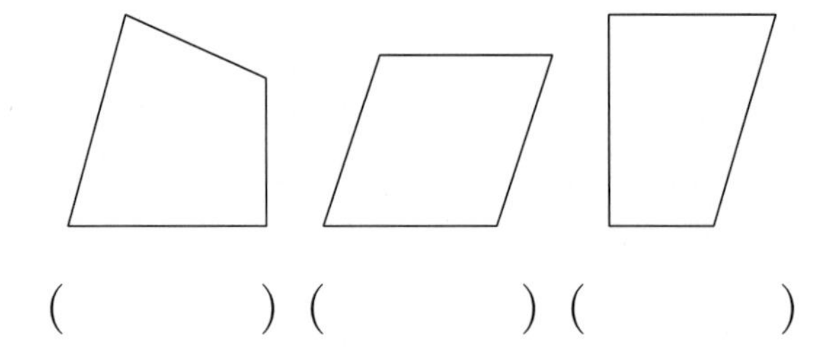

( ) ( ) ( )

2-1 마름모입니다. □ 안에 알맞은 수를 써넣으세요.

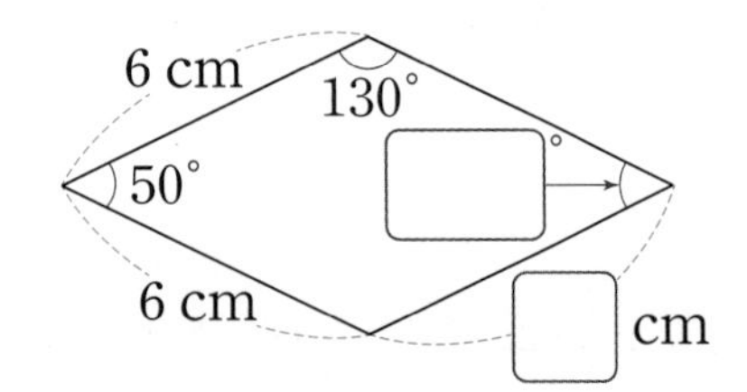

2-2 마름모입니다. □ 안에 알맞은 수를 써넣으세요.

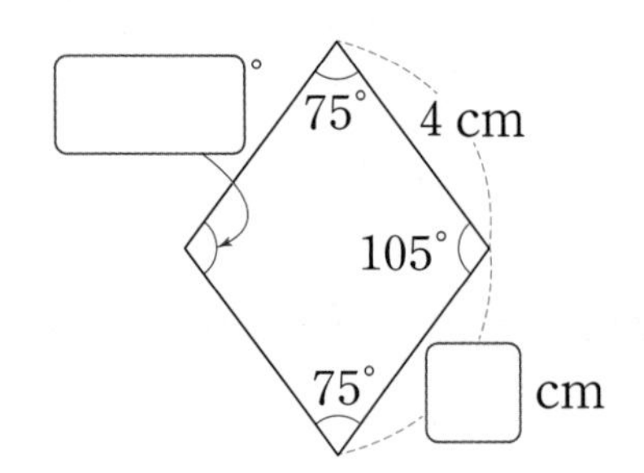

▶정답 및 해설 20쪽

• 꺾은선그래프

승규의 키

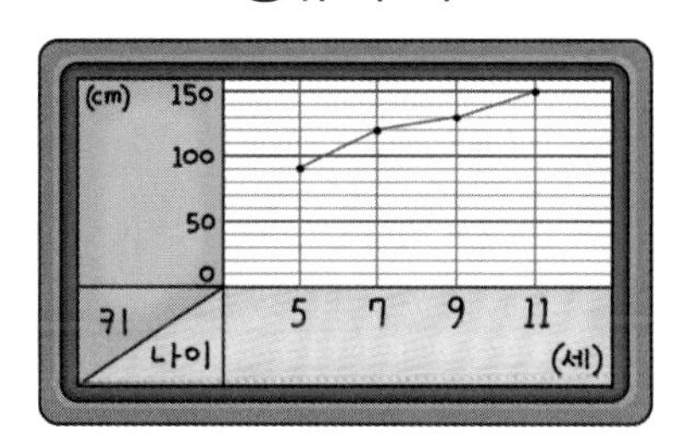

수량을 점으로 표시하고, 그 점들을 선분으로 이어 그린 그래프를 꺾은선그래프라고 해.

확인 문제

3-1 교실의 온도를 조사하여 나타낸 꺾은선그래프입니다. 물음에 답하세요.

교실의 온도

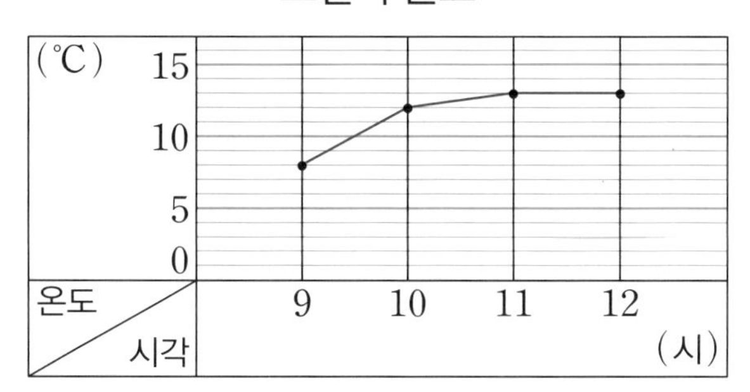

(1) 세로 눈금 한 칸은 몇 ℃를 나타낼까요?

( )

(2) 9시에 교실의 온도는 몇 ℃일까요?

( )

(3) 교실의 온도가 가장 많이 변한 때는 몇 시와 몇 시 사이일까요?

( )

한번 더

3-2 식물의 키를 조사하여 나타낸 꺾은선그래프입니다. 물음에 답하세요.

식물의 키

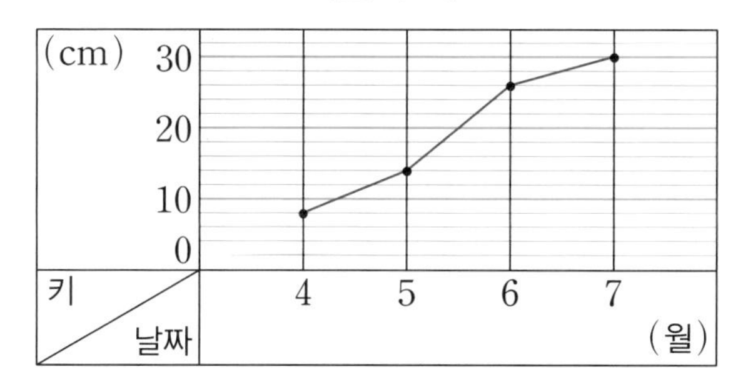

(1) 세로 눈금 한 칸은 몇 cm를 나타낼까요?

( )

(2) 5월에 식물의 키는 몇 cm일까요?

( )

(3) 식물의 키가 가장 많이 자란 때는 몇 월과 몇 월 사이일까요?

( )

1 여러 가지 도형에서 수선과 평행선 찾기

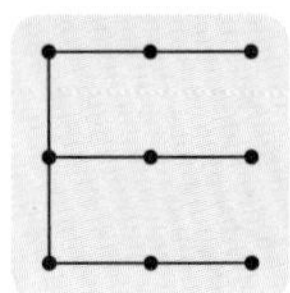 에서 찾을 수 있는 수선과 평행선의 수

- 수선 → 직각으로 만나는 두 직선을 찾습니다.

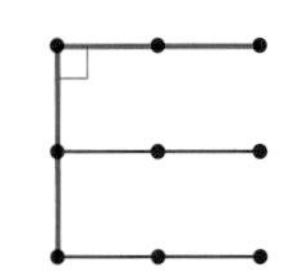 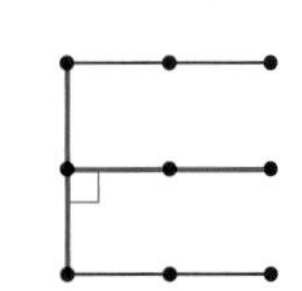 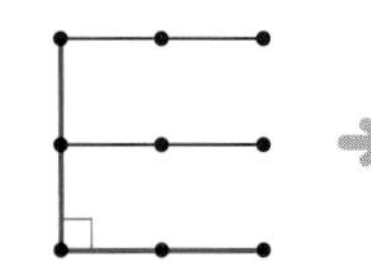 → 3쌍

- 평행선 → 서로 만나지 않는 두 직선을 찾습니다.

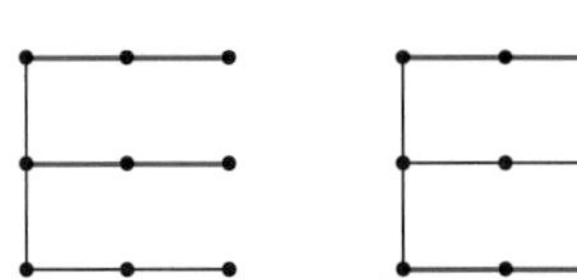 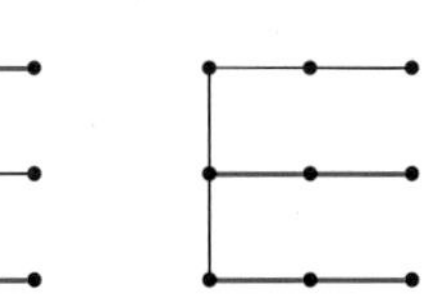 → 3쌍

활동 문제 알파벳에서 찾을 수 있는 수선의 수와 평행선의 수에 맞게 선을 이어 보세요.

수선의 수

평행선의 수

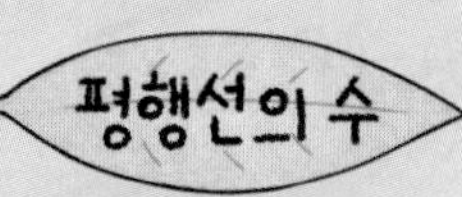

1쌍

0쌍

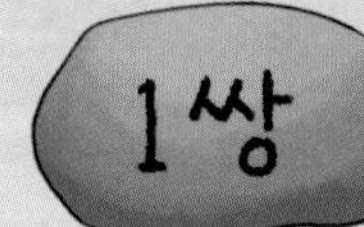

2쌍

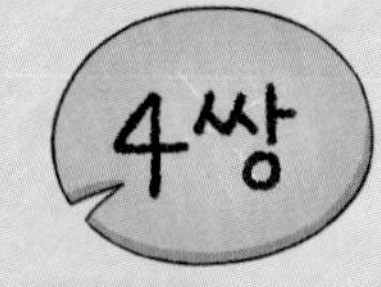

2쌍

▶정답 및 해설 20쪽

2 선을 그어 찾을 수 있는 평행선의 수

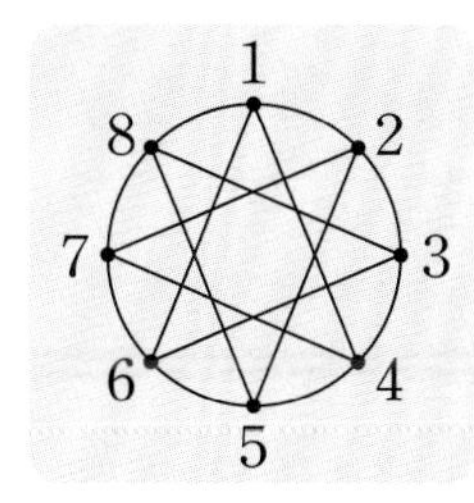

원 위에 일정한 간격으로 8개의 점을 찍어서 1에서 시작하여 시계 방향으로 3칸씩 건너 뛰며 선으로 연결하였을 때 찾을 수 있는 평행선의 수

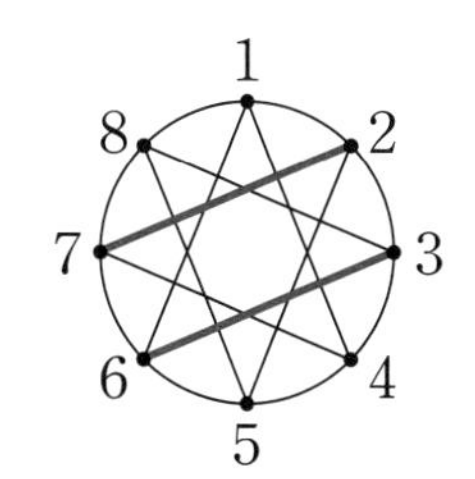
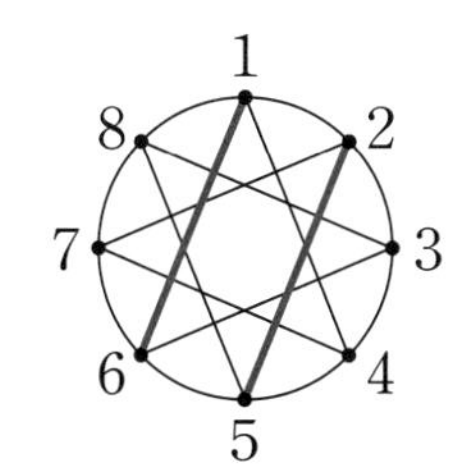
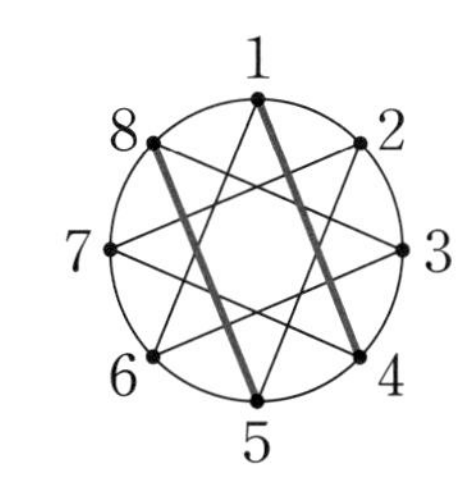
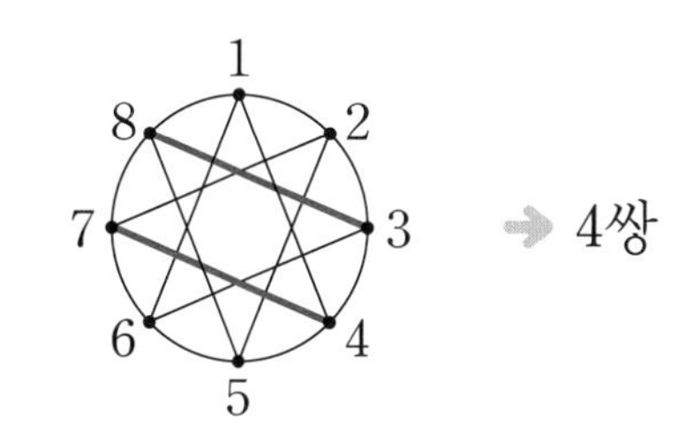

➔ 4쌍

활동 문제 점끼리 선을 모두 그었을 때 찾을 수 있는 평행선의 수는 몇 쌍인지 알아보세요.

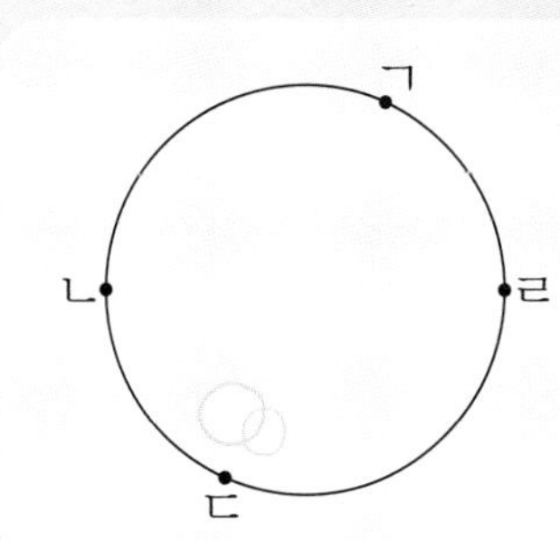

➔ 평행선: 선분 ㄱㄴ과 선분 ☐, 선분 ㄴㄷ과 선분 ☐

➔ 평행선의 수: ☐쌍

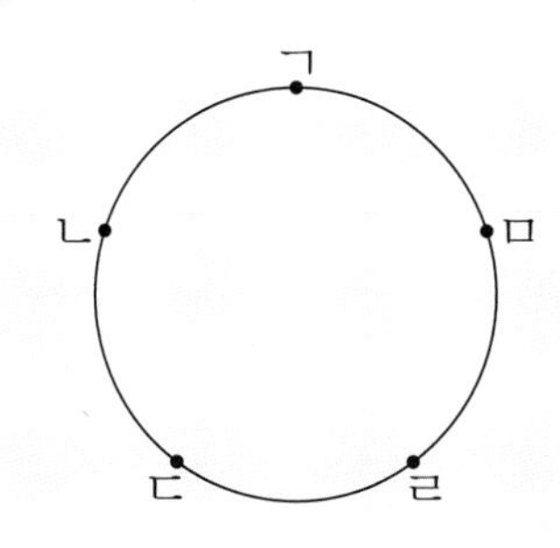

➔ 평행선: 선분 ㄱㄴ과 선분 ㅁㄷ, 선분 ㄴㄷ과 선분 ☐,
선분 ㄷㄹ과 선분 ☐, 선분 ㄹㅁ과 선분 ☐,
선분 ㄱㅁ과 선분 ☐

➔ 평행선의 수: ☐쌍

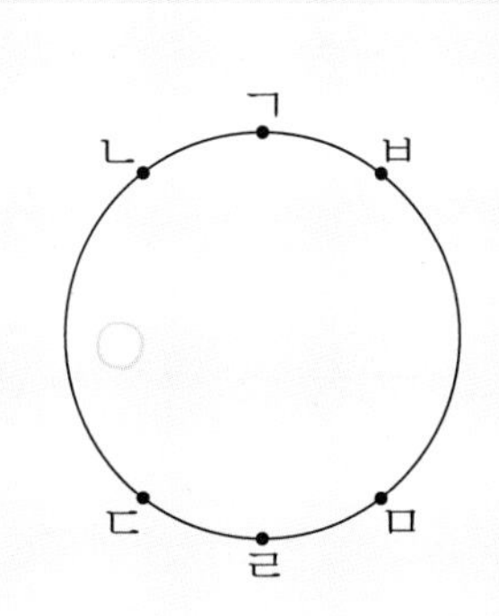

➔ 평행선: 선분 ㄱㄴ과 선분 ☐, 선분 ㄱㄷ과 선분 ☐,
선분 ㄴㄷ과 선분 ㄱㄹ, 선분 ㄴㄷ과 선분 ㅂㅁ,
선분 ㄴㄹ과 선분 ☐, 선분 ㄷㄹ과 선분 ☐,
선분 ㄷㅁ과 선분 ㄴㅂ, 선분 ㄱㄹ과 선분 ㅂㅁ

➔ 평행선의 수: ☐쌍

1일 서술형 길잡이

1-1 점판 위에 영어 알파벳 'O'와 'S'를 쓴 것입니다. 글자를 보고 찾을 수 있는 수선과 평행선의 수는 각각 몇 쌍인지 써 보세요.

(1)

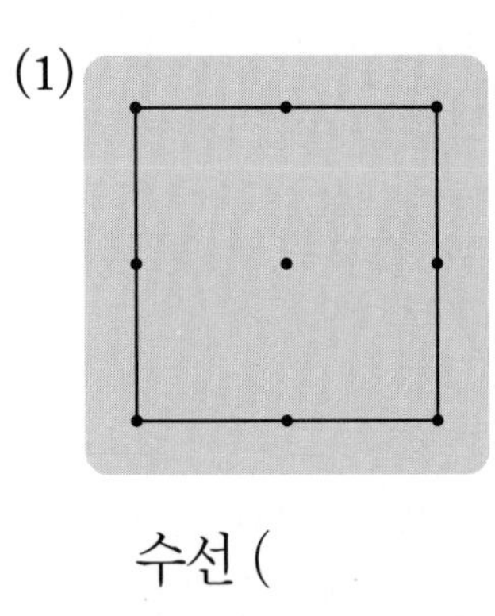

수선 ( )

평행선 ( )

(2)

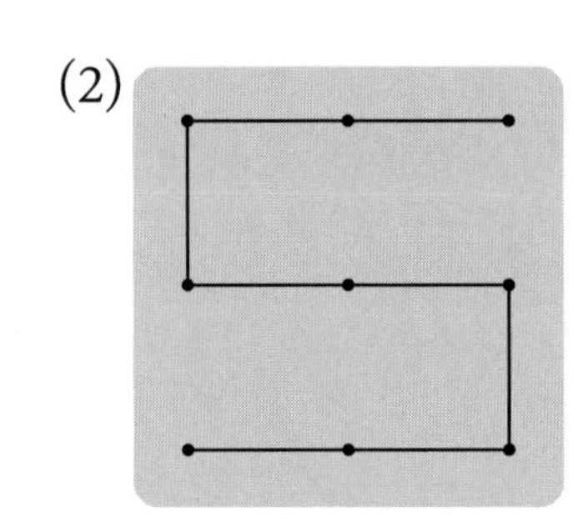

수선 ( )

평행선 ( )

- 직각인 부분을 찾아 수선을 찾아봅니다.
- 서로 만나지 않는 두 직선을 찾아 평행선을 찾아봅니다.

1-2 점판 위에 한글 자음자 'ㄷ'을 쓴 것입니다. 글자를 보고 찾을 수 있는 수선과 평행선의 수는 각각 몇 쌍인지 써 보세요.

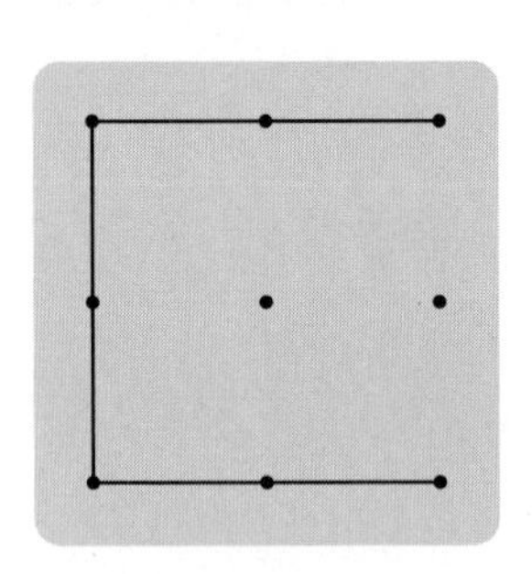

(1) 찾을 수 있는 수선은 몇 쌍인지 써 보세요.

( )

(2) 찾을 수 있는 평행선은 몇 쌍인지 써 보세요.

( )

1-3 점판 위에 한글 자음자 'ㅂ'을 쓴 것입니다. 글자를 보고 찾을 수 있는 수선과 평행선의 수는 각각 몇 쌍인지 써 보세요.

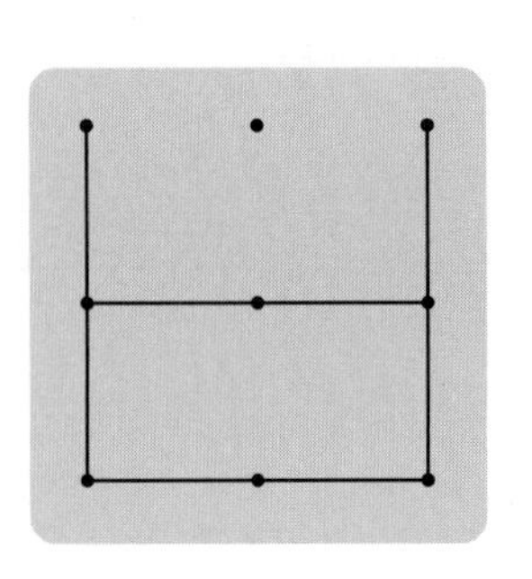

(1) 찾을 수 있는 수선은 몇 쌍인지 써 보세요.

( )

(2) 찾을 수 있는 평행선은 몇 쌍인지 써 보세요.

( )

▶정답 및 해설 20쪽

2-1 원 위에 똑같은 간격으로 점을 6개 찍었습니다. 점끼리 이어서 만들 수 있는 선분 중 선분 ㄱㄴ과 평행한 선분은 모두 몇 개인지 구해 보세요.

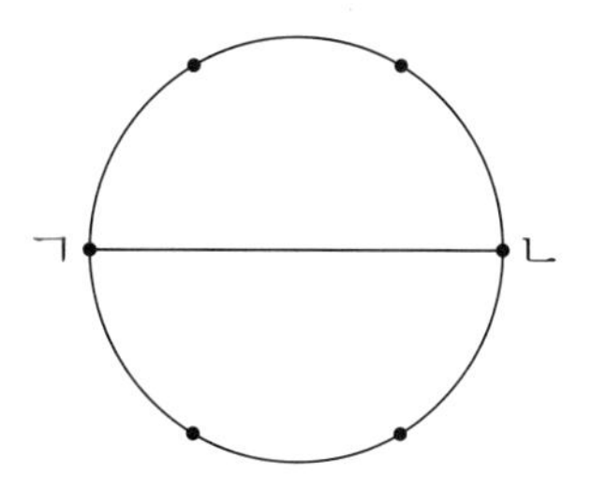

(　　　　　　　)

- 구하려는 것: 점끼리 이어서 만들 수 있는 선분 중 선분 ㄱㄴ과 평행한 선분의 수
- 주어진 조건: 똑같은 간격으로 6개의 점이 찍힌 원, 선분 ㄱㄴ
- 해결 전략: 선분 ㄱㄴ과 만나지 않는 선분을 그어 봅니다.

✎ 구하려는 것(〰)과 주어진 조건(——)에 표시해 봅니다.

2-2 원 위에 똑같은 간격으로 점을 8개 찍었습니다. 점끼리 이어서 만들 수 있는 선분 중 선분 ㄱㄴ과 평행한 선분은 모두 몇 개인지 구해 보세요.

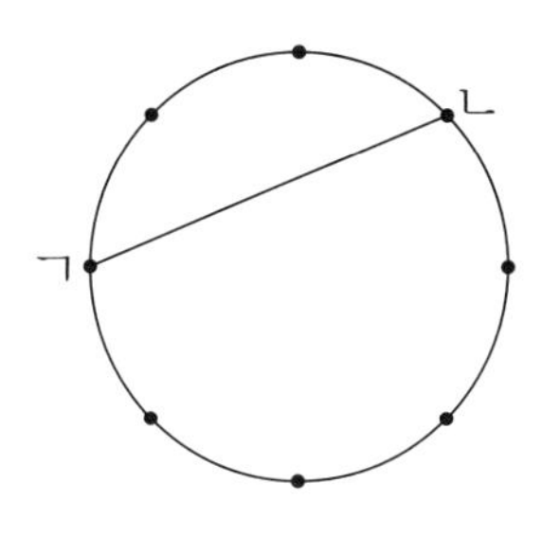

해결 전략

선분 ㄱㄴ과 만나지 않게 선분을 그어 봅니다.

(　　　　　　　)

2-3 원 위에 똑같은 간격으로 점을 12개 찍었습니다. 점끼리 이어서 만들 수 있는 선분 중 선분 ㄱㄴ과 평행한 선분은 모두 몇 개인지 구해 보세요.

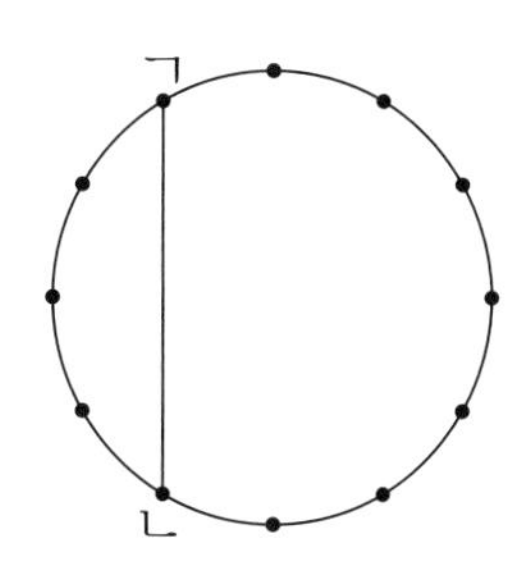

(　　　　　　　)

1 문제 해결

승희의 방에 달린 모빌입니다. 천장에 평행한 선분은 몇 개인지 써 보세요.

( )

2 문제 해결

올림픽 시상식대 모양에서 수선은 모두 몇 쌍인지 구해 보세요.

( )

3 창의 · 융합

길이가 각각 같은 성냥개비 5개와 이쑤시개 2개를 사용하여 평행한 직선이 3쌍이 되도록 그림을 그려 보세요.

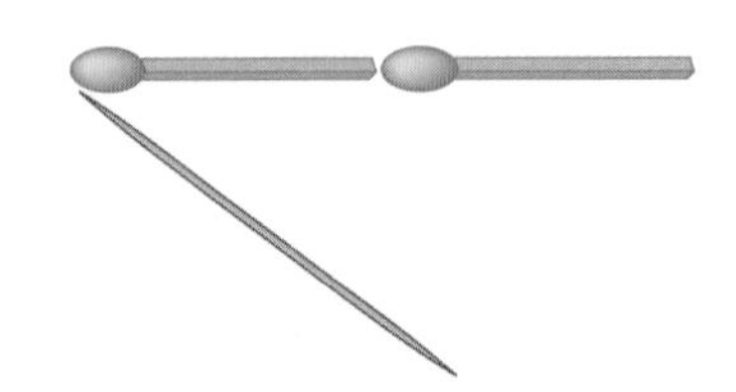

▶정답 및 해설 21쪽

원 위에 일정한 간격으로 8개의 점을 찍어서 1에서 시작하여 시계 방향으로 3칸씩 건너뛰며 선으로 연결하였을 때, 수선은 몇 쌍을 찾을 수 있는지 구해 보세요.

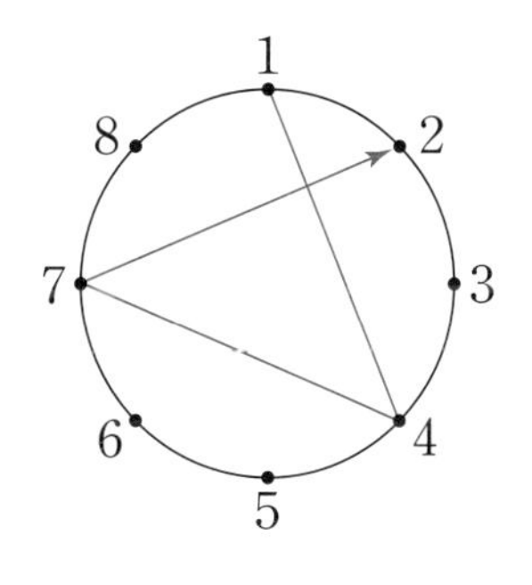

( )

어떤 지역의 위치를 A(4, 3)이라고 나타내면 A 지역은 기준점으로부터 오른쪽으로 4칸, 위쪽으로 3칸 간 곳이라는 뜻입니다. 주어진 지역을 모두 지도에 나타내고 두 지역끼리 선으로 이었을 때, 서로 평행한 변은 모두 몇 쌍인지 구해 보세요.

A(4, 3), B(1, 1), C(9, 3), D(11, 5), E(16, 1), F(2, 2)

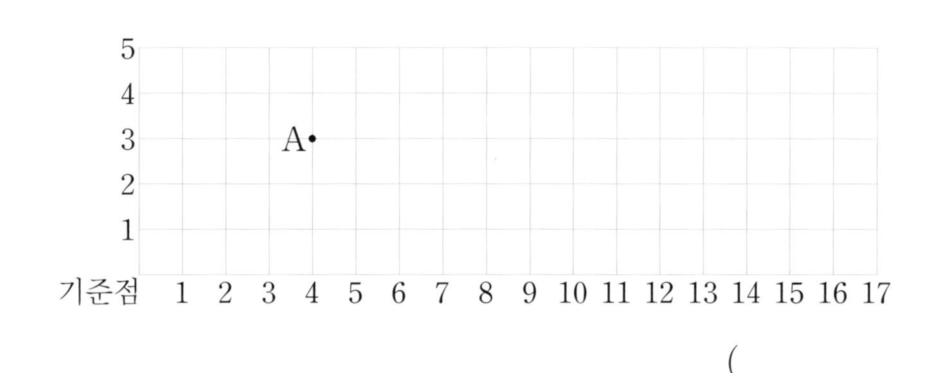

( )

1 세 평행선 사이의 거리

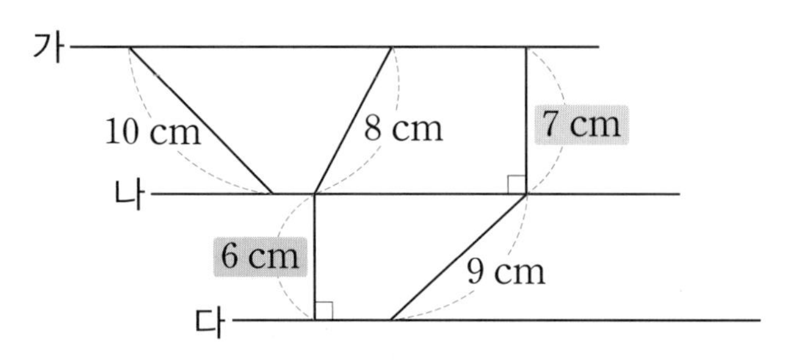

직선 가, 나, 다는 서로 평행하고, 평행한 두 직선 사이의 거리는 두 직선 사이의 수선의 길이와 같습니다.

직선 가와 직선 나 사이의 거리는 7 cm이고, 직선 나와 직선 다 사이의 거리는 6 cm입니다. 따라서 직선 가와 직선 다 사이의 거리는 $7+6=13$ (cm)입니다.

활동 문제 직선 가, 나, 다는 서로 평행합니다. 직선 가와 다 사이의 거리는 몇 cm인지 구해 보세요.

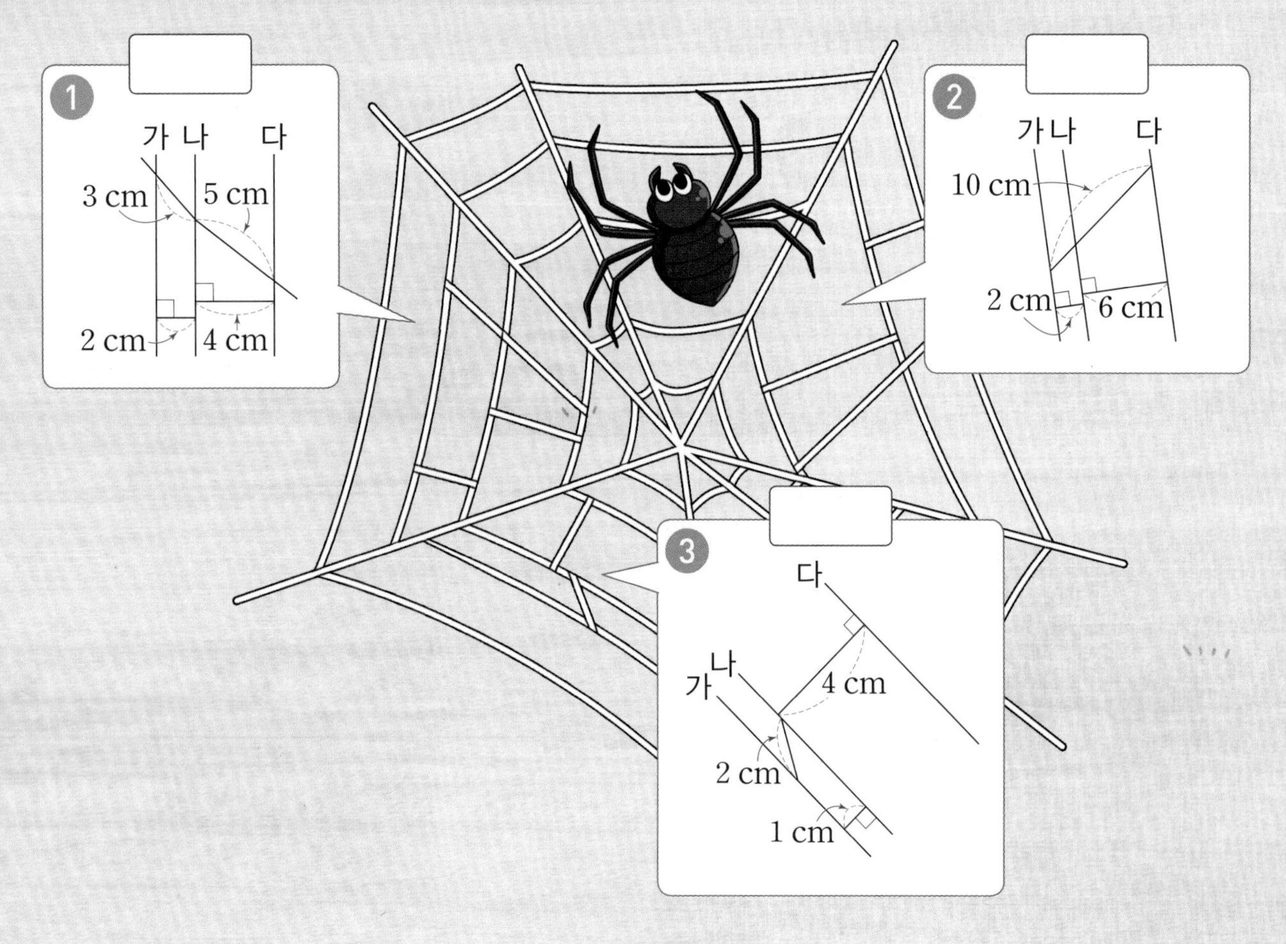

▶정답 및 해설 21쪽

2 도형에서 가장 먼 평행선 사이의 거리

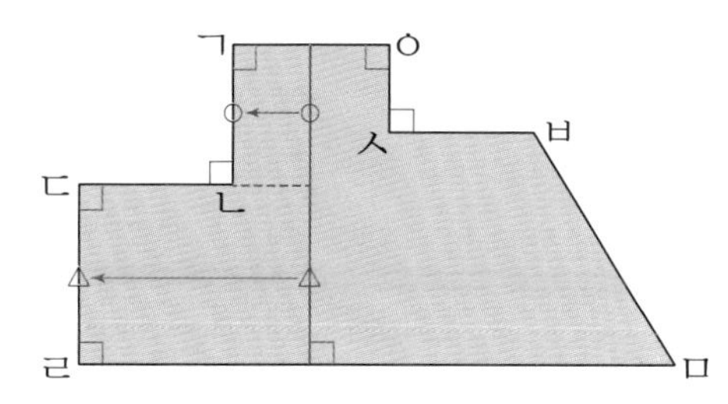

변 ㄱㅇ에서 가장 먼 평행선은 변 ㄹㅁ입니다.

변 ㄱㅇ과 변 ㄹㅁ 사이의 거리는 두 변에 수직인 선분의 길이입니다.

그 선분의 길이는 (변 ㄱㄴ)+(변 ㄷㄹ)과 같습니다.

활동 문제 여러 가지 모양의 꽃밭에 꽃이 심어져 있습니다. 꽃밭의 모양에서 변 가와 변 나 사이의 거리를 구하기 위해 길이를 재어야 할 변에 ○표 하세요.

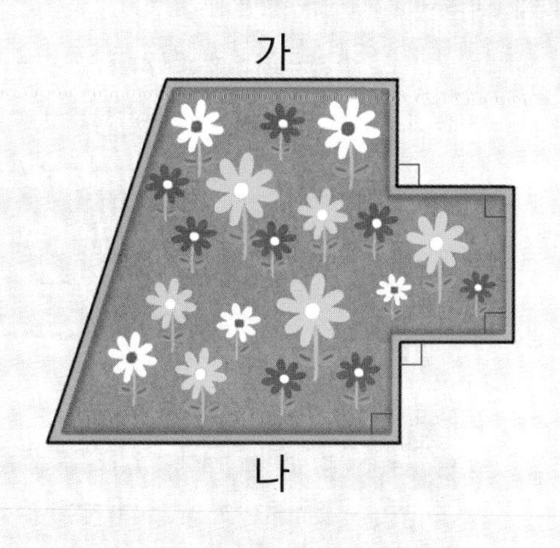

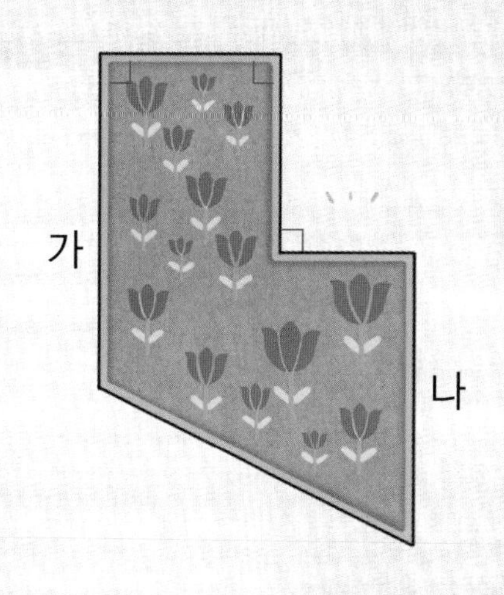

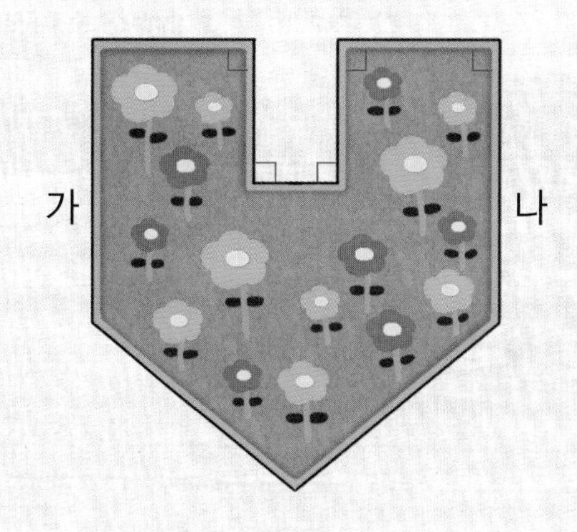

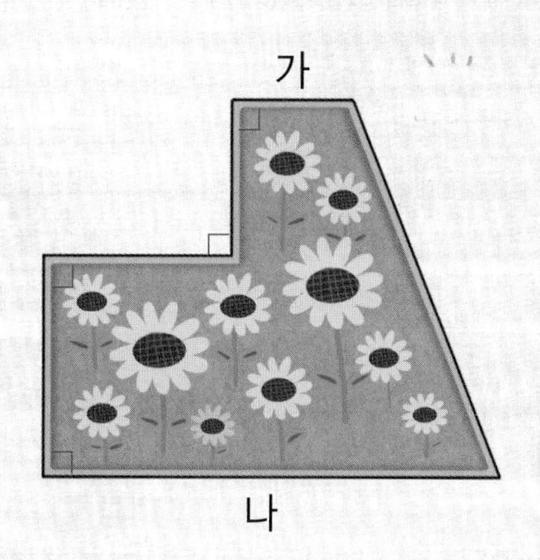

1-1 직선 가, 나, 다는 서로 평행합니다. 직선 가와 다 사이의 거리는 몇 cm인지 구해 보세요.

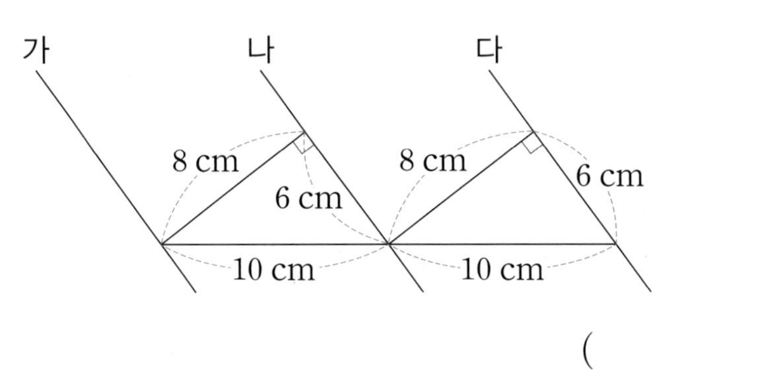

(   )

• 직선 가와 나 사이의 거리, 직선 나와 다 사이의 거리를 이용합니다.
• 평행선 사이의 거리는 두 직선 사이의 수선의 길이와 같습니다.

1-2 직선 가, 나, 다는 서로 평행합니다. 직선 가와 다 사이의 거리는 몇 cm인지 구해 보세요.

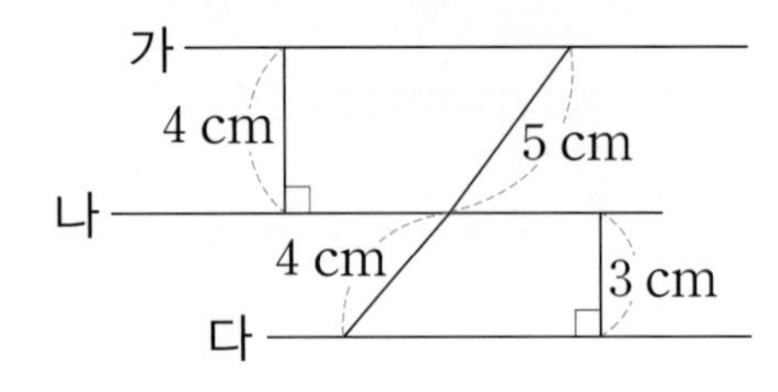

(1) 직선 가와 나, 직선 나와 다 사이의 거리는 각각 몇 cm인지 차례로 써 보세요.

(   ), (   )

(2) 직선 가와 다 사이의 거리는 몇 cm인지 구해 보세요.

(   )

1-3 직선 가, 나, 다는 서로 평행합니다. 직선 가와 다 사이의 거리가 13 cm일 때, 직선 가와 나 사이의 거리는 몇 cm인지 구해 보세요.

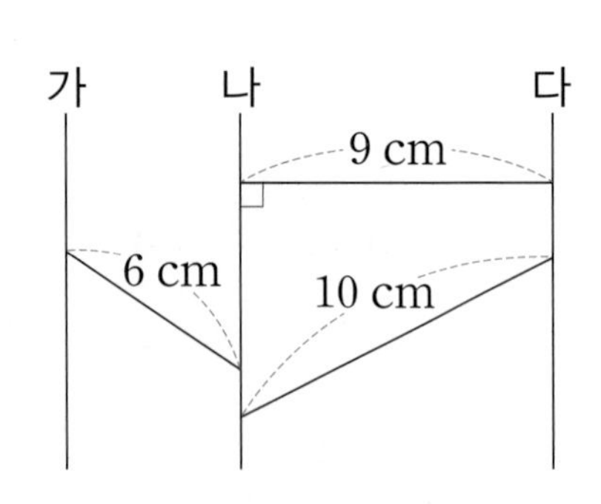

(1) 직선 나와 다 사이의 거리는 몇 cm인지 써 보세요.

(   )

(2) 직선 가와 나 사이의 거리는 몇 cm인지 구해 보세요.

(   )

▶정답 및 해설 21쪽

2-1 오른쪽 도형의 변 ㄱㄴ에서 거리가 가장 먼 평행선을 찾아 평행선 사이의 거리가 몇 cm인지 구해 보세요.

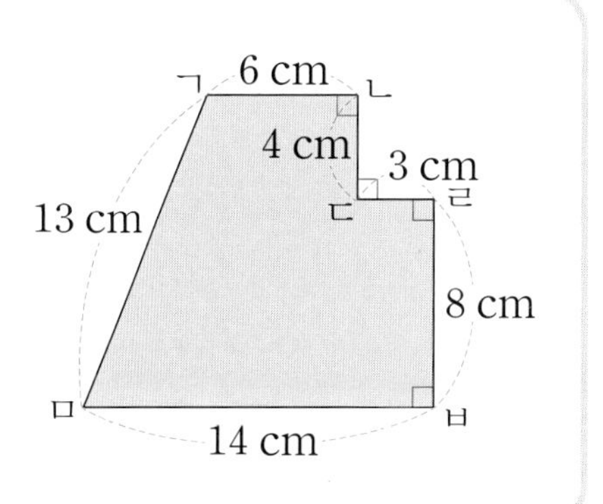

(　　　　　　　)

- 구하려는 것: 변 ㄱㄴ과 거리가 가장 먼 평행선 사이의 거리
- 주어진 조건: 오른쪽 도형
- 해결 전략: ❶ 변 ㄱㄴ과 평행한 선분 중 거리가 가장 먼 선분을 찾습니다.
  ❷ 변 ㄱㄴ에서 ❶에서 찾은 선분에 수선을 그어 그 길이를 구합니다.

✎구하려는 것(〰)과 주어진 조건(——)에 표시해 봅니다.

2-2 다음 도형의 변 ㄱㄴ에서 거리가 가장 먼 평행선을 찾아 평행선 사이의 거리가 몇 cm인지 구해 보세요.

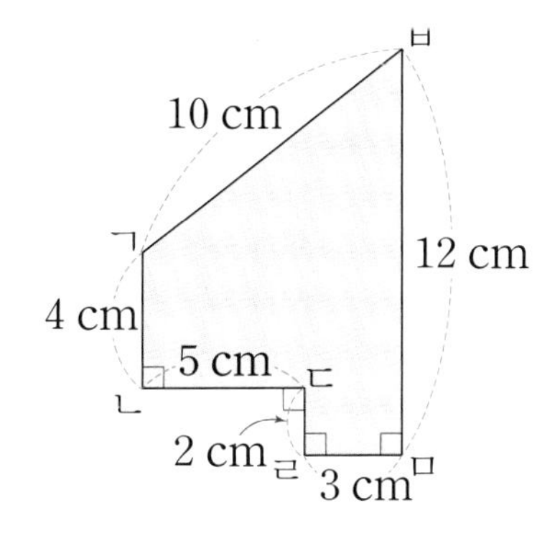

해결 전략

❶ 변 ㄱㄴ과 평행한 선분 중 거리가 가장 먼 선분을 찾습니다.

❷ 변 ㄱㄴ에서 ❶에서 찾은 선분에 수선을 그어 그 길이를 구합니다.

(　　　　　　　)

2-3 오른쪽 도형의 변 ㅂㅅ에서 거리가 가장 먼 평행선을 찾아 평행선 사이의 거리가 몇 cm인지 구해 보세요.

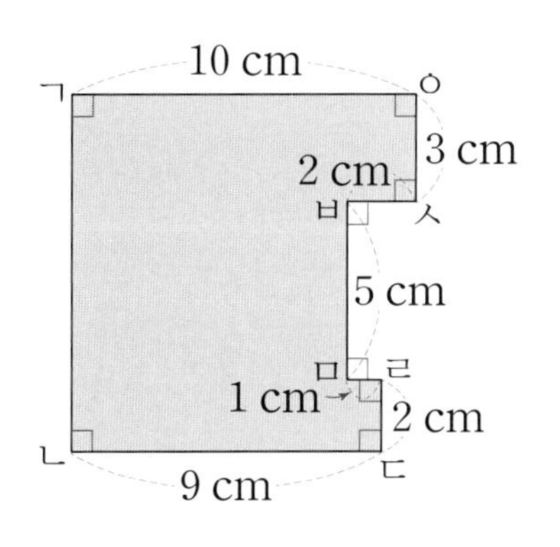

(　　　　　　　)

크기가 다른 정사각형 4개를 겹치지 않게 이어 붙인 모양입니다. 선분 ㄱㄴ과 선분 ㄷㄹ 사이의 거리는 몇 cm인지 구해 보세요.

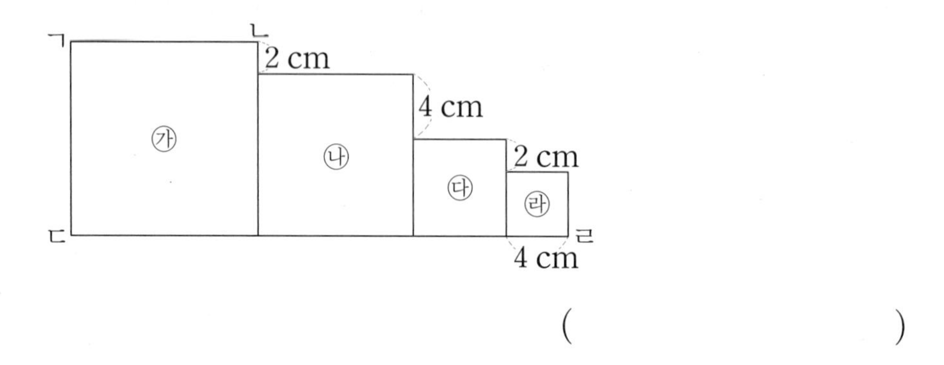

(　　　　　　　　)

서로 이웃하는 점과 점 사이의 간격이 모두 2 cm인 점들이 있습니다. 직선 가와의 거리가 4 cm인 평행선을 그어 보세요.

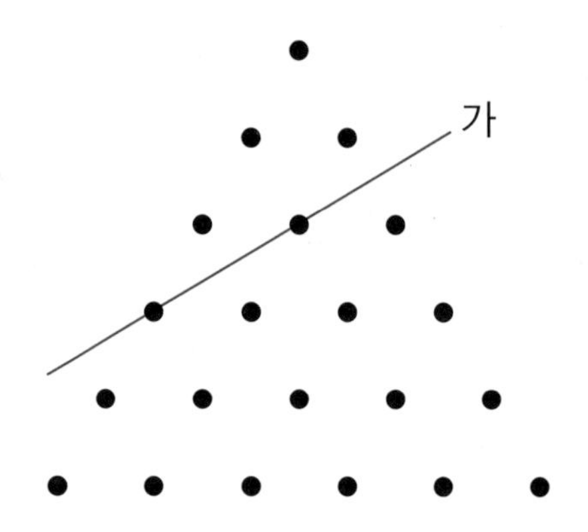

직선 가, 나, 다는 서로 평행합니다. 직선 나와 직선 다 사이의 거리는 몇 cm인지 구해 보세요.

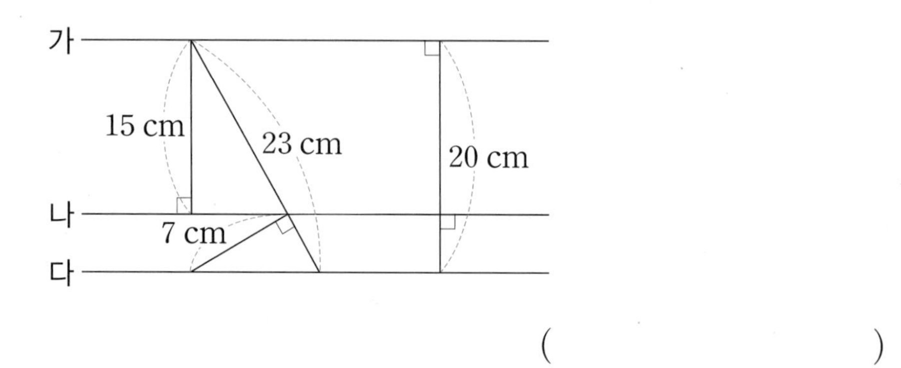

(　　　　　　　　)

▶정답 및 해설 22쪽

다음 그림과 같은 규칙으로 수직인 선분을 계속 이어 그으려고 합니다. 그은 선분이 모두 11개일 때, 가장 먼 평행선 사이의 거리는 몇 cm인지 구해 보세요.

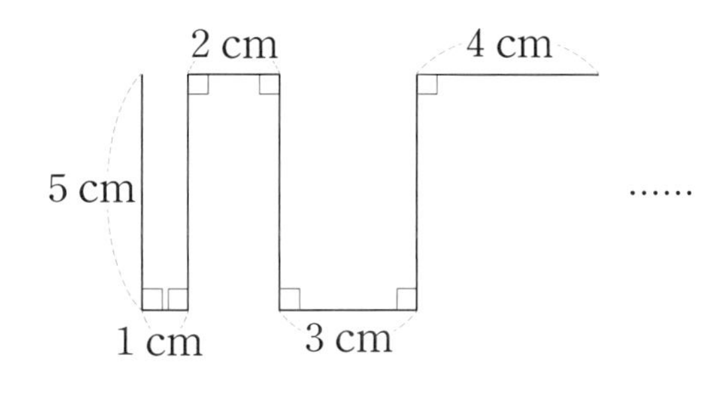

( )

왼쪽 칠교판의 모든 조각을 사용하여 오른쪽 모양을 만들었습니다. 만든 모양에서 가장 먼 평행선 사이의 거리는 몇 cm인지 구해 보세요.

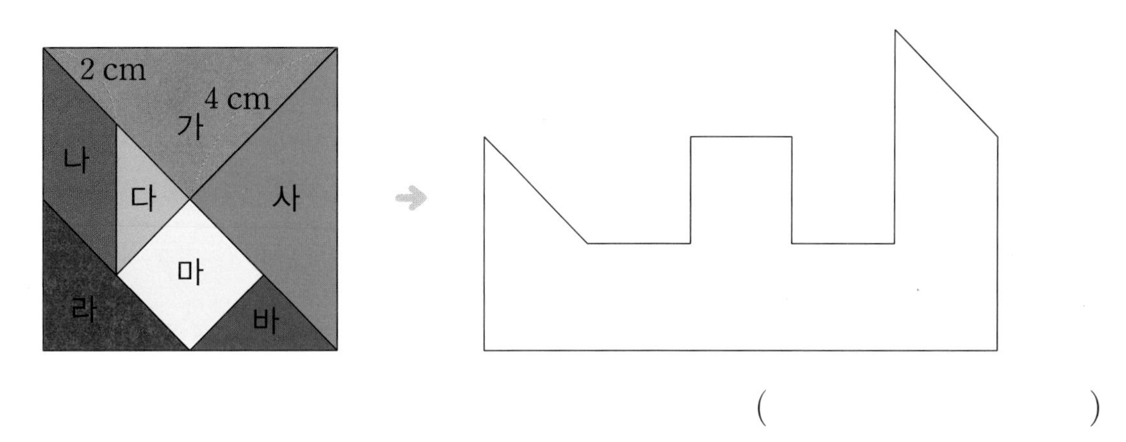

( )

만들 수 있는 사각형

1 만들 수 있는 사다리꼴

사각형의 꼭짓점 ㄱ을 지나는 직선을 그어서 사다리꼴 만들기

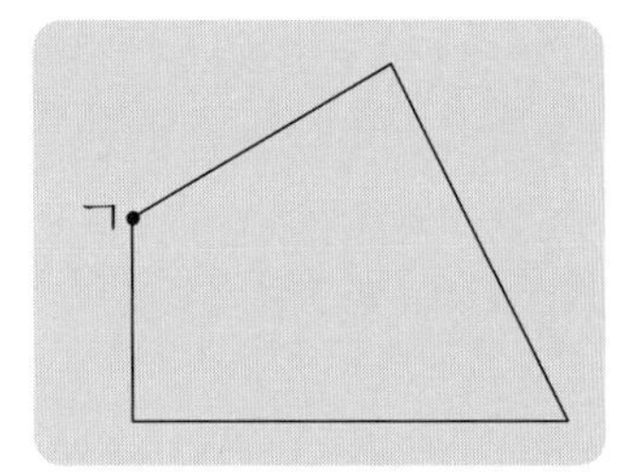

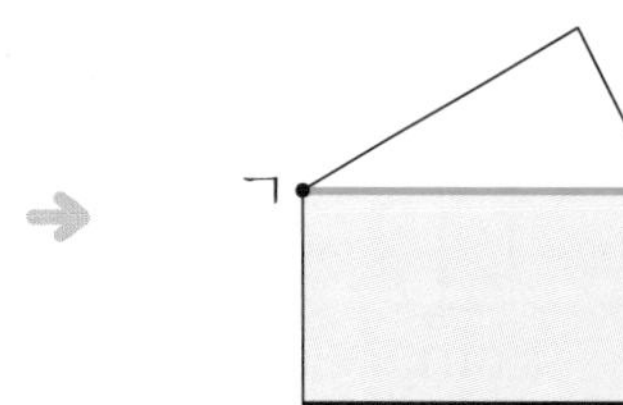

또는

ㄱ

굵은 선분과 평행한 선분을 그어 사각형을 완성합니다.

사다리꼴은 한 쌍의 변이 평행한 사각형이야.

활동 문제 사각형의 꼭짓점 ㄱ을 지나는 직선을 그어서 사다리꼴을 만들고 색칠해 보세요.

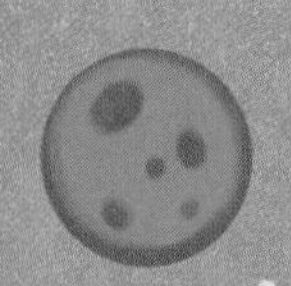

1

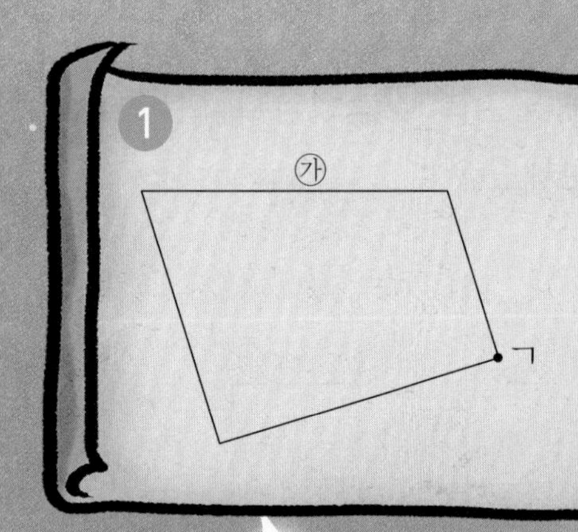

점 ㄱ을 지나고 변 ㉮에 평행한 선분을 그으면 사다리꼴을 만들 수 있습니다.

2

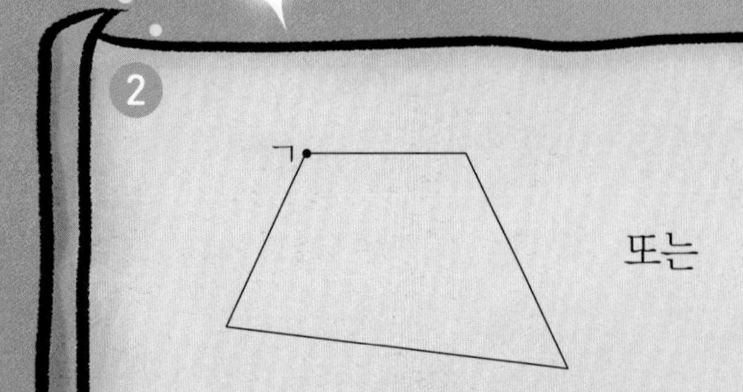

또는

▶정답 및 해설 22쪽

2 만들 수 있는 평행사변형

점 종이에 주어진 선분을 한 변으로 하는 평행사변형 만들기

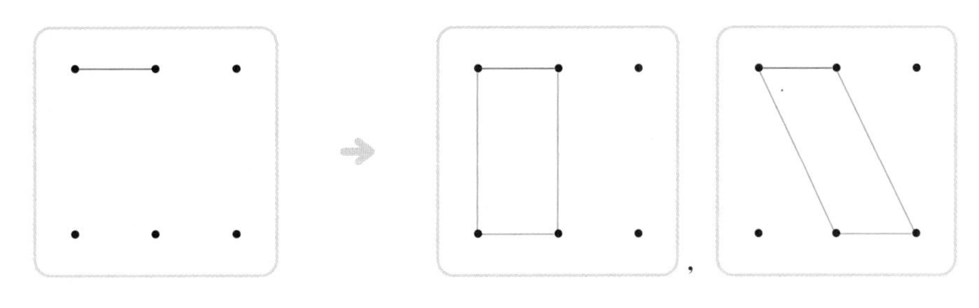

주어진 선분과 길이가 같은 평행선을 긋고, 다른 두 변도 서로 평행하도록 긋습니다.

평행사변형은 두 쌍의 변이 평행한 사각형이야.

활동 문제 주어진 선분을 한 변으로 하는 평행사변형을 만들어 보세요.

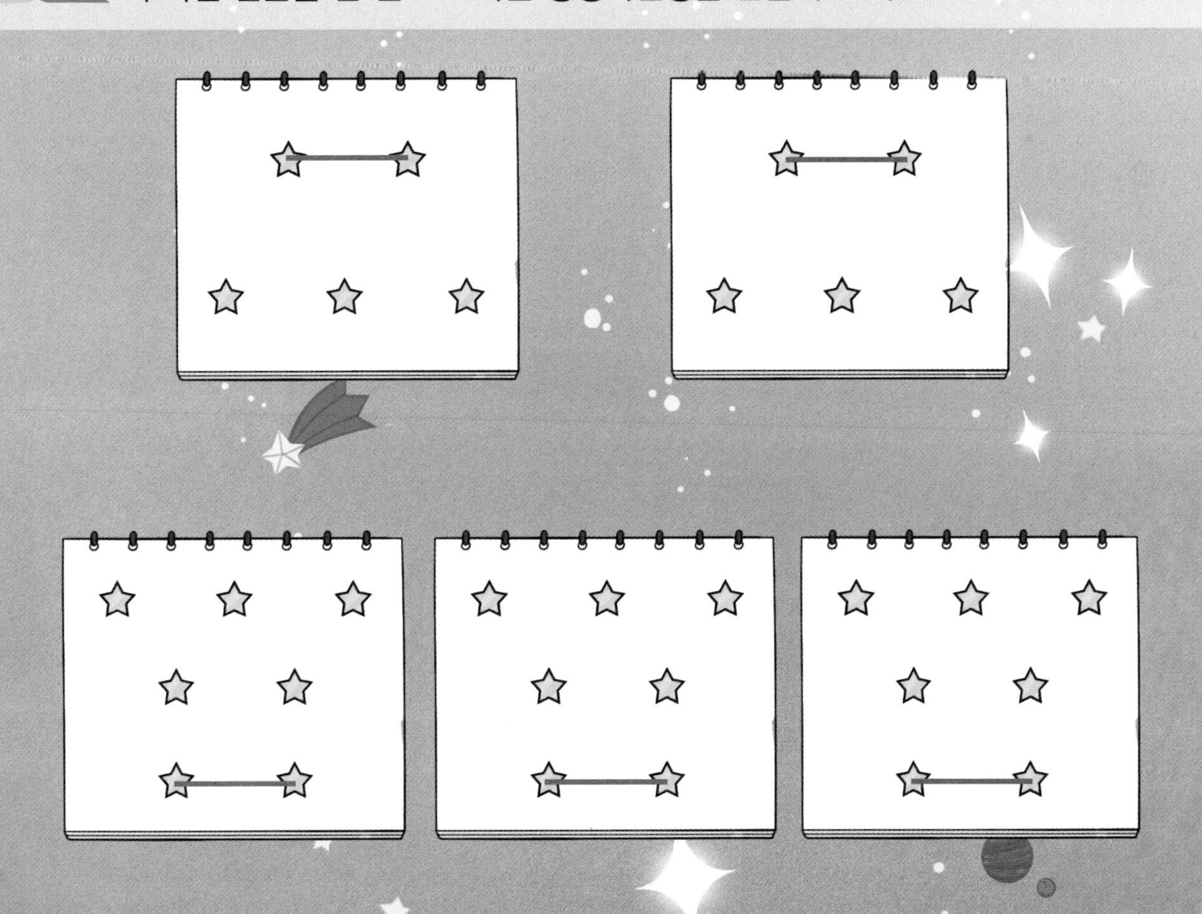

1-1 사각형의 꼭짓점 ㄱ을 지나는 직선을 그어서 사다리꼴을 만들고 색칠해 보세요.

(1)

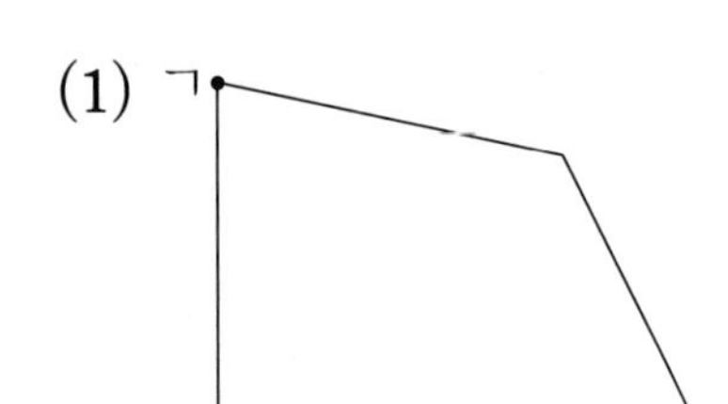

(2)

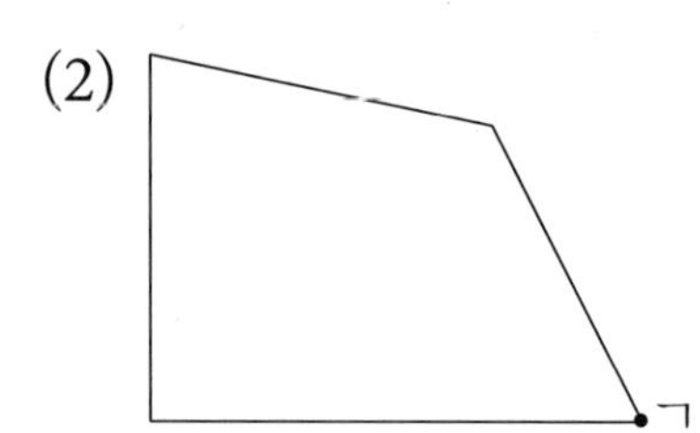

마주 보는 한 쌍의 변이 평행하도록 직선을 긋습니다.

1-2 사각형의 한 꼭짓점을 지나는 직선을 그어서 사다리꼴을 만들려고 합니다. 만들 수 있는 사다리꼴은 모두 몇 가지인지 구해 보세요.

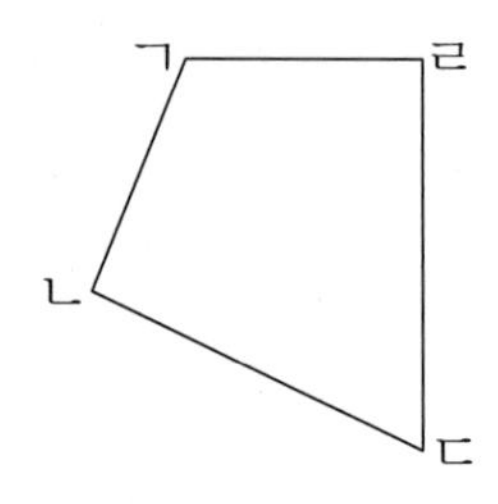

(1) 점 ㄱ을 지나고 한 변과 평행한 직선을 그어 만들 수 있는 사다리꼴은 몇 가지일까요?

( )

(2) 점 ㄴ을 지나고 한 변과 평행한 직선을 그어 만들 수 있는 사다리꼴은 몇 가지일까요?

( )

(3) 점 ㄷ을 지나고 한 변과 평행한 직선을 그어 만들 수 있는 사다리꼴은 몇 가지일까요?

( )

(4) 점 ㄹ을 지나고 한 변과 평행한 직선을 그어 만들 수 있는 사다리꼴은 몇 가지일까요?

( )

(5) 만들 수 있는 사다리꼴은 모두 몇 가지인지 구해 보세요.

( )

▶정답 및 해설 23쪽

2-1 점 종이에 주어진 선분을 한 변으로 하는 평행사변형을 만들려고 합니다. 만들 수 있는 평행사변형은 모두 몇 가지인지 구해 보세요.

( )

- 구하려는 것: 만들 수 있는 평행사변형의 수
- 주어진 조건: 한 선분이 그어진 점 종이
- 해결 전략: 주어진 선분과 평행한 선분을 긋고 나머지 두 변을 그었을 때 서로 평행한지 확인합니다.

✎ 구하려는 것(〰)과 주어진 조건(——)에 표시해 봅니다.

2-2 점 종이에 주어진 선분을 한 변으로 하는 평행사변형을 만들려고 합니다. 만들 수 있는 평행사변형은 모두 몇 가지인지 구해 보세요.

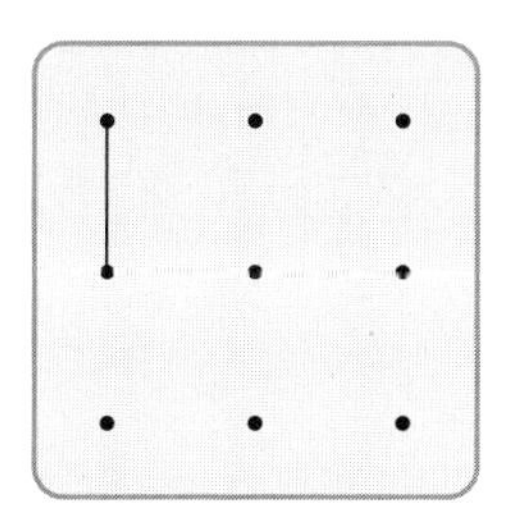

주어진 선분과 평행한 선분을 긋고 나머지 두 변을 그었을 때 서로 평행한지 확인합니다.

( )

2-3 점 종이에 주어진 선분을 한 변으로 하는 평행사변형을 만들려고 합니다. 만들 수 있는 평행사변형은 모두 몇 가지인지 구해 보세요.

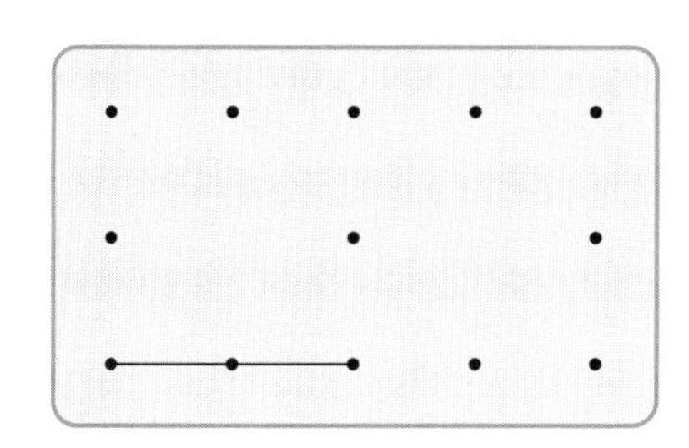

( )

1 문제 해결

다음 도형에서 찾을 수 있는 크고 작은 사다리꼴은 모두 몇 개인지 써 보세요.

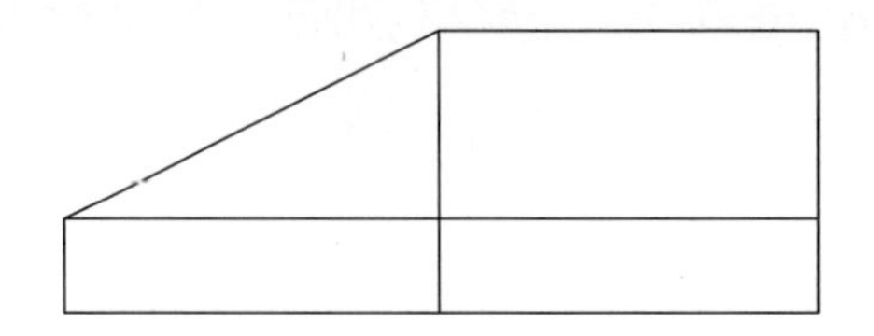

( )

2 문제 해결

다음 도형의 선분을 이용하여 빨간색 선분을 한 변으로 하는 평행사변형을 만들려고 합니다. 만들 수 있는 평행사변형은 모두 몇 가지인지 구해 보세요.

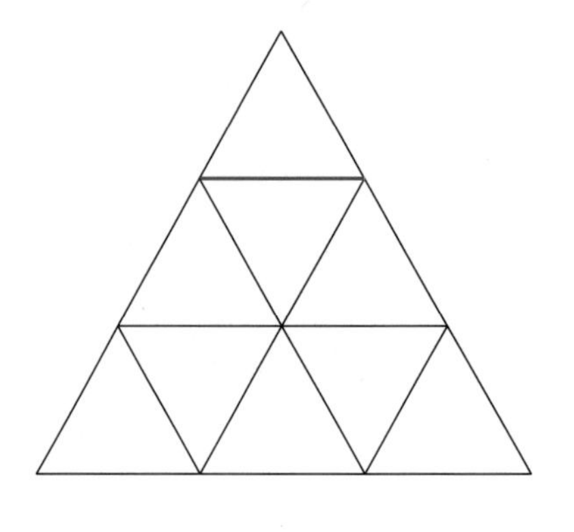

( )

3 창의 · 융합

칠교판 조각으로 사다리꼴을 만들어 보세요.

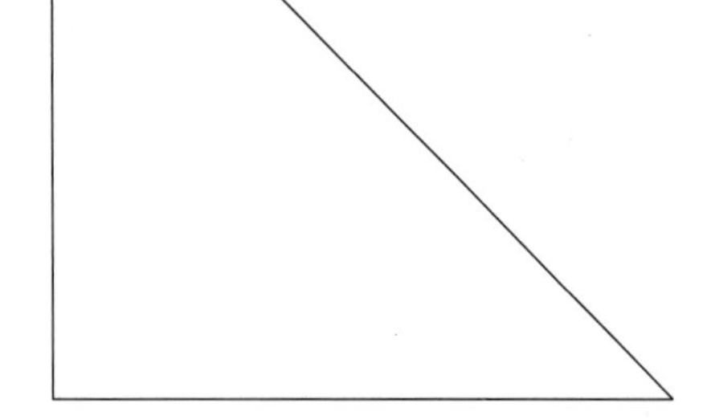

▶정답 및 해설 23쪽

사각형의 한 꼭짓점을 지나는 직선을 그어서 사다리꼴을 만들려고 합니다. 만들 수 있는 사다리꼴은 모두 몇 가지인지 구해 보세요.

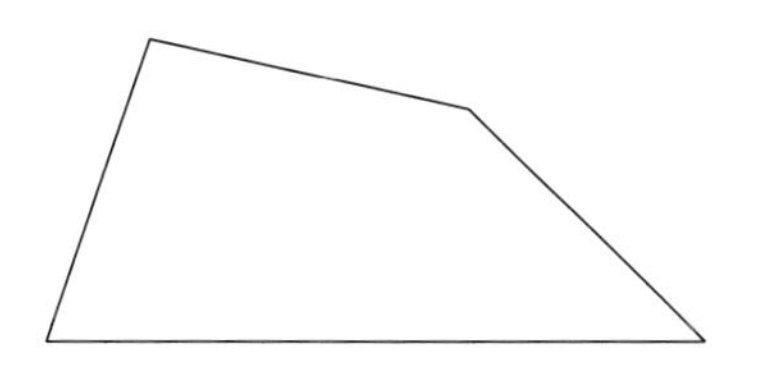

(　　　　　　　　　　)

도형판에 고무줄을 걸어서 평행사변형을 만들려고 합니다. 만들 수 있는 평행사변형은 모두 몇 가지인지 써 보세요.

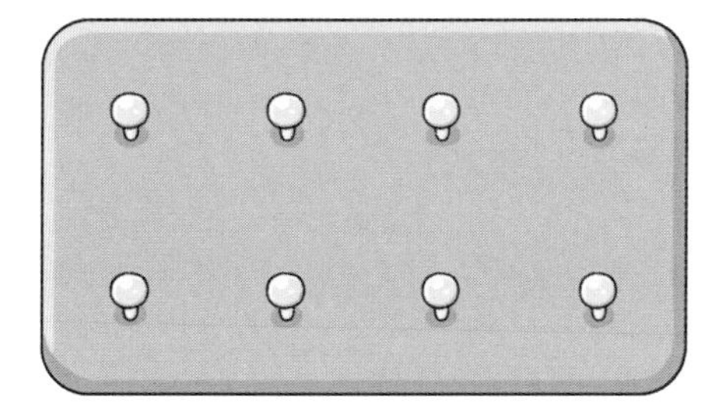

(　　　　　　　　　　)

가장 작은 사각형 만들기

1 가장 작은 마름모 만들기

• 평행사변형 (5 cm, 3 cm) 여러 개를 겹치지 않게 이어 붙여 가장 작은 마름모 만들기

마름모는 네 변의 길이가 모두 같으므로 마름모의 한 변의 길이는 평행사변형의 두 변의 길이를 각각 여러 번 더해 같은 수가 나오는 경우를 찾아 구합니다.

➜ 5+5+5=15, 3+3+3+3+3=15로 마름모의 한 변의 길이는 15 cm여야 합니다.

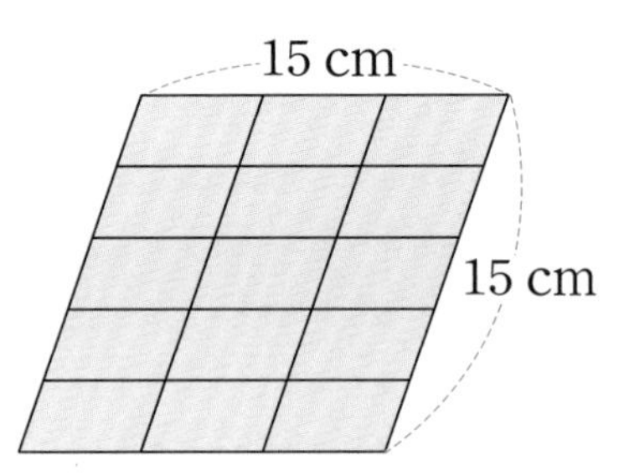

옆으로 3개, 아래로 5개를 이어 붙여 한 변의 길이가 15 cm인 가장 작은 마름모를 만들 수 있습니다.

활동 문제 보기 와 같이 주어진 평행사변형 모양 타일을 여러 개 겹치지 않게 이어 붙여서 가장 작은 마름모를 만들려고 합니다. 마름모를 완성해 보세요.

보기

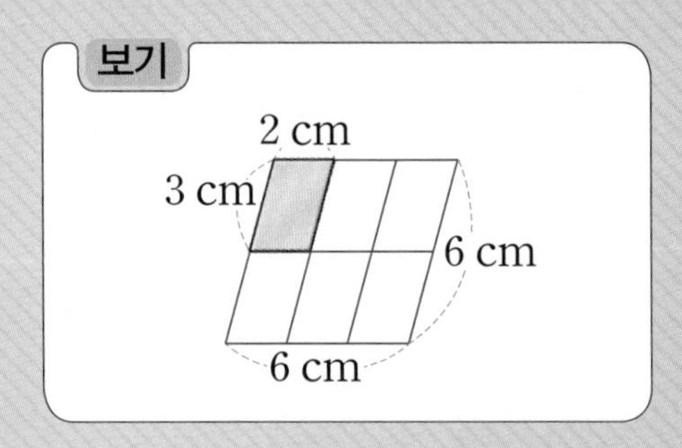

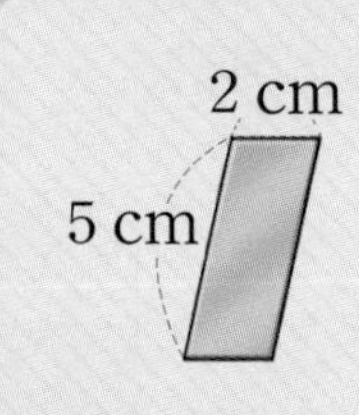

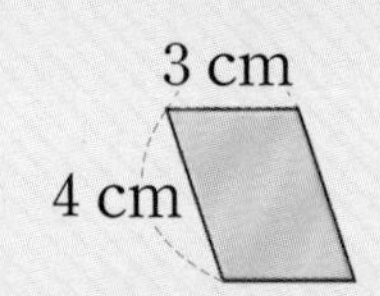

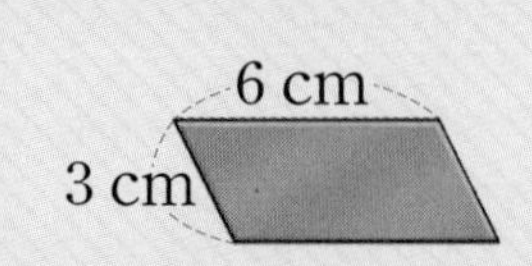

2 직사각형 여러 개로 만든 가장 작은 정사각형

크기가 같은 직사각형 2개를 겹치지 않게 이어 붙여 만든 가장 작은 정사각형입니다. 직사각형 한 개의 네 변의 길이의 합이 24 cm일 때 정사각형의 한 변의 길이 구하기

직사각형의 짧은 변의 길이를 □라고 할 때 긴 변의 길이는 □×2입니다.

(직사각형의 네 변의 길이의 합)=□+□×2+□+□×2
=□×6=24, □=4 cm

➔ (정사각형의 한 변의 길이)=□×2=4×2=8 (cm)

활동 문제 크기가 같은 직사각형 모양 블록 여러 개를 이어 붙여 만든 가장 작은 정사각형입니다. □ 안에 알맞은 수를 써넣으세요.

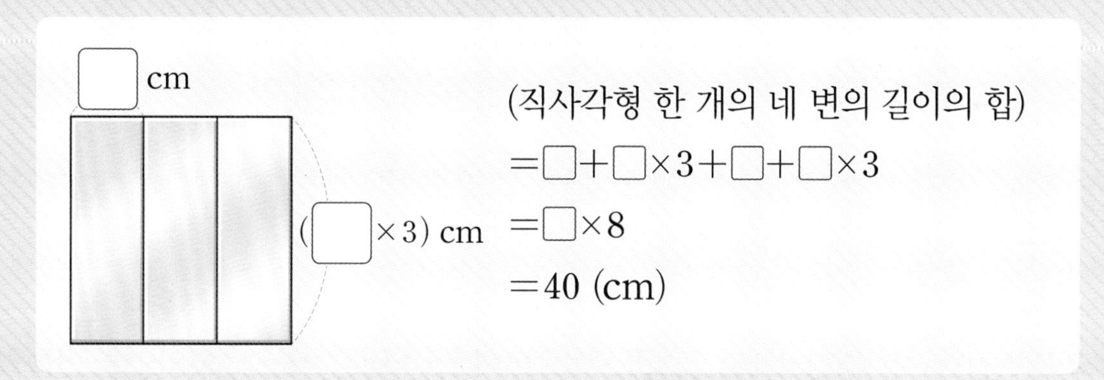

(직사각형 한 개의 네 변의 길이의 합)
=□+□×3+□+□×3
=□×8
=40 (cm)

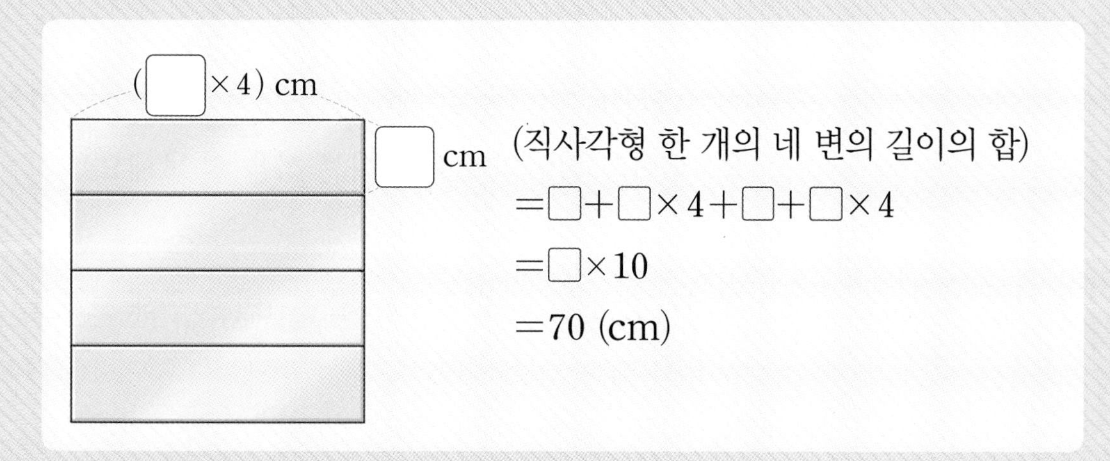

(직사각형 한 개의 네 변의 길이의 합)
=□+□×4+□+□×4
=□×10
=70 (cm)

1-1 크기가 같은 직사각형 2개를 겹치지 않게 이어 붙여 가장 작은 정사각형을 만들었습니다. 직사각형 한 개의 네 변의 길이의 합이 36 cm일 때 정사각형의 한 변의 길이는 몇 cm인지 구해 보세요.

(　　　　　　　　)

직사각형의 짧은 변의 길이를 □라고 할 때 긴 변의 길이는 □×2입니다.

1-2 크기가 같은 직사각형 3개를 겹치지 않게 이어 붙여 가장 작은 정사각형을 만들었습니다. 직사각형 한 개의 네 변의 길이의 합이 32 cm일 때 정사각형의 한 변의 길이는 몇 cm인지 구해 보세요.

(1) 직사각형의 짧은 변의 길이를 □라고 할 때 직사각형 한 개의 네 변의 길이의 합을 구하는 식을 써 보세요.

식 ______________________

(2) 정사각형의 한 변의 길이는 몇 cm인지 구해 보세요.

(　　　　　　　　)

1-3 크기가 같은 직사각형 4개를 겹치지 않게 이어 붙여 가장 작은 정사각형을 만들었습니다. 직사각형 한 개의 네 변의 길이의 합이 40 cm일 때 정사각형의 한 변의 길이는 몇 cm인지 구해 보세요.

(1) 직사각형의 짧은 변의 길이를 □라고 할 때 직사각형 한 개의 네 변의 길이의 합을 구하는 식을 써 보세요.

식 ______________________

(2) 정사각형의 한 변의 길이는 몇 cm인지 구해 보세요.

(　　　　　　　　)

▶정답 및 해설 24쪽

2-1 오른쪽과 같은 평행사변형 여러 개를 겹치지 않게 이어 붙여서 가장 작은 마름모를 만들었습니다. 만든 마름모의 네 변의 길이의 합은 몇 cm인지 구해 보세요.

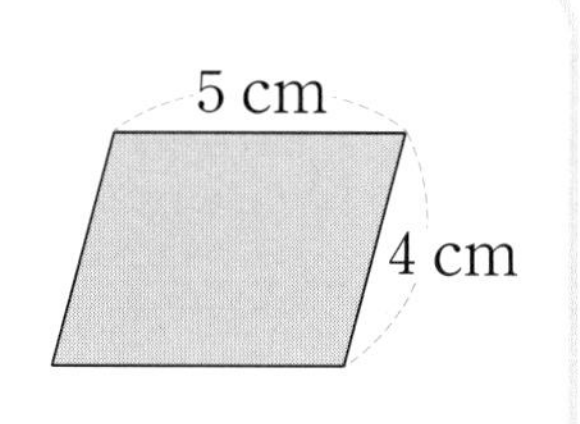

(　　　　　　　　)

- 구하려는 것: 만든 가장 작은 마름모의 네 변의 길이의 합
- 주어진 조건: 두 변이 각각 5 cm, 4 cm인 평행사변형
- 해결 전략: 5 cm와 4 cm를 각각 여러 번 더해 같은 수가 나올 때를 찾습니다.

✎ 구하려는 것(〰〰)과 주어진 조건(——)에 표시해 봅니다.

2-2 다음과 같은 평행사변형 여러 개를 겹치지 않게 이어 붙여서 가장 작은 마름모를 만들었습니다. 만든 마름모의 네 변의 길이의 합은 몇 cm인지 구해 보세요.

(　　　　　　　　)

2-3 오른쪽과 같은 평행사변형 여러 개를 겹치지 않게 이어 붙여서 가장 작은 마름모를 만들었습니다. 만든 마름모의 네 변의 길이의 합은 몇 cm인지 구해 보세요.

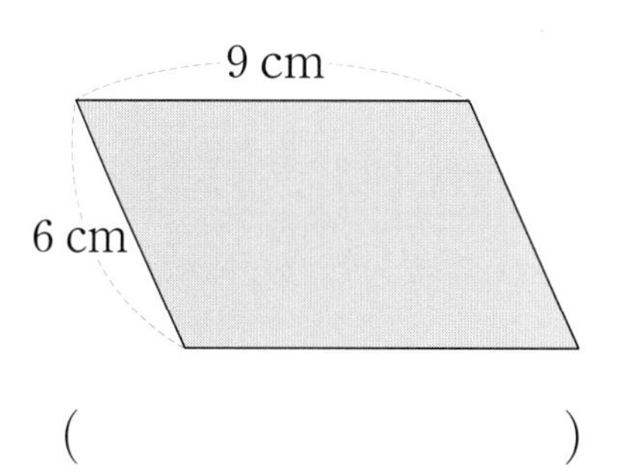

(　　　　　　　　)

사고력 · 코딩

1 창의 · 융합

왼쪽의 작은 평행사변형 모양 블록을 이어 붙여서 오른쪽의 큰 마름모 모양을 빈틈없이 덮으려고 합니다. 왼쪽의 블록은 몇 개 필요한지 구해 보세요.

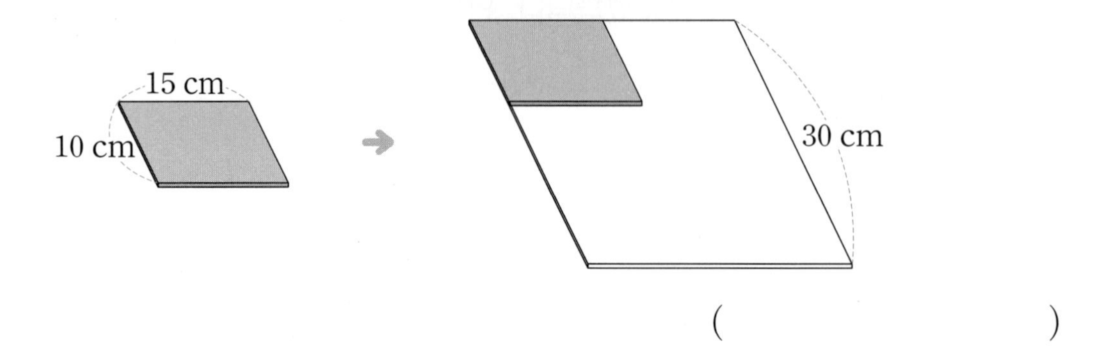

(　　　　　　　　)

2 문제 해결

다음과 같은 직사각형 여러 개를 겹치지 않게 이어 붙여서 가장 작은 정사각형을 만들었습니다. 만든 정사각형의 네 변의 길이의 합은 몇 cm인지 구해 보세요.

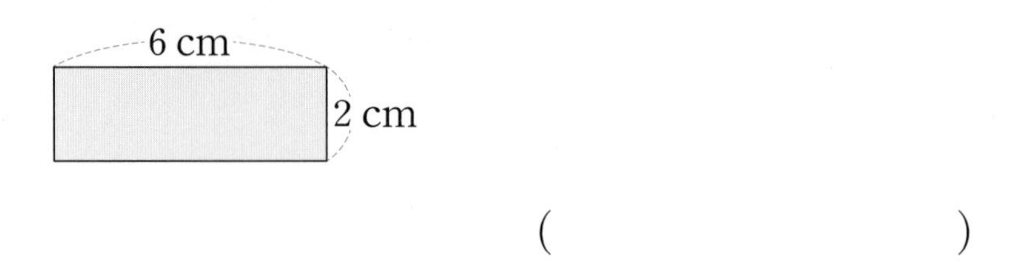

(　　　　　　　　)

3 창의 · 융합

다음 막대로 만들 수 있는 사각형을 모두 찾아 기호를 써 보세요.

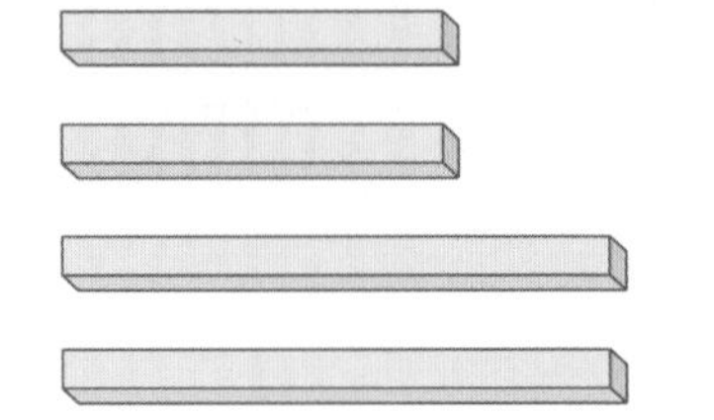

㉠ 사다리꼴	㉡ 평행사변형
㉢ 마름모	㉣ 직사각형
㉤ 정사각형	

(　　　　　　　　)

▶정답 및 해설 25쪽

16개의 점이 일정한 간격으로 찍혀 있는 점판이 있습니다. ★을 한 꼭짓점으로 하는 마름모를 만들려고 합니다. 만들 수 있는 마름모는 모두 몇 가지인지 구해 보세요.

(　　　　　　　　　)

아래의 버튼을 가장 적게 눌러서 직사각형을 1개 그리려고 합니다. □ 안에 알맞게 써넣고, 버튼을 모두 몇 번 누르는지 구해 보세요.

버튼 설명

- ▶ 앞으로 1칸 움직이기
- ▶▶ 앞으로 2칸 움직이기
- ⤵ 오른쪽으로 90°만큼 돌기
- ⤹ 왼쪽으로 90°만큼 돌기

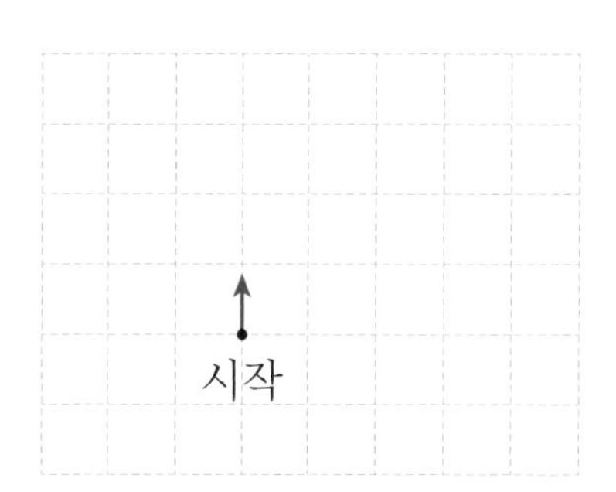

앞으로 3칸 움직이기 ➔ 오른쪽으로 90°만큼 돌기 ➔ 앞으로 4칸 움직이기
➔ □으로 90°만큼 돌기 ➔ 앞으로 □칸 움직이기
➔ □으로 90°만큼 돌기 ➔ 앞으로 □칸 움직이기

(　　　　　　　　　)

꺾은선그래프 해석하기

1 꺾은선그래프에서 변화가 가장 클 때와 가장 작을 때

꺾은선그래프에서 팔굽혀펴기 횟수는 전날보다 줄어든 경우(╲)와 전날보다 늘어난 경우(╱)가 있습니다.

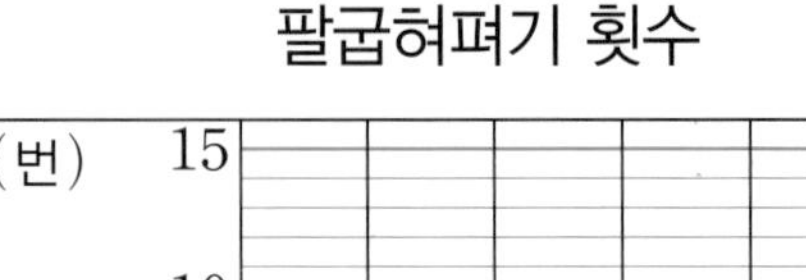

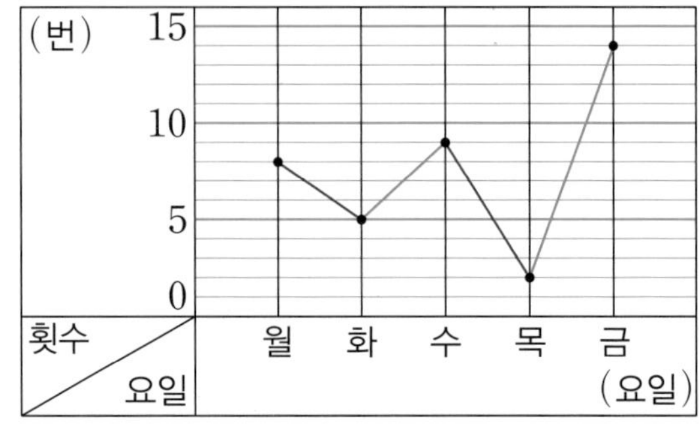

➔ 팔굽혀펴기 횟수의 변화가 가장 큰 때는 선분이 가장 많이 기울어진 목요일과 금요일 사이로 12번 늘었고, 변화가 가장 작은 때는 선분이 가장 적게 기울어진 월요일과 화요일 사이로 3번 줄었습니다.

활동 문제 문어의 요일별 움직인 거리를 조사하여 나타낸 꺾은선그래프입니다. □ 안에 알맞게 써 보세요.

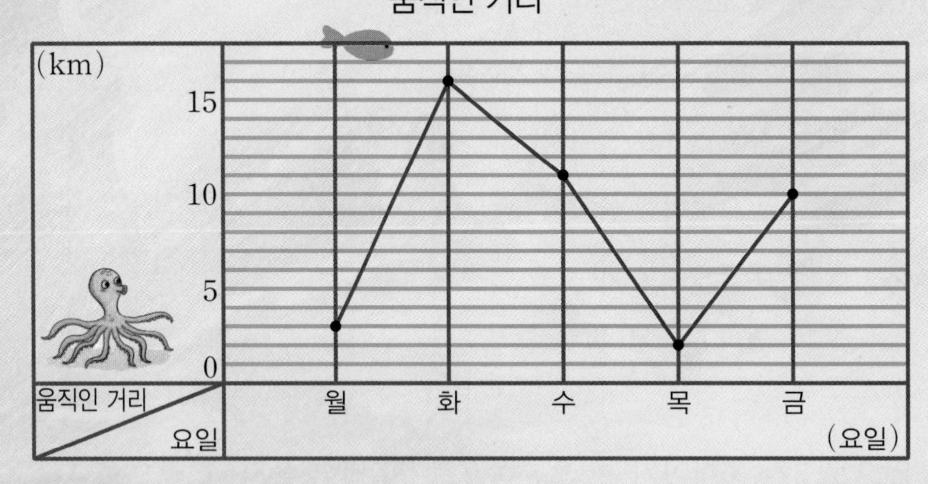

① 움직인 거리가 전날보다 늘어난 때는 □요일과 □요일 사이, □요일과 □요일 사이입니다.

② 움직인 거리가 전날보다 줄어든 때는 □요일과 □요일 사이, □요일과 □요일 사이입니다.

③ 움직인 거리의 변화가 가장 큰 때는 □요일과 □요일 사이이고, 움직인 거리의 변화가 가장 작은 때는 □요일과 □요일 사이입니다.

▶ 정답 및 해설 25쪽

2 2개의 꺾은선으로 나타낸 그래프 해석하기

2개의 꺾은선에서 간격이 멀수록 자료 값의 차가 크고 간격이 가까울수록 자료 값의 차가 작습니다.

➔ 바다의 수온과 기온의 차이가 가장 큰 때는 두 점 사이가 가장 많이 떨어진 곳을 찾으면 오후 2시이고 온도의 차이는 0.5 ℃입니다. 바다의 수온과 기온의 차이가 가장 작은 때는 두 점 사이가 가장 적게 떨어진 곳을 찾으면 오후 4시이고 온도의 차이는 0.1 ℃입니다.

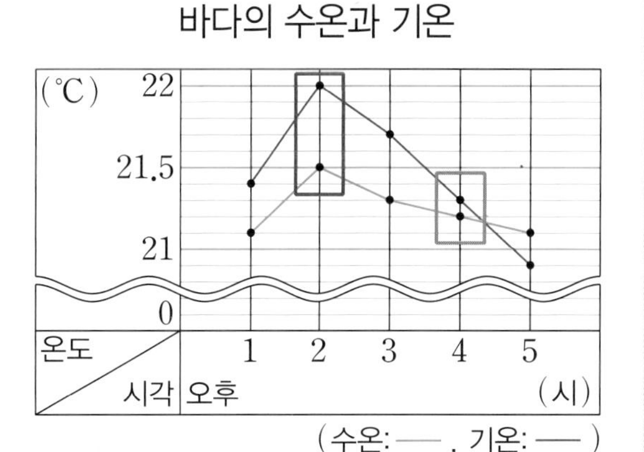

활동 문제 A 물고기와 B 물고기의 길이를 월별로 조사하여 나타낸 꺾은선그래프입니다. 두 물고기의 길이 차이가 가장 큰 때와 가장 작은 때는 각각 몇 월인지 구해 보세요.

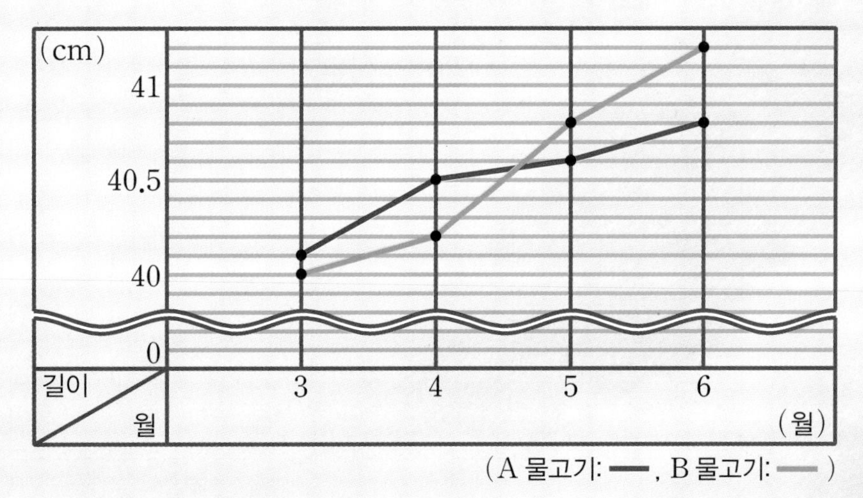

꺾은선그래프에서 두 점 사이의 차이는 3월: 세로 눈금 ☐칸, 4월: 세로 눈금 ☐칸, 5월: 세로 눈금 ☐칸, 6월: 세로 눈금 ☐칸입니다.

따라서 두 물고기의 길이 차이가 가장 큰 때는 ☐월, 가장 작은 때는 ☐월입니다.

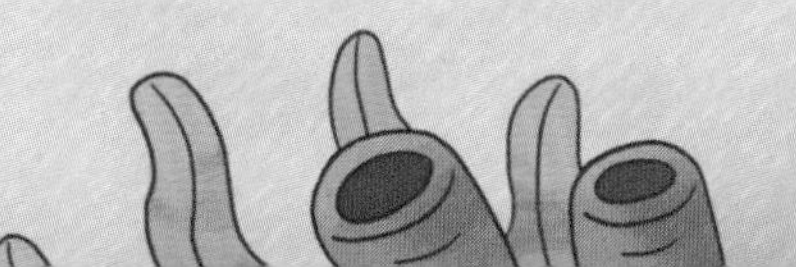

1-1 나팔꽃의 키를 조사하여 나타낸 꺾은선그래프입니다. 전날에 비해 나팔꽃의 키가 가장 많이 자란 때는 며칠인지 구해 보세요.

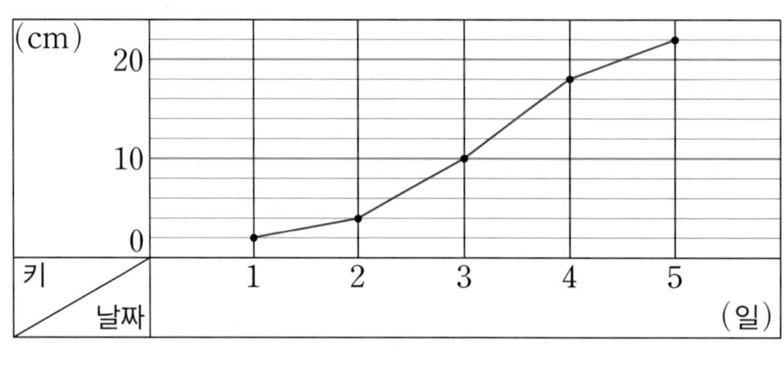

(　　　　　　　)

나팔꽃의 키의 변화가 가장 큰 때는 선분이 가장 많이 기울어진 곳입니다.

1-2 영아의 몸무게를 월별로 조사하여 나타낸 꺾은선그래프입니다. 전달에 비해 영아의 몸무게가 가장 많이 늘어난 때와 가장 적게 늘어난 때는 각각 몇 월인지 구해 보세요.

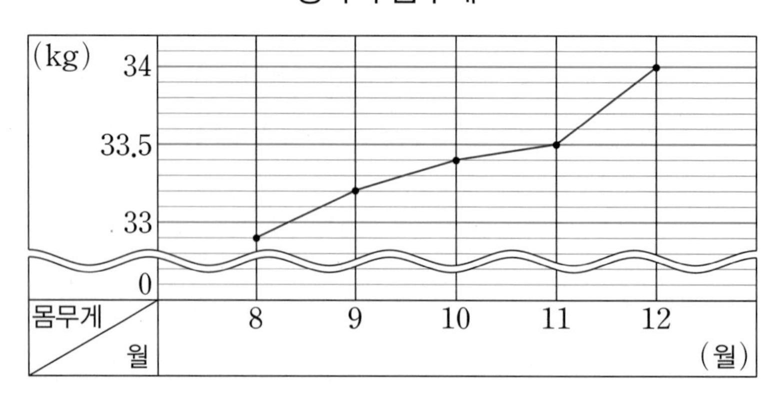

(1) 전달에 비해 영아의 몸무게가 가장 많이 늘어난 때는 몇 월일까요?

(　　　　　　　)

(2) 전달에 비해 영아의 몸무게가 가장 적게 늘어난 때는 몇 월일까요?

(　　　　　　　)

▶ 정답 및 해설 25쪽

2-1 연경이가 식물원과 동물원의 입장객 수를 요일별로 5일 동안 조사하여 나타낸 꺾은선그래프입니다. 식물원과 동물원의 입장객 수의 차가 가장 큰 요일에는 입장객 수의 차는 몇 명인지 구해 보세요.

식물원과 동물원의 입장객 수

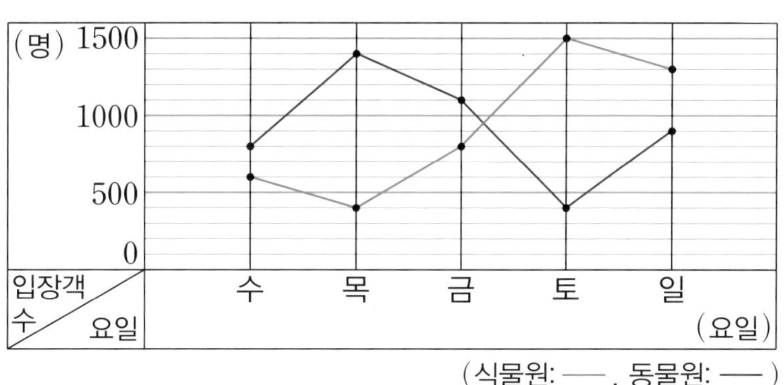

(식물원: ──, 동물원: ──)

(   )

- 구하려는 것: 입장객 수의 차가 가장 큰 요일에 입장객 수의 차
- 주어진 조건: 식물원과 동물원의 입장객 수를 나타낸 꺾은선그래프
- 해결 전략: ❶ 꺾은선그래프에서 두 점 사이의 차이를 세로 눈금으로 세어 보기
  ❷ 두 점 사이의 차이가 가장 많은 요일 찾기
  ❸ 세로 눈금 한 칸의 크기를 구하여 입장객 수의 차 구하기

✎ 구하려는 것(〰〰)과 주어진 조건(──)에 표시해 봅니다.

2-2 상혁이네 학교의 남녀 학생 수를 조사하여 나타낸 꺾은선그래프입니다. 남학생과 여학생 수의 차가 가장 큰 때는 몇 년이고, 이때 남학생과 여학생 수의 차는 몇 명인지 구해 보세요.

남녀 학생 수

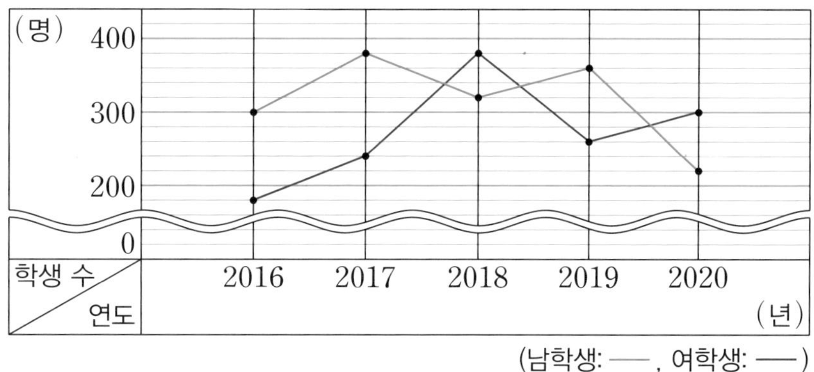

(남학생: ──, 여학생: ──)

가장 큰 때 (   ), 차 (   )

2020년 코로나19 신규 확진자 수를 조사하여 나타낸 꺾은선그래프입니다. 물음에 답하세요.

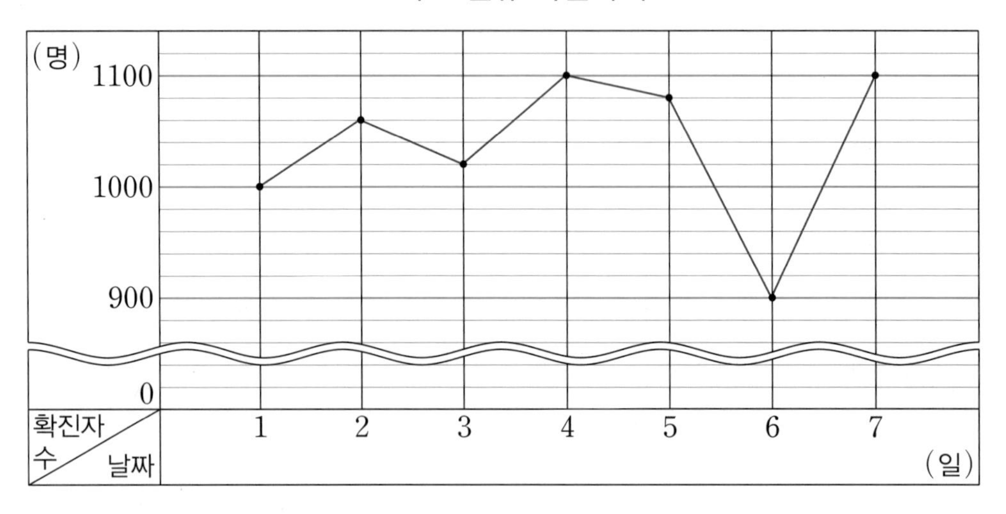

(1) 확진자 수가 같은 날은 언제와 언제일까요?

( )

(2) 전날에 비해 확진자 수가 가장 적게 늘어난 때는 며칠일까요?

( )

(3) 전날에 비해 확진자 수가 가장 많이 줄어든 때는 며칠일까요?

( )

(4) 전날에 비해 확진자 수의 변화가 가장 큰 때와 가장 작은 때는 며칠인지 각각 구해 보세요.

• 가장 큰 때 ( )

• 가장 작은 때 ( )

▶ 정답 및 해설 26쪽

2 창의·융합

유튜버인 가은이가 만든 A 동영상과 B 동영상의 조회 수를 조사하여 나타낸 꺾은선그래프입니다. 물음에 답하세요.

A 동영상과 B 동영상의 조회 수

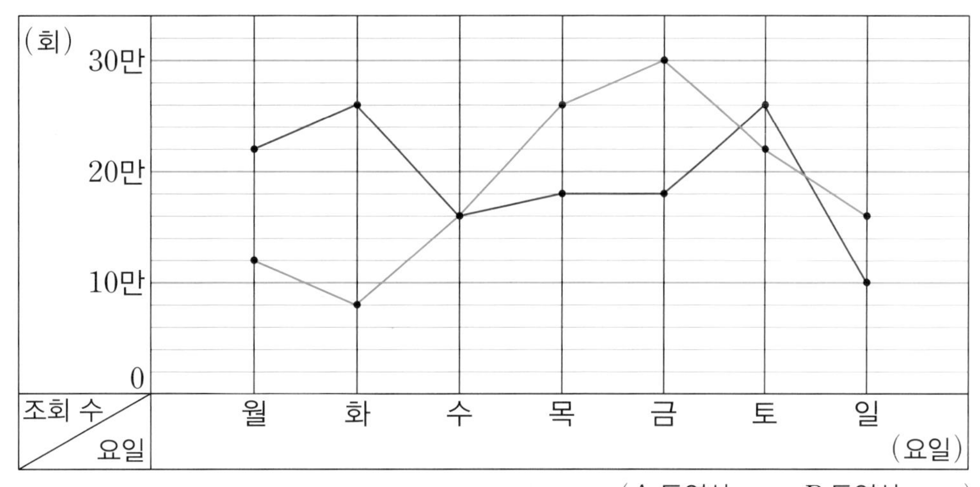

(A 동영상: —, B 동영상: —)

(1) A 동영상의 조회 수가 가장 많은 때는 무슨 요일이고 이 날 B 동영상의 조회 수는 몇 회인지 구해 보세요.

( ), ( )

(2) A 동영상의 조회 수가 가장 적은 때는 무슨 요일이고 이 날 B 동영상의 조회 수는 몇 회인지 구해 보세요.

( ), ( )

(3) A 동영상과 B 동영상의 조회 수의 차이가 가장 큰 때와 가장 작은 때는 각각 무슨 요일인지 구해 보세요.

• 가장 큰 때 ( )

• 가장 작은 때 ( )

1 알파벳에서 찾을 수 있는 수선의 수를 미끼로 사용하여 낚시를 하고 있습니다. 수선의 수가 바르게 써 있는 물고기를 찾아 선으로 이어 보세요. 창의 · 융합

▶정답 및 해설 26쪽

2 초희가 할머니 댁에 가려고 합니다. 글을 읽고 ○나 × 중 알맞은 길을 선으로 이어 보세요. 창의·융합

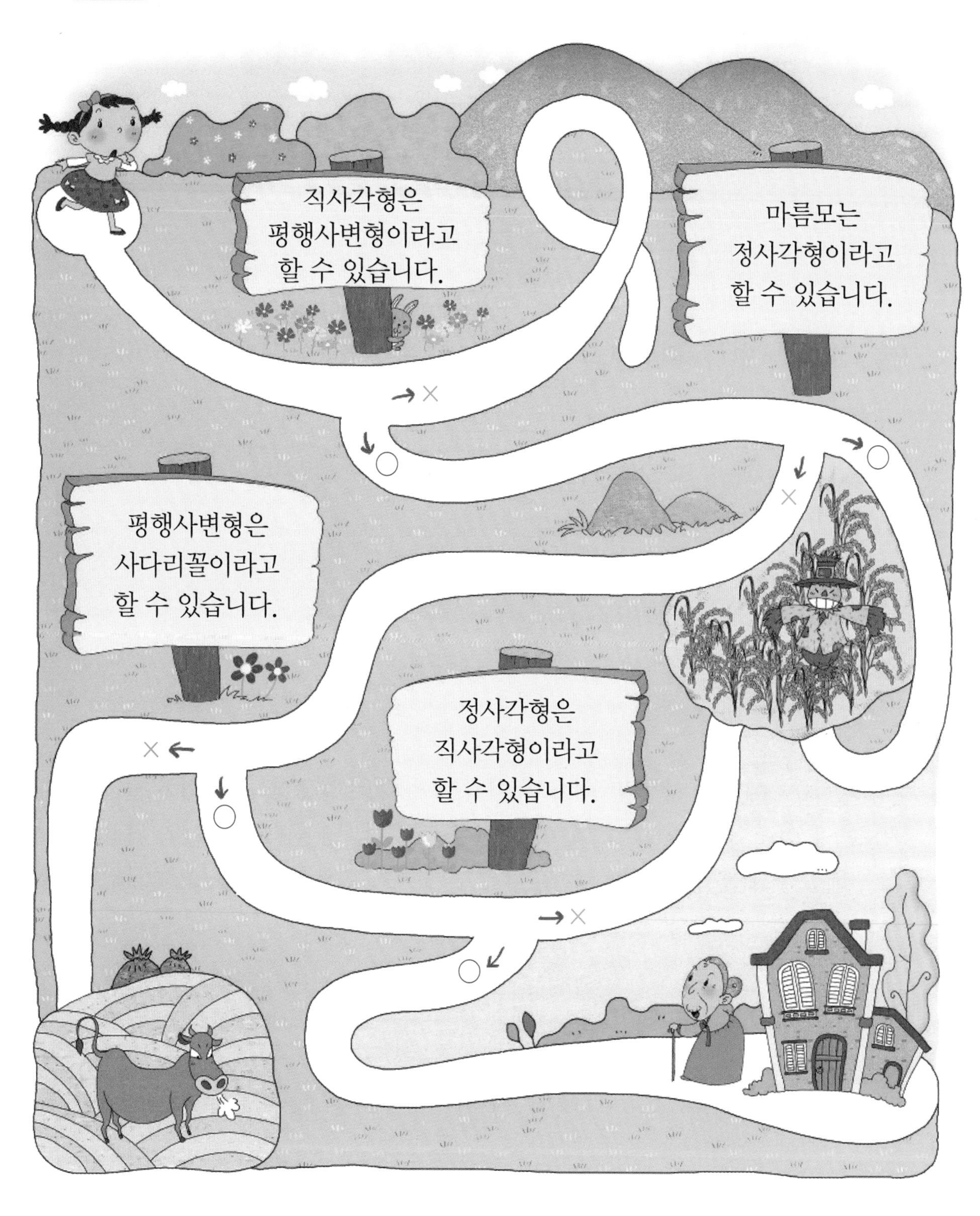

3주 특강

3 사다리꼴의 한 꼭짓점을 지나는 직선을 그어서 평행사변형을 만들려고 합니다. 물음에 답하세요. 문제 해결

① 점 ㄱ을 지나는 직선을 그어서 평행사변형을 만들어 보세요.

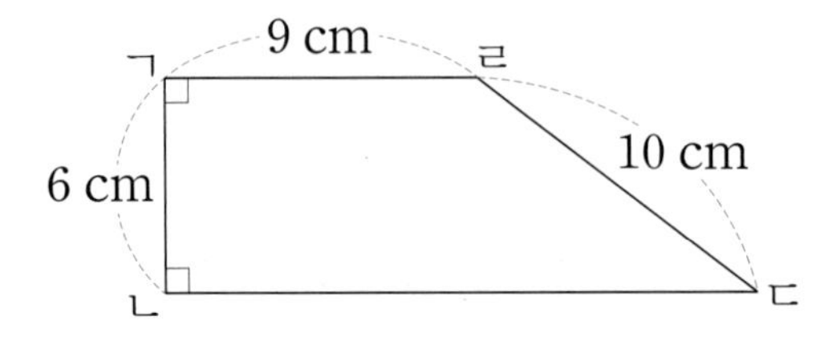

② 점 ㄹ을 지나는 직선을 그어서 평행사변형을 만들어 보세요.

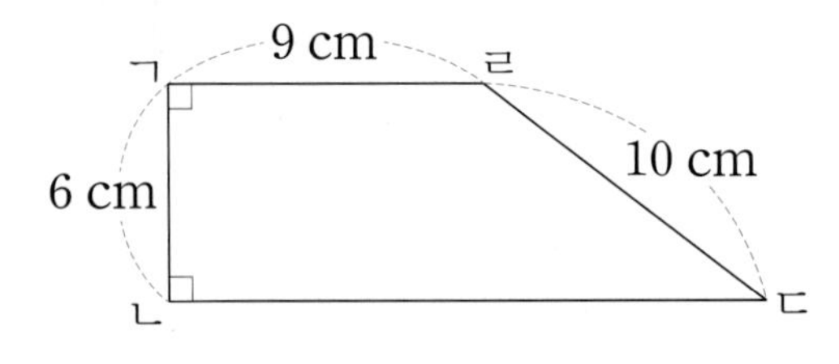

4 세로가 10 cm인 직사각형 6개를 겹치지 않게 이어 붙였습니다. 이어 붙인 직사각형의 가로는 1 cm, 3 cm, 5 cm, 7 cm……일 때 가장 먼 평행선 사이의 거리는 몇 cm인지 구해 보세요. 추론

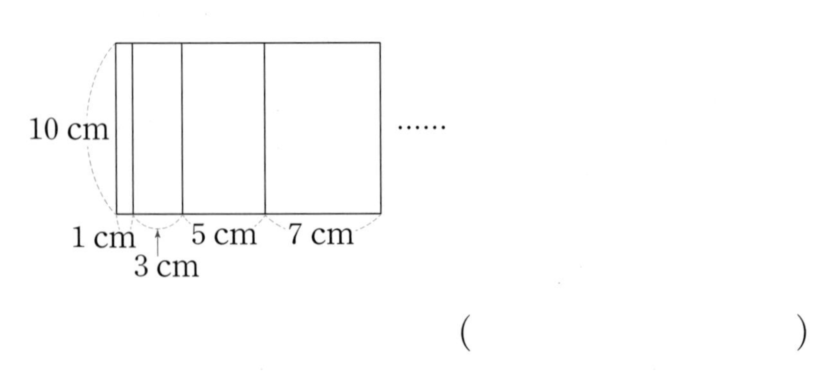

(　　　　　　　　　　)

5 그림에서 찾을 수 있는 크고 작은 사각형의 수를 잘못 말한 동물의 이름을 써 보세요. 창의·융합

( )

6 평행사변형, 정사각형, 마름모를 겹치지 않게 이어 붙였습니다. 굵은 선으로 표시된 부분의 길이는 몇 cm인지 구해 보세요. 추론

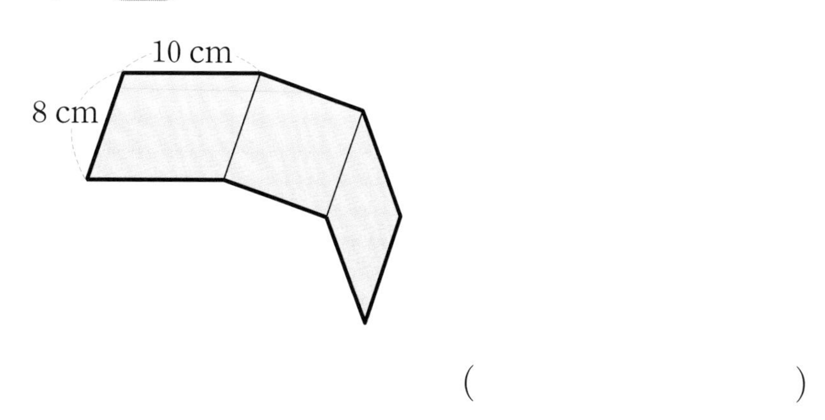

( )

7 2020년은 코로나19로 인해 폐업(가게 문을 닫는 일)을 하는 경우가 많이 발생했습니다. 2020년 폐업한 점포 수를 조사하여 나타낸 꺾은선그래프입니다. 물음에 답하세요.

문제 해결

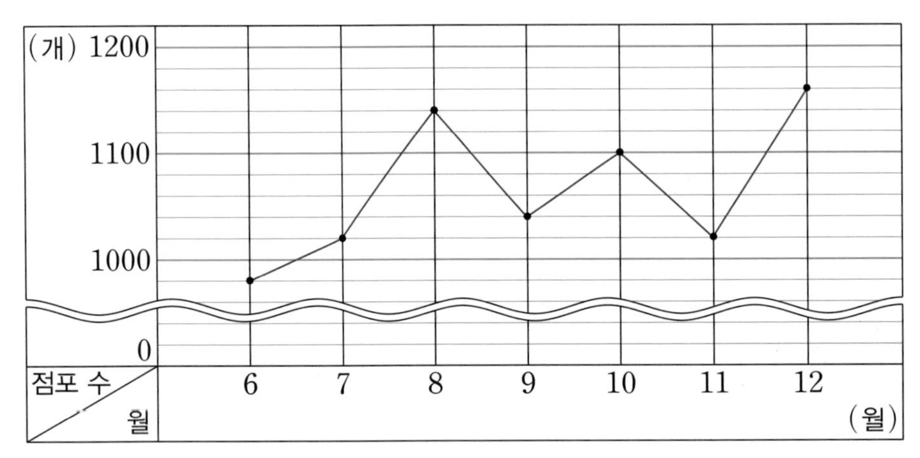

① 폐업한 점포 수가 처음으로 1000개를 넘은 때는 몇 월일까요?

(　　　　　　　)

② 전달에 비해 폐업한 점포 수가 줄어든 때는 몇 월과 몇 월일까요?

(　　　　　　　)

③ 전달에 비해 폐업한 점포 수가 가장 많이 늘어난 때는 몇 월이고, 이때 폐업한 점포는 전달보다 몇 개 더 늘어났을까요?

(　　　　　　　), (　　　　　　　)

▶정답 및 해설 27쪽

8 루피 일행은 보물섬에 도착해 보물 상자를 찾았습니다. □ 안에 알맞은 각도가 써 있는 열쇠가 보물 상자를 열 수 있는 열쇠일 때 알맞은 열쇠를 찾아 ○표 하세요. 추론

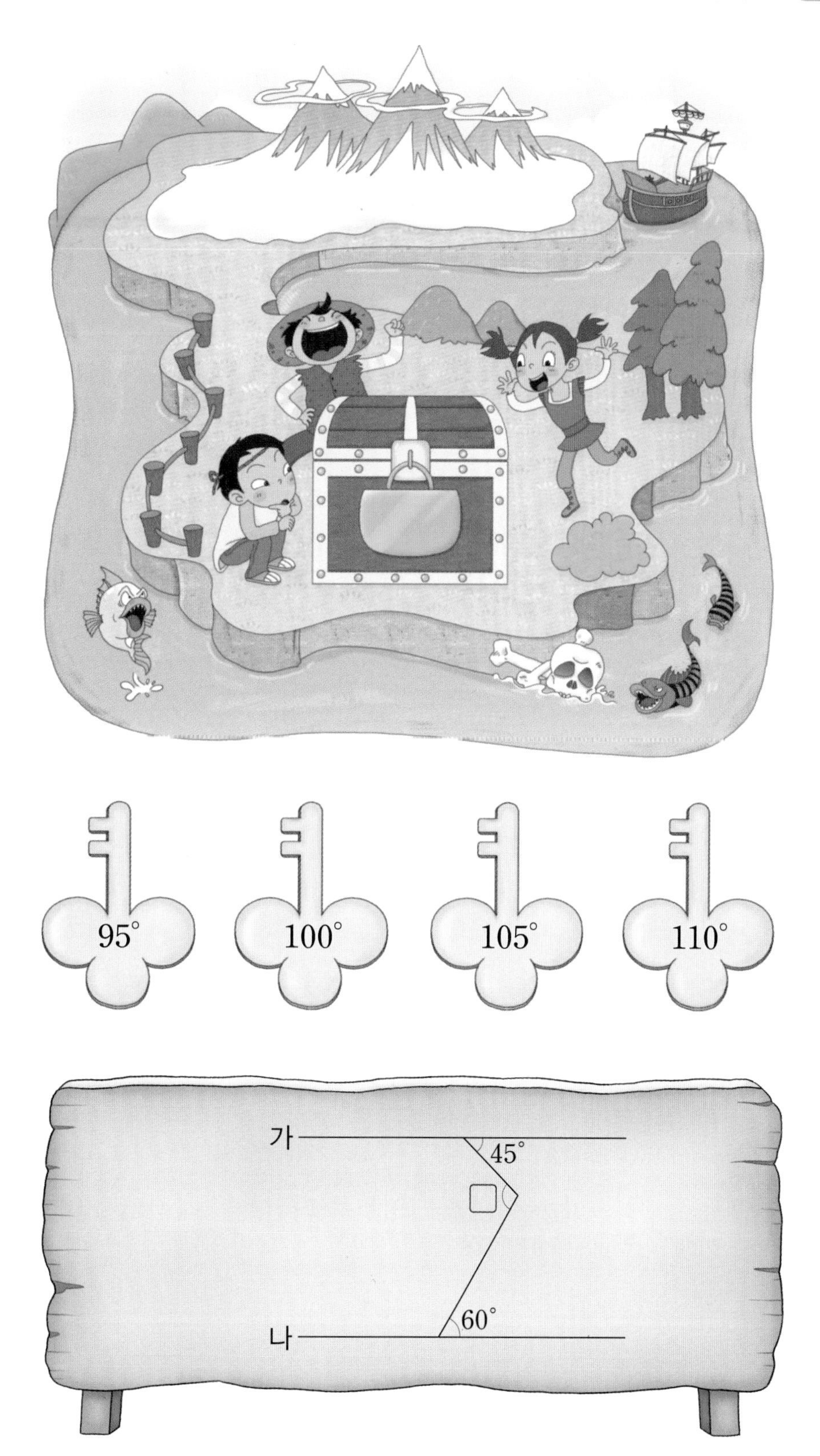

맞은 개수 /6개

1 수선과 평행선을 모두 찾을 수 있는 알파벳은 몇 개일까요?

( )

2 직선 가, 나, 다는 서로 평행합니다. 직선 가와 다 사이의 거리는 몇 cm인지 구해 보세요.

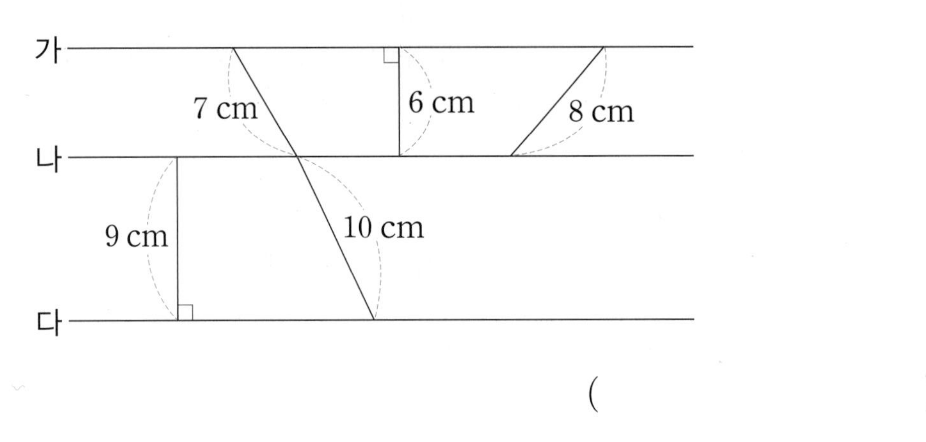

( )

3 사각형의 꼭짓점 ㄱ을 지나는 직선을 그어서 사다리꼴을 각각 만들어 보세요.

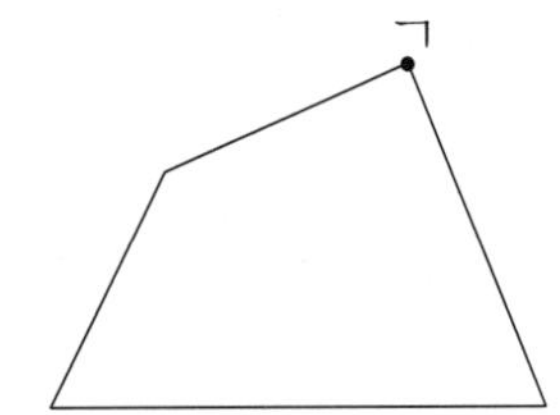

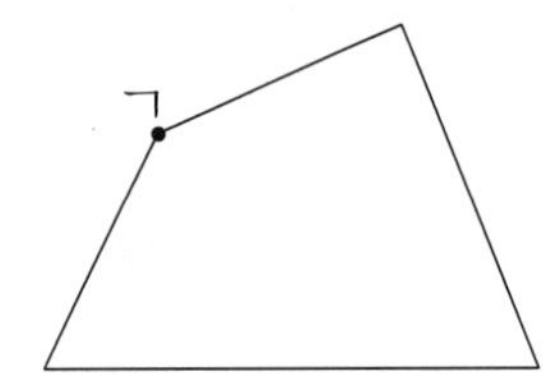

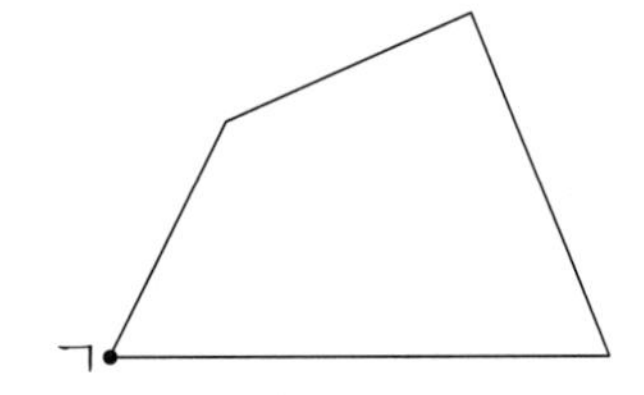

[4~5] 온라인 쇼핑몰의 에어컨 판매량을 조사하여 나타낸 꺾은선그래프입니다. 물음에 답하세요.

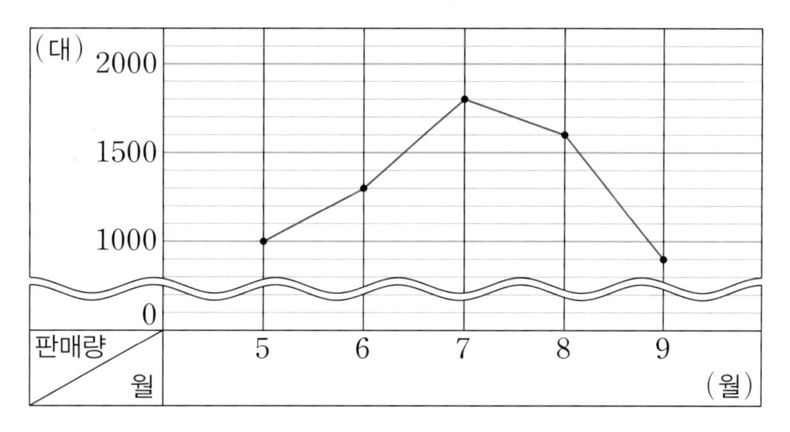

4 전달에 비해 에어컨 판매량의 변화가 가장 큰 때는 몇 월일까요?

( )

5 전달에 비해 에어컨 판매량의 변화가 가장 작은 때는 몇 월일까요?

( )

6 크기가 같은 직사각형 3개를 이어 붙여 오른쪽과 같은 정사각형을 만들었습니다. 직사각형 한 개의 네 변의 길이의 합이 48 cm일 때 정사각형의 한 변의 길이는 몇 cm인지 구해 보세요.

( )

4주

4주 에는 무엇을 공부할까? ①

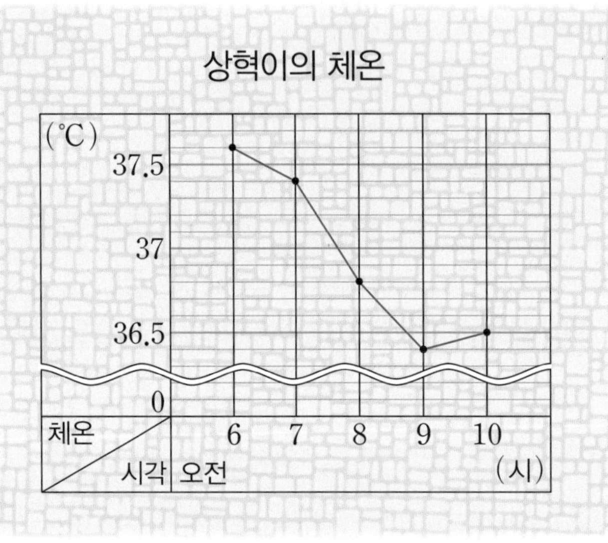

① 가로와 세로에 나타낼 것 정하기 → ② 세로 눈금 한 칸의 크기와 눈금의 수 정하기 → ③ 점을 찍고 점들을 선분으로 잇기 → ④ 알맞은 제목 붙이기

네가 아프다고 해서 쿠키를 만들어 왔어.

여러 가지 맛의 쿠키야. 먹고 싶은 것을 먹어.

나는 딸기 맛을 좋아하는데 어떤 것이 딸기 맛이야?

정다각형 모양이 딸기 맛이야.
여러 모양 중에서 찾아봐.
아! 머리야. 정다각형도 기억에서 지워졌어.

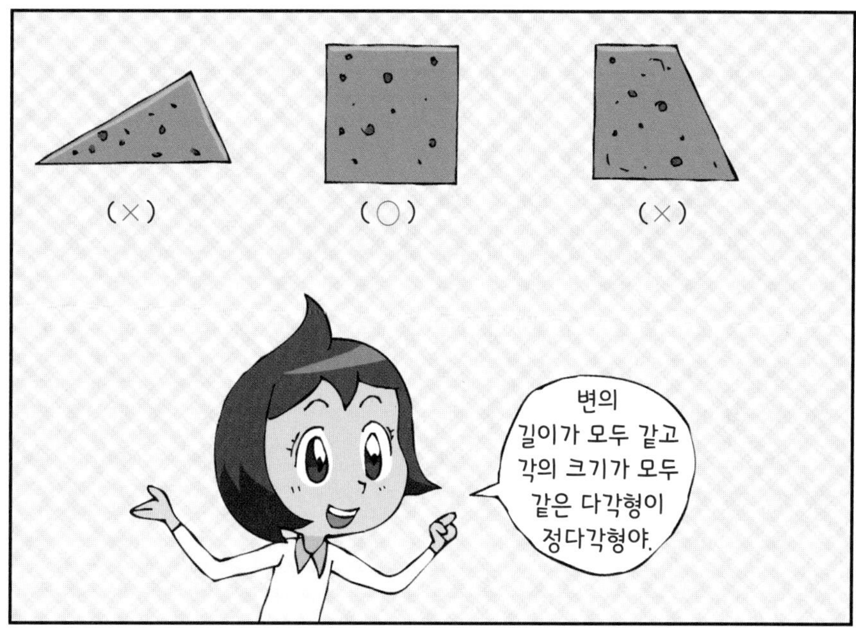
(×)
(○)
(×)
변의 길이가 모두 같고 각의 크기가 모두 같은 다각형이 정다각형야.

아... 알았으니까 얼른 쿠키나 먹자.

우웩! 짜다 짜.

어머나? 이게 설탕이 아니네.
SALT

4주

4주에는 무엇을 공부할까? ❷

• 꺾은선그래프 그리기

① 가로와 세로 중 어느 쪽에 조사한 수를 나타낼지 정하기 ② 눈금 한 칸의 크기와 눈금의 수 정하기 ③ 조사한 수에 맞게 점을 찍기 ④ 점들을 선분으로 잇기 ⑤ 알맞은 제목 붙이기

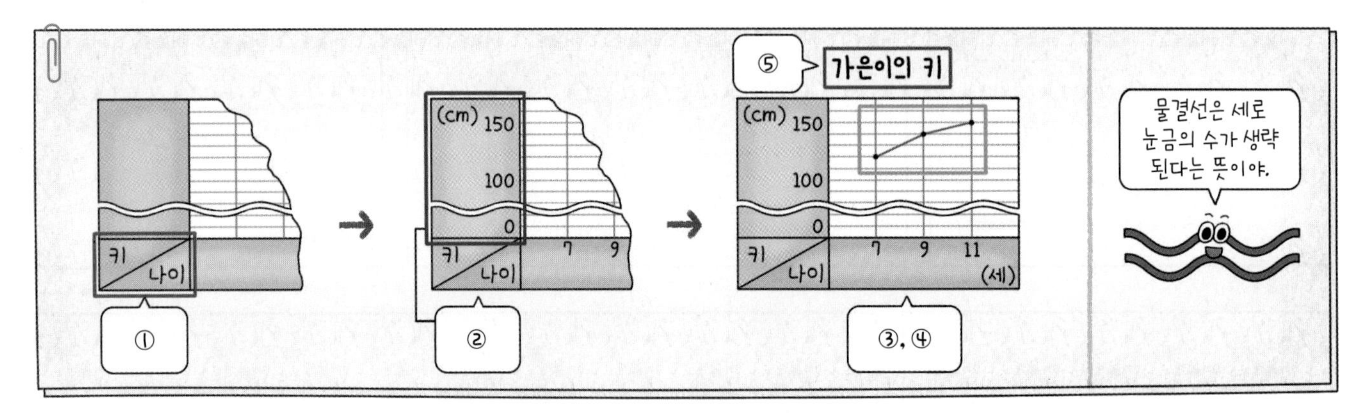

확인 문제

1-1 상혁이의 체온을 재어 나타낸 표입니다. 꺾은선그래프를 완성해 보세요.

상혁이의 체온

시각	오전 10시	오전 11시	낮 12시	오후 1시
체온(℃)	35.9	36.2	36.4	36.7

상혁이의 체온

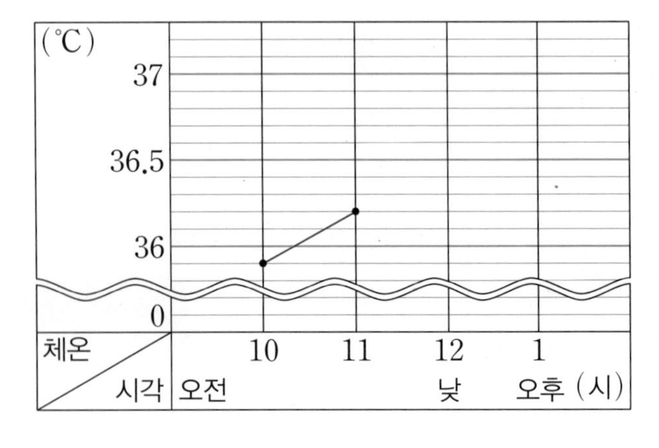

한번 더

1-2 영아의 키를 조사하여 나타낸 표입니다. 꺾은선그래프를 완성해 보세요.

영아의 키

월	8	9	10	11
키(cm)	131.1	131.6	131.9	132.1

영아의 키

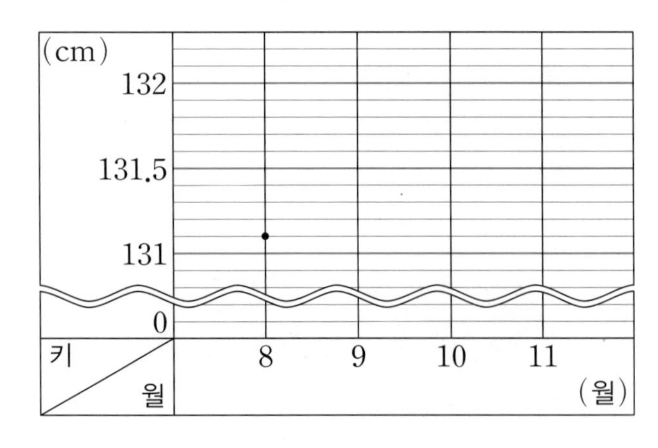

교과 내용 확인하기

▶정답 및 해설 28쪽

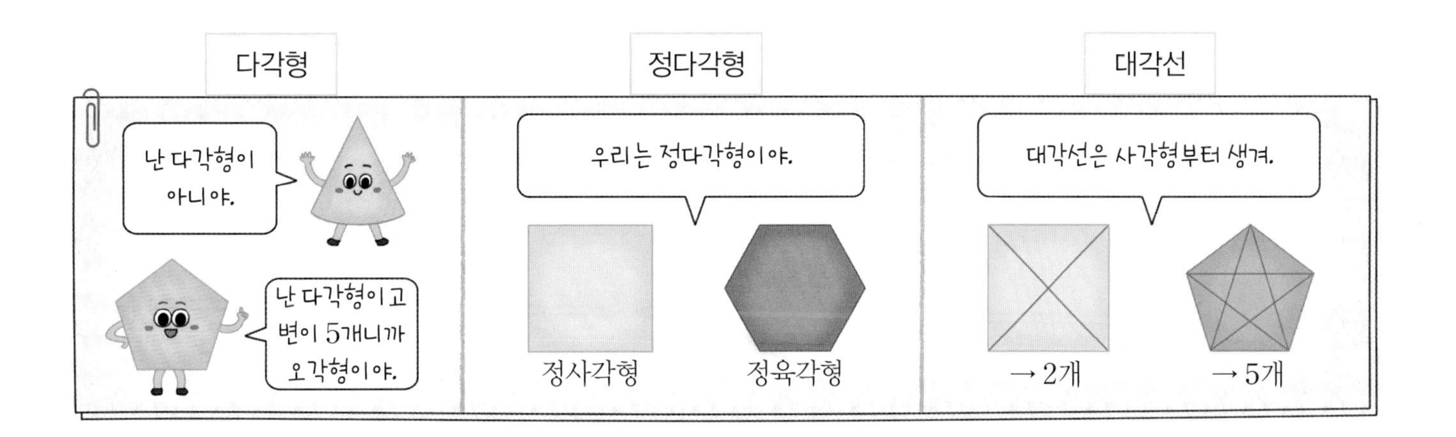

확인 문제

2-1 다각형의 이름을 써 보세요.

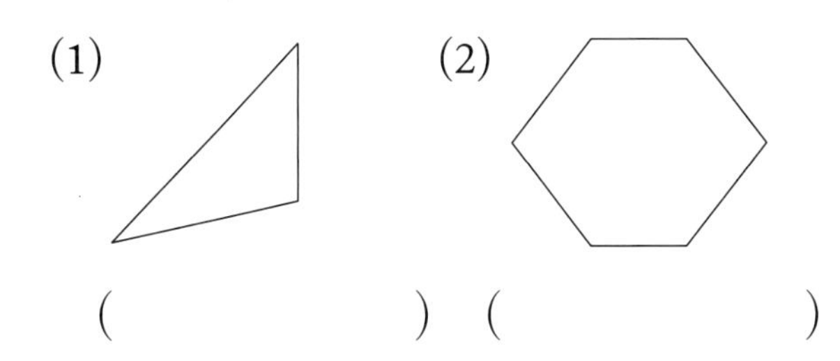

(1) (   ) (2) (   )

한번 더

2-2 다각형의 이름을 써 보세요.

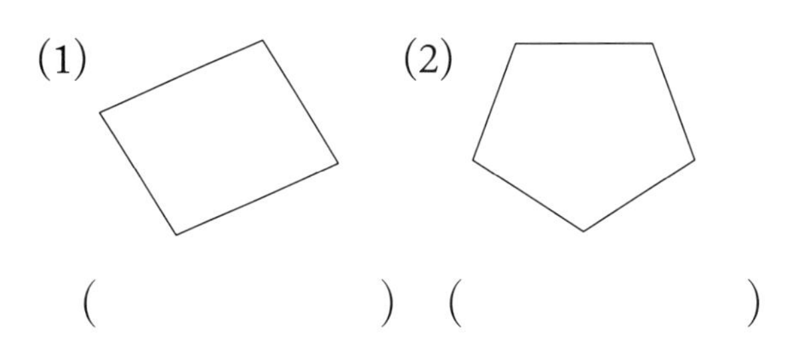

(1) (   ) (2) (   )

3-1 정다각형에 ○표, 정다각형이 아닌 것에 ×표 하세요.

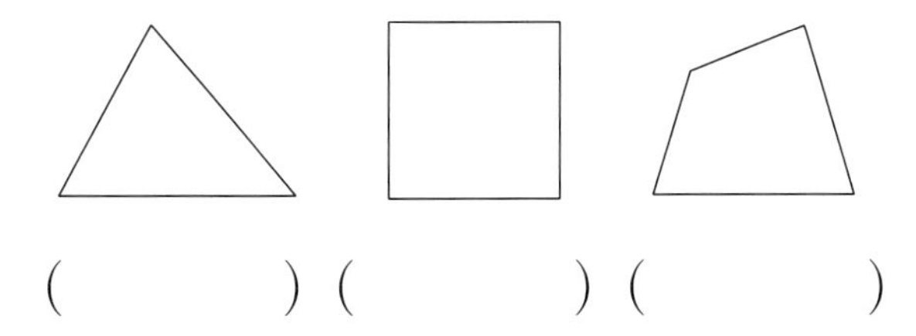

(   ) (   ) (   )

3-2 정다각형에 ○표, 정다각형이 아닌 것에 ×표 하세요.

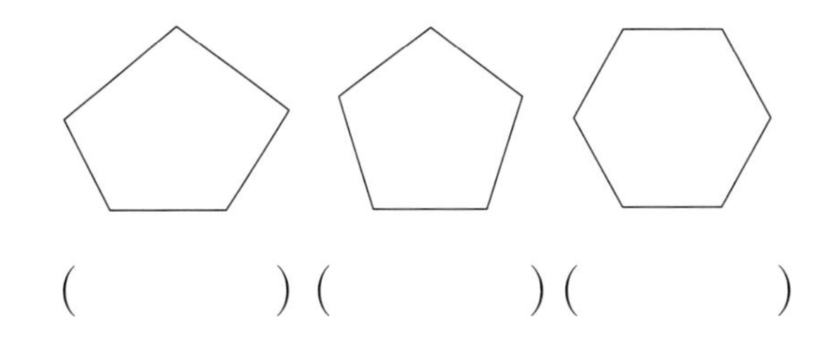

(   ) (   ) (   )

4-1 오각형에 그을 수 있는 대각선은 모두 몇 개인지 구해 보세요.

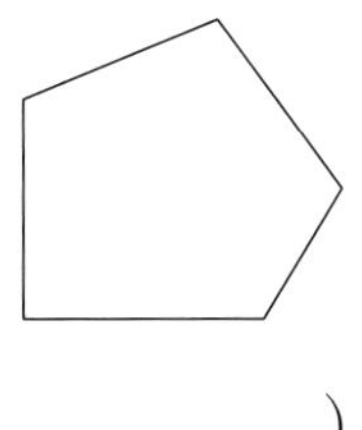

(   )

4-2 육각형에 그을 수 있는 대각선은 모두 몇 개인지 구해 보세요.

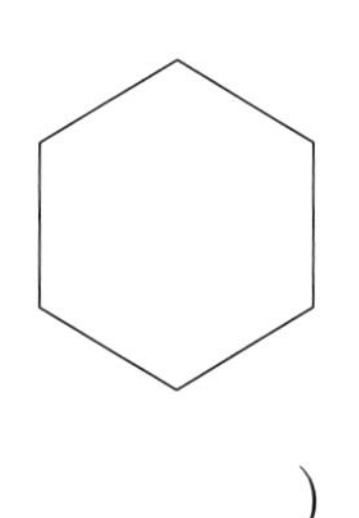

(   )

꺾은선그래프 바르게 그리기

1 물결선을 바르게 사용한 꺾은선그래프 그리기

① 가로와 세로에 나타낼 것 정하기 → ② 세로 눈금 한 칸의 크기와 눈금의 수 정하기 → ③ 점을 찍고 점들을 선분으로 잇기 → ④ 알맞은 제목 붙이기

50 m 달리기 기록

요일	월	화	수	목	금
시간(초)	7.5	8.1	7.9	8.4	7.8

➔ 물결선 사용: 0부터 가장 작은 수 7.5 사이를 물결선으로 표시합니다.

활동 문제 민혁이의 50 m 달리기 기록을 나타낸 위의 표를 보고 꺾은선그래프로 나타낸 것입니다. 꺾은선그래프를 그리는 순서대로 □ 안에 1, 2, 3, 4를 써넣으세요.

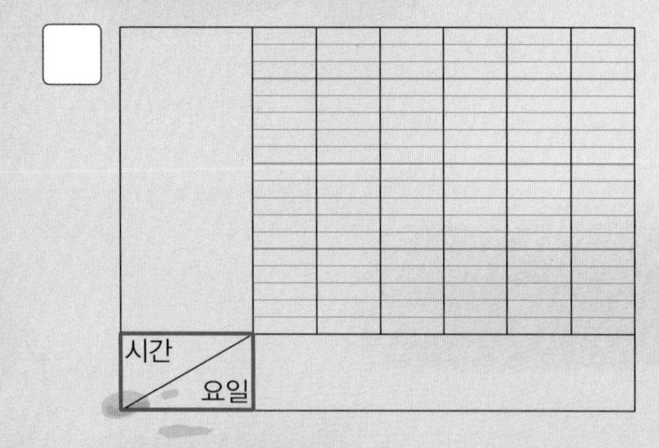

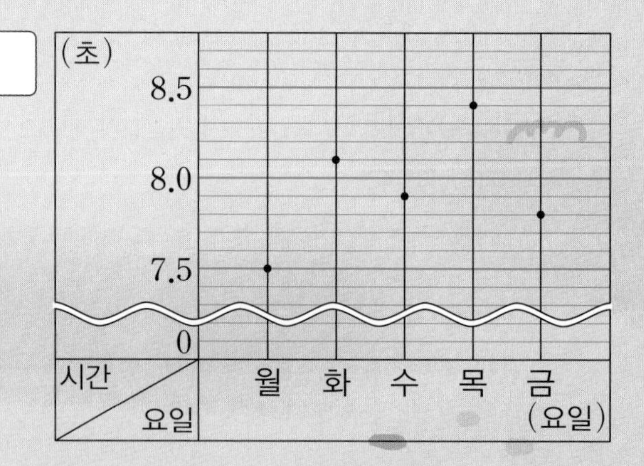

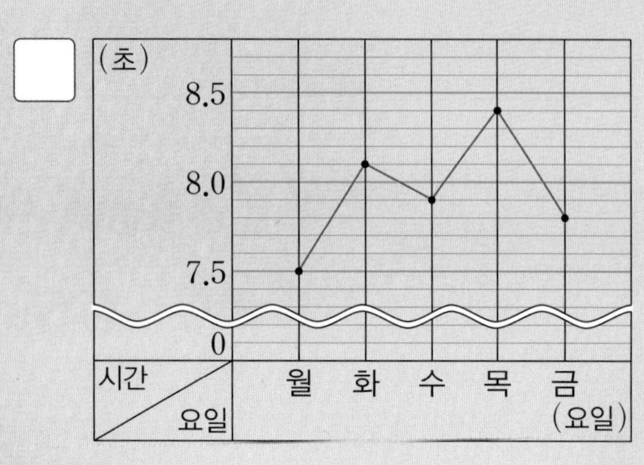

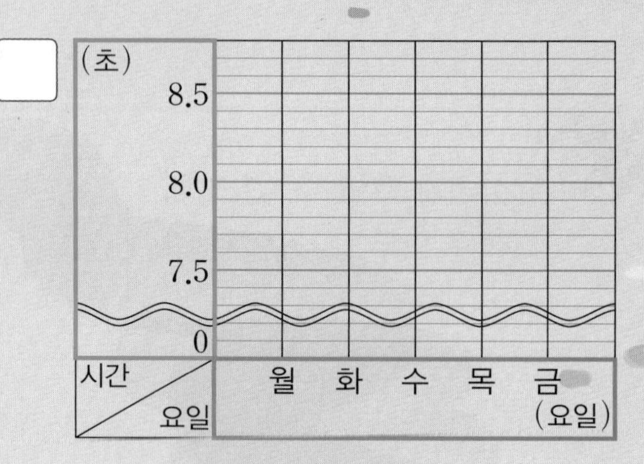

▶ 정답 및 해설 28쪽

2 꺾은선그래프로 나타낼 때 주의할 점

• 잘못 그린 꺾은선그래프

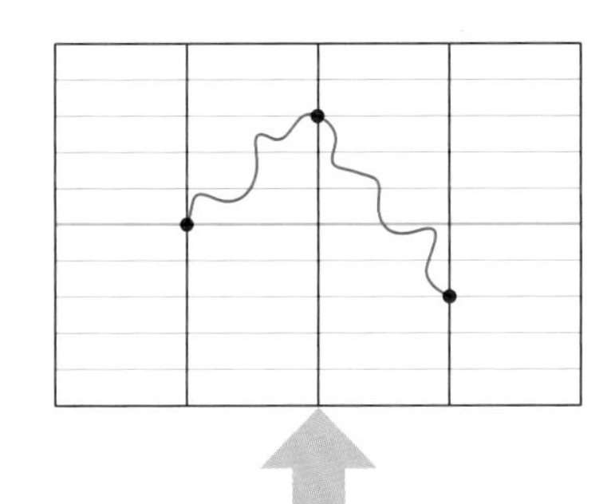

점들을 선분으로 잇지 않았습니다.

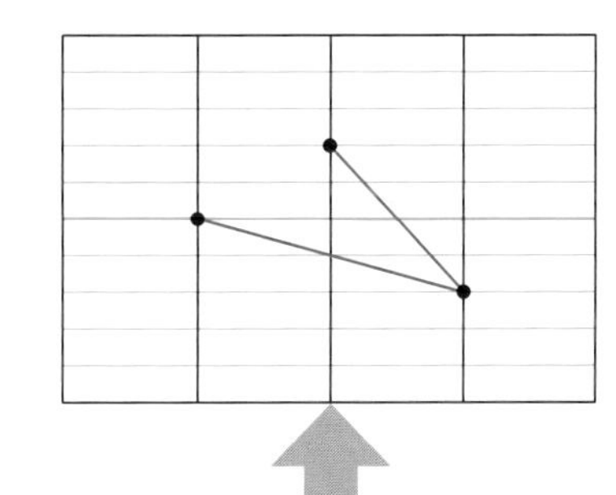

이웃한 점끼리 잇지 않았습니다.

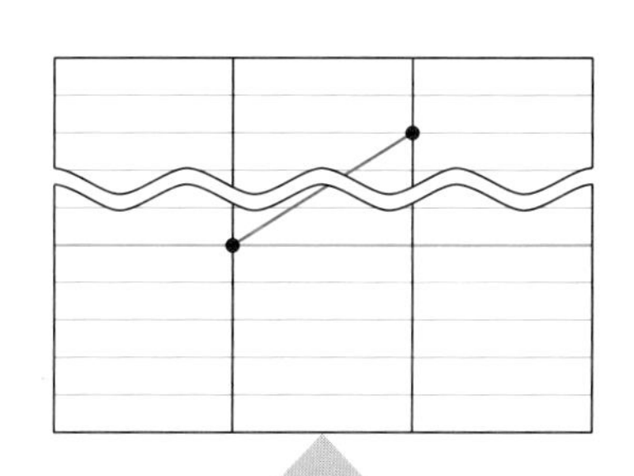

물결선이 선분을 가로지르도록 그렸습니다.

활동 문제 잘못 그린 꺾은선그래프와 바르게 그린 꺾은선그래프를 찾아 선으로 이어 보세요.

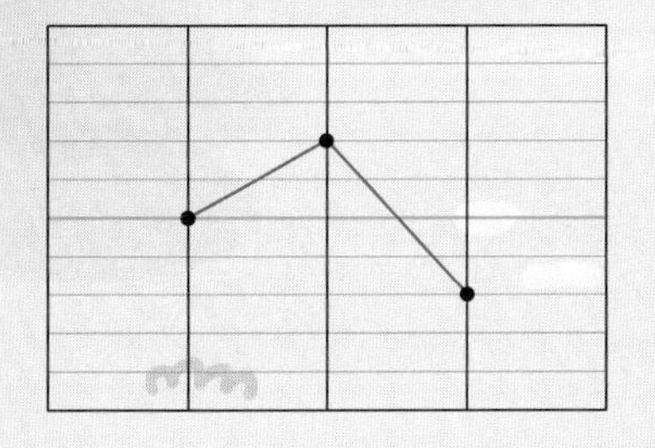

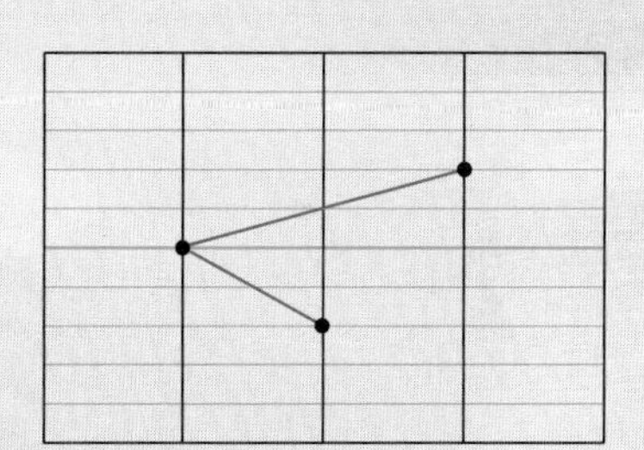

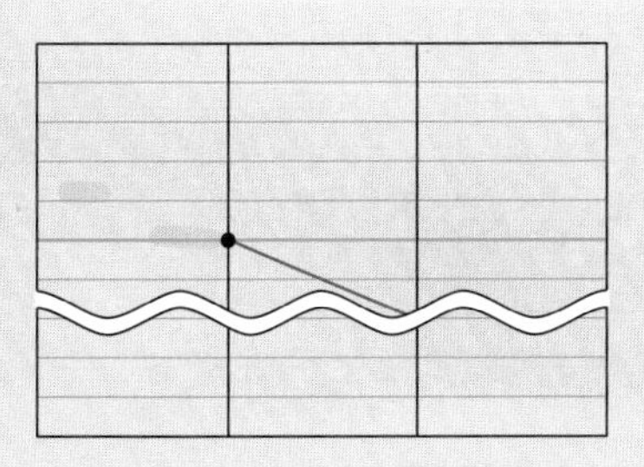

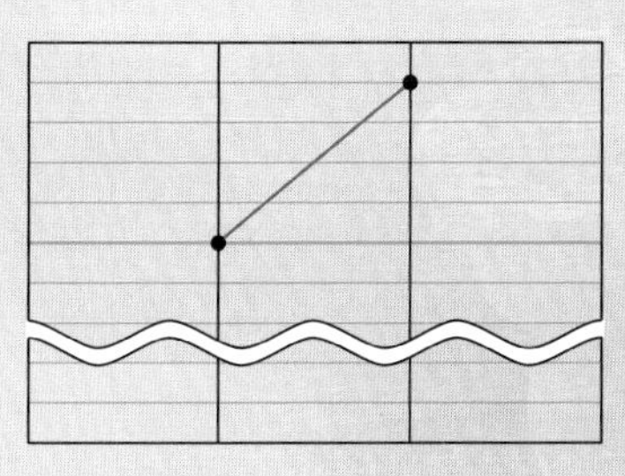

1일 서술형 길잡이

1-1 어느 식물의 키를 조사하여 나타낸 표를 보고 꺾은선그래프로 나타내어 보세요.

어느 식물의 키

날짜(일)	1	2	3	4	5
키(mm)	8	10	16	18	22

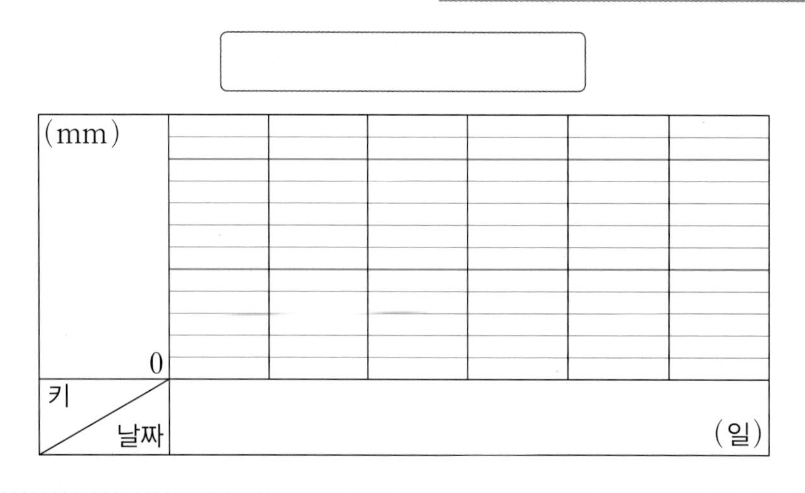

세로 눈금 한 칸의 크기를 2 mm로 하여 가장 큰 수 22를 나타낼 수 있도록 합니다.

1-2 엄마의 몸무게를 조사하여 나타낸 표를 보고 물결선을 사용한 꺾은선그래프로 나타내어 보세요.

엄마의 몸무게

날짜(일)	10	11	12	13	14	15
몸무게(kg)	47.2	47.8	48.8	48.4	47.6	47.4

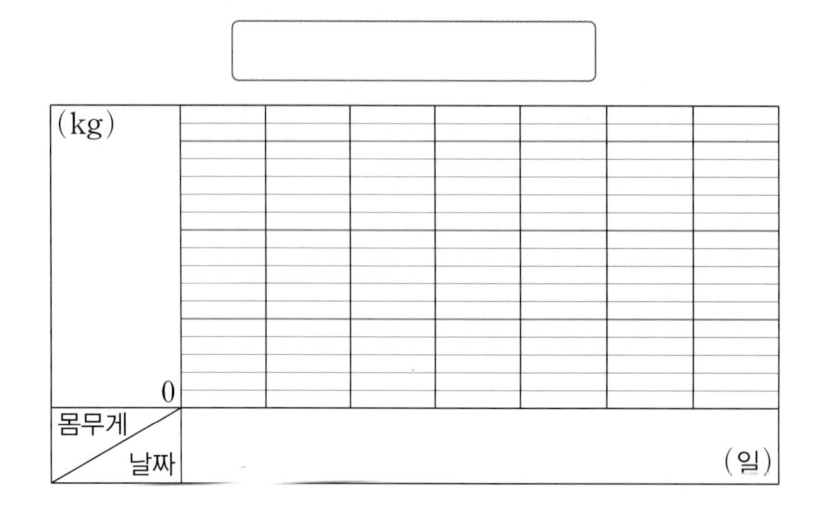

2-1 초희의 스마트폰 사용 시간을 조사하여 꺾은선그래프로 나타낸 것입니다. 잘못 그린 곳을 찾아 ○표 하고, 바르게 다시 그려 보세요.

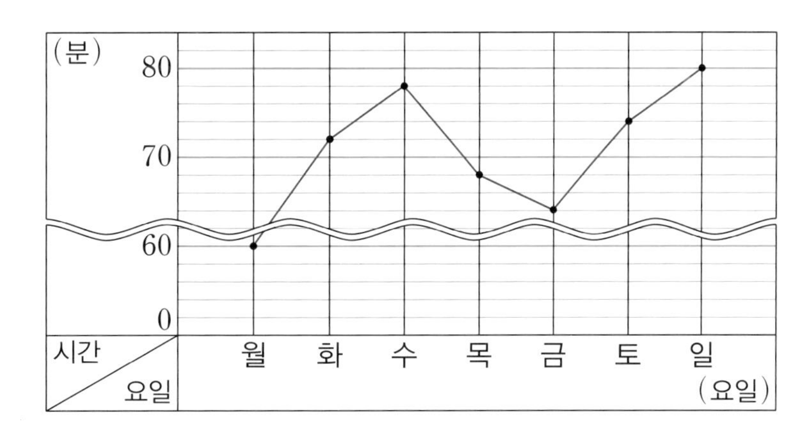

- 구하려는 것: 잘못 그린 곳, 바르게 다시 그리기
- 주어진 조건: 잘못 그린 꺾은선그래프
- 해결 전략: 물결선을 바르게 사용했는지 확인합니다.

✎ 구하려는 것(〜〜)과 주어진 조건(——)에 표시해 봅니다.

2-2 태블릿 사용 시간을 조사하여 꺾은선그래프로 나타낸 것입니다. 잘못 그린 곳을 찾아 ○표 하고, 그 이유를 쓴 뒤 바르게 다시 그려 보세요.

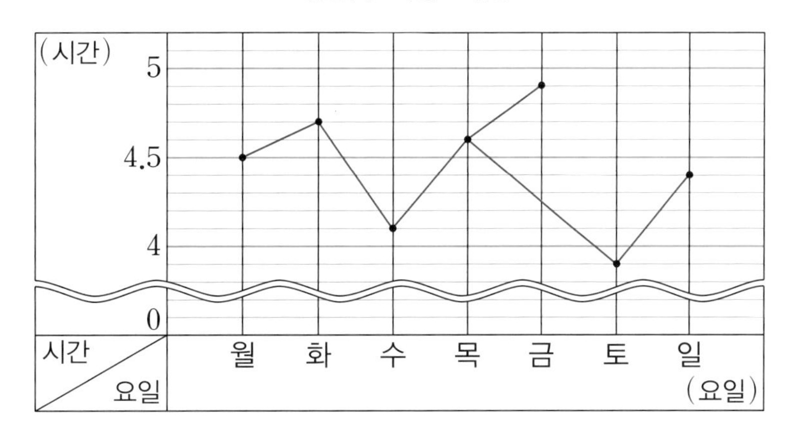

이유 ________________

____

[1~2] A 도시의 월별 강수량과 연도별 인구수를 각각 조사하여 나타낸 표입니다. 물음에 답하세요.

A 도시의 강수량

월	5	6	7	8	9	10
강수량(mm)	50	80	120	150	100	30

A 도시의 인구수

연도(년)	1995	2000	2005	2010	2015	2020
인구수(만 명)	230	235	234	237	236	239

1 문제 해결

표를 보고 꺾은선그래프로 나타내어 보세요.

A 도시의 강수량

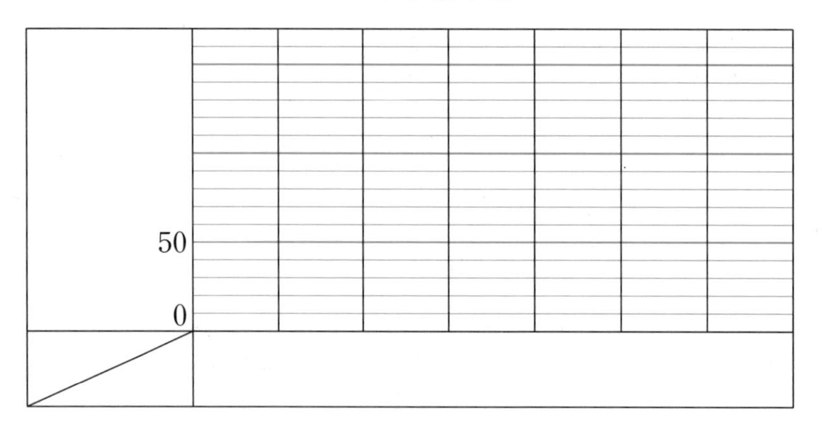

2 추론

표를 보고 꺾은선그래프를 완성해 보세요.

A 도시의 인구수

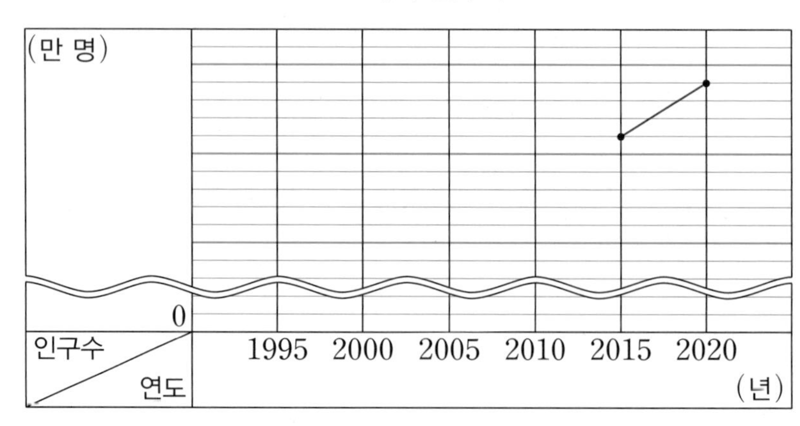

▶정답 및 해설 29쪽

[3~4] 어느 자동차 공장의 연도별 자동차 생산량을 조사하여 나타낸 꺾은선그래프입니다. 물음에 답하세요.

자동차 생산량

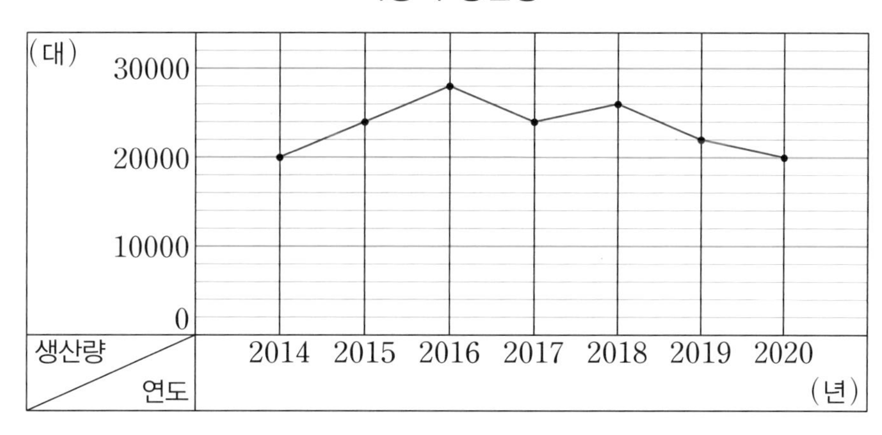

3 문제 해결

꺾은선그래프를 보고 표의 빈칸에 알맞은 수를 써넣으세요.

자동차 생산량

연도(년)	2014	2015	2016	2017	2018	2019	2020
생산량(대)							

4 문제 해결

물결선을 사용한 꺾은선그래프로 다시 그려 보세요.

자동차 생산량

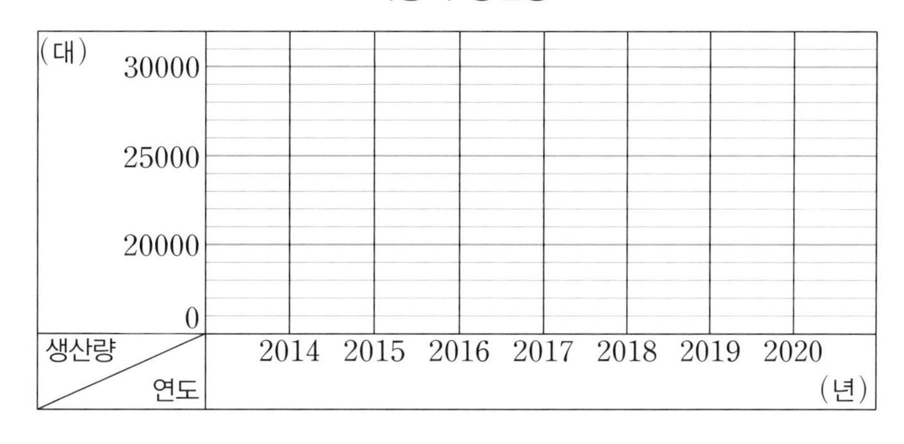

꺾은선그래프의 활용

1 어떤 그래프로 나타낼까?

막대그래프는 자료가 연속적으로 변할 때 그 변화를 쉽게 알 수 없지만 꺾은선그래프는 자료가 연속적으로 변할 때 그 변화를 막대그래프보다 더 쉽게 알 수 있습니다.

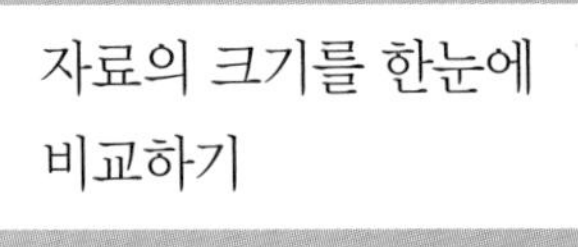

그림그래프
막대그래프

꺾은선그래프

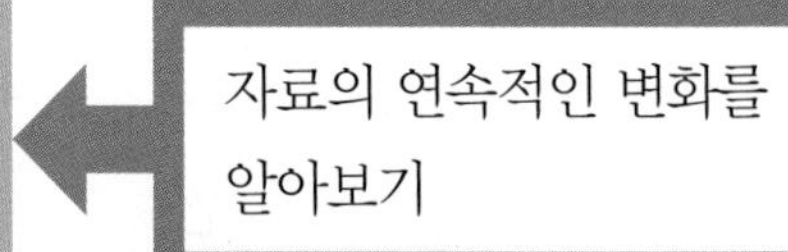

활동 문제 다음 상황에 가장 알맞는 그래프를 찾아 선으로 이어 보세요.

학교별 4학년 학생 수

일주일 동안 낮의 길이

올림픽에서 획득한 나라별 금메달 수

1월부터 5월까지 나의 몸무게

장래 희망별 학생 수

하루 동안 버린 종류별 쓰레기 양

시간대별 나의 체온

연도별 초등학교 학생 수

좋아하는 동물별 학생 수

외국 사람들이 좋아하는 한국 음식

▶정답 및 해설 30쪽

2 꺾은선그래프에 나타나 있지 않은 값 예상하기

자료의 연속적인 변화를 알아볼 때 사용하는 꺾은선그래프에서는 나타나 있지 않은 값을 예상할 수 있습니다.

예 오후 1시 30분에 원석이의 체온 예상하기

① 가로 눈금의 오후 1시 30분, 즉 시각 1과 2의 중간에서 꺾은선과 만날 때까지 선을 긋습니다.

② 꺾은선과 만난 점에서 세로 눈금의 수를 읽습니다.

➔ 오후 1시 30분에 원석이의 체온은 36 ℃라고 예상할 수 있습니다.

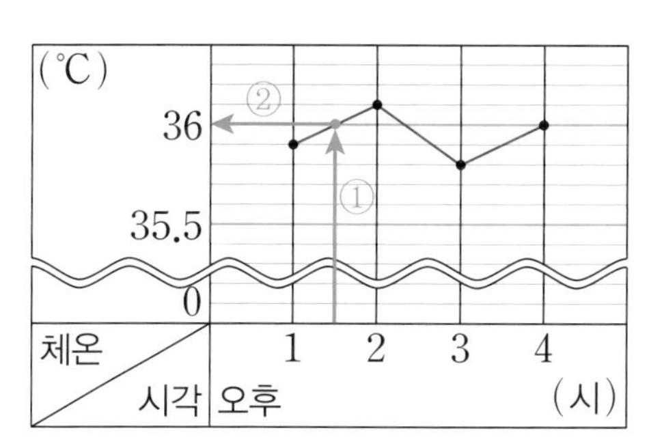

활동 문제 지호의 키와 몸무게를 매년 1월 1일에 각각 조사하여 나타낸 꺾은선그래프입니다. □ 안에 알맞은 수를 써넣으세요.

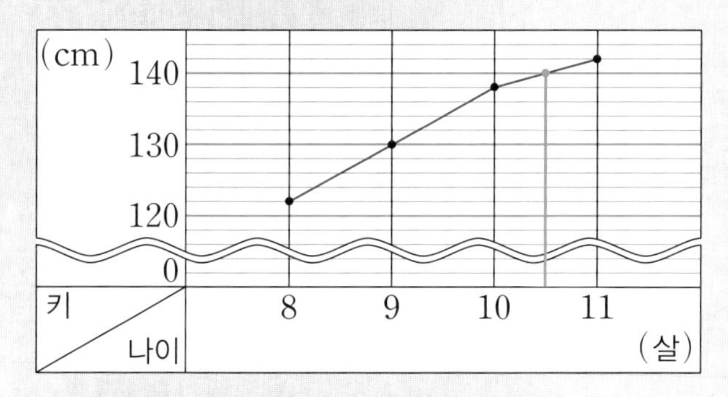

➔ 지호가 10살 때 7월 1일의 키는 □ cm라고 예상할 수 있습니다.

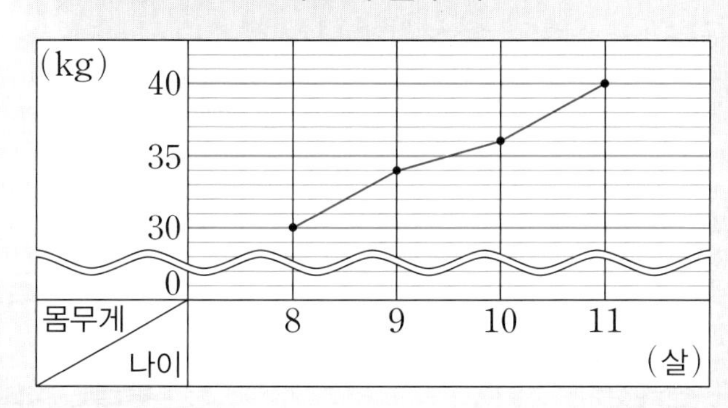

➔ 지호가 10살 때 7월 1일의 몸무게는 □ kg이라고 예상할 수 있습니다.

1-1 60대 이상 인터넷 이용자 수를 조사하여 나타낸 표입니다. 연도별 60대 이상 인터넷 이용자 수의 변화를 나타내기에 알맞은 그래프로 나타내어 보세요.

60대 이상 인터넷 이용자 수

연도(년)	2016	2017	2018	2019	2020
사용자 수(명)	1100	1400	1500	1700	2100

60대 이상 인터넷 이용자 수

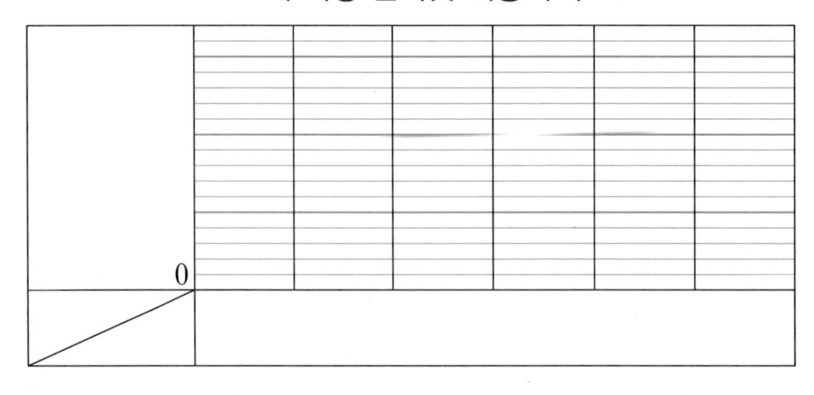

막대그래프와 꺾은선그래프 중 이용자 수의 변화를 나타내기에 알맞은 그래프로 나타냅니다.

1-2 태블릿 판매량을 조사하여 나타낸 표입니다. 월별 태블릿 판매량 수의 변화를 나타내기에 알맞은 그래프로 나타내어 보세요.

태블릿 판매량

월	3	4	5	6	7	8
판매량(대)	2500	2300	2000	2100	2600	3100

태블릿 판매량

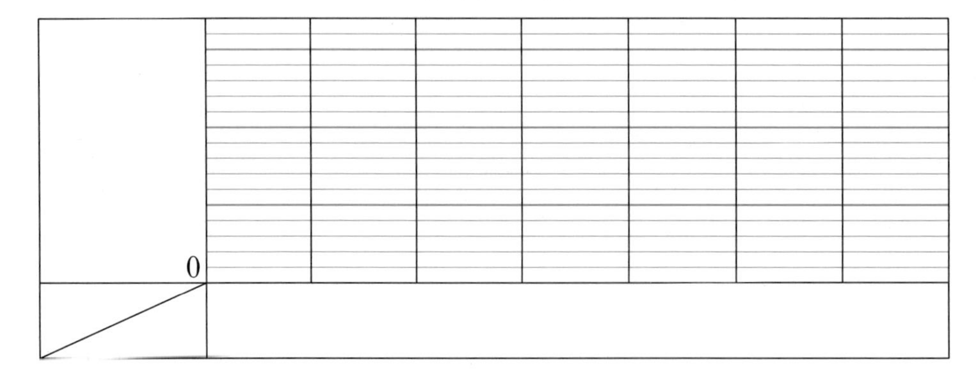

▶정답 및 해설 30쪽

2-1 오늘 준서는 친구들과 학교 운동장의 온도를 시간별로 조사한 뒤 꺾은선그래프로 나타냈습니다. 오후 3시 30분에 학교 운동장의 온도는 몇 ℃였는지 예상해 보세요.

학교 운동장의 온도

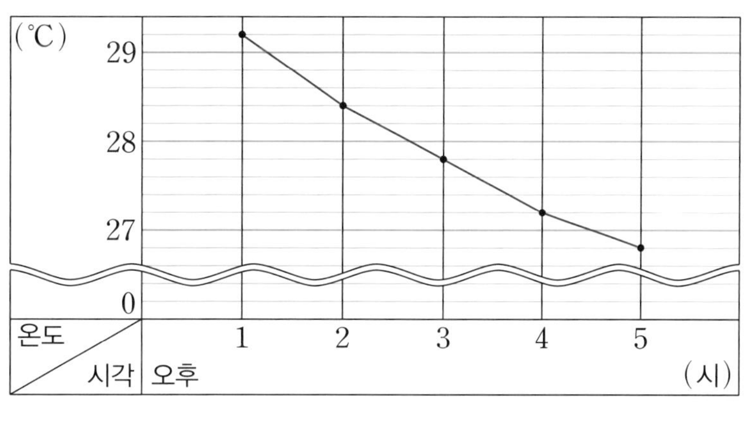

(　　　　　　　　　　)

- 구하려는 것: 오후 3시 30분에 학교 운동장의 온도
- 주어진 조건: 학교 운동장의 온도를 시간별로 조사한 뒤 그린 꺾은선그래프
- 해결 전략: ❶ 오후 3시 30분을 나타내는 세로 눈금을 찾고 꺾은선과 만날 때까지 선을 긋기
  ❷ 꺾은선과 만난 점에서 세로 눈금의 수를 읽기

✎ 구하려는 것(～～)과 주어진 조건(——)에 표시해 봅니다.

2-2 바닷가에 간 미향이는 바다의 수온을 시간별로 조사한 뒤 꺾은선그래프로 나타냈습니다. 오전 11시 30분에 바다의 수온은 몇 ℃였는지 예상해 보세요.

바다의 수온

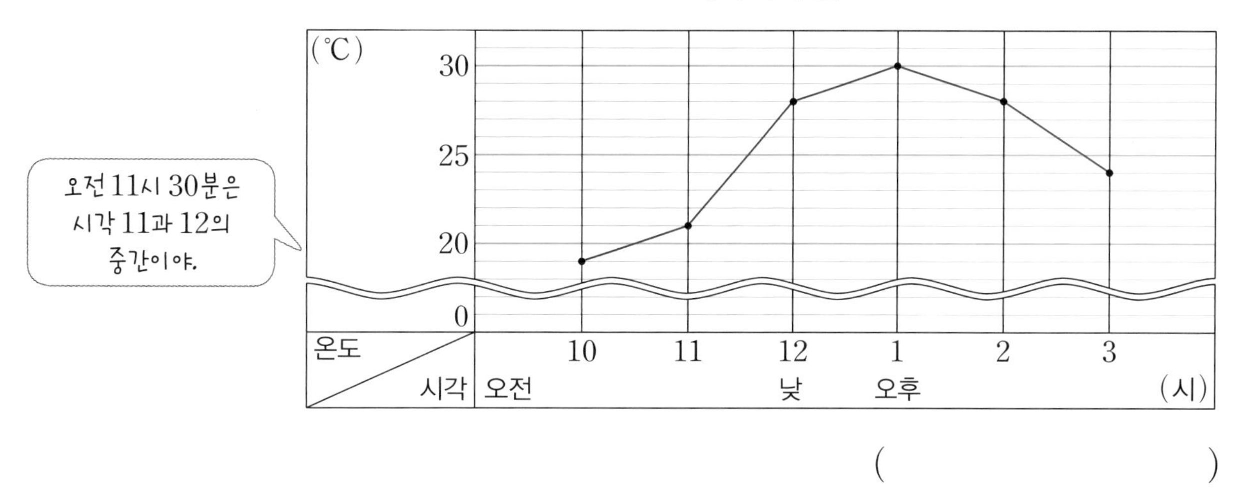

(　　　　　　　　　　)

2일 사고력 • 코딩

1 문제 해결

주어진 표를 보고 막대그래프와 꺾은선그래프 중 어떤 그래프로 나타내는 것이 좋을지 써 보세요.

연경이의 키

월	3	4	5	6	7
키(cm)	140.1	140.6	140.9	141.2	141.5

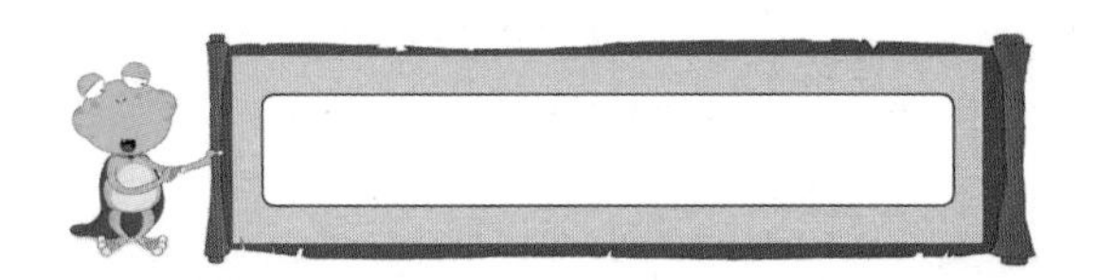

[2~3] 교실의 온도를 조사하여 나타낸 꺾은선그래프입니다. 물음에 답하세요.

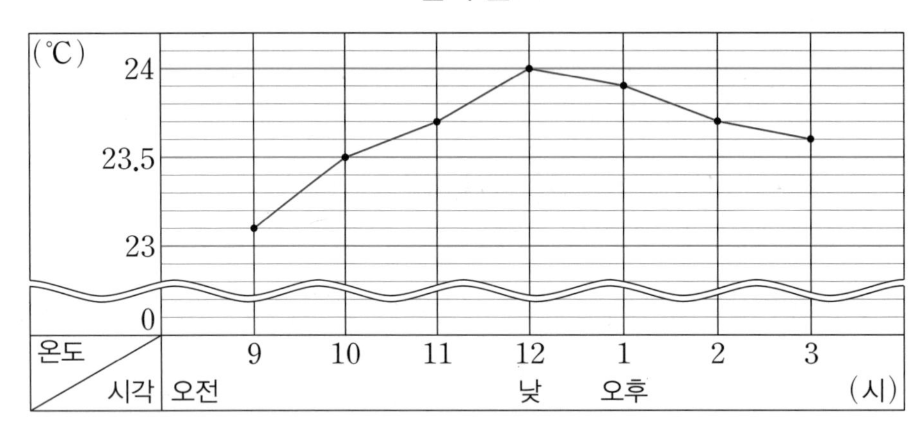

2 문제 해결

오전 10시 30분에 교실의 온도는 몇 ℃였는지 예상해 보세요.

(　　　　　　　　)

3 문제 해결

오후 1시 30분에 교실의 온도는 몇 ℃였는지 예상해 보세요.

(　　　　　　　　)

▶정답 및 해설 31쪽

[4~5] 60대 이상 스마트폰 사용자 수를 조사하여 나타낸 꺾은선그래프입니다. 물음에 답하세요.

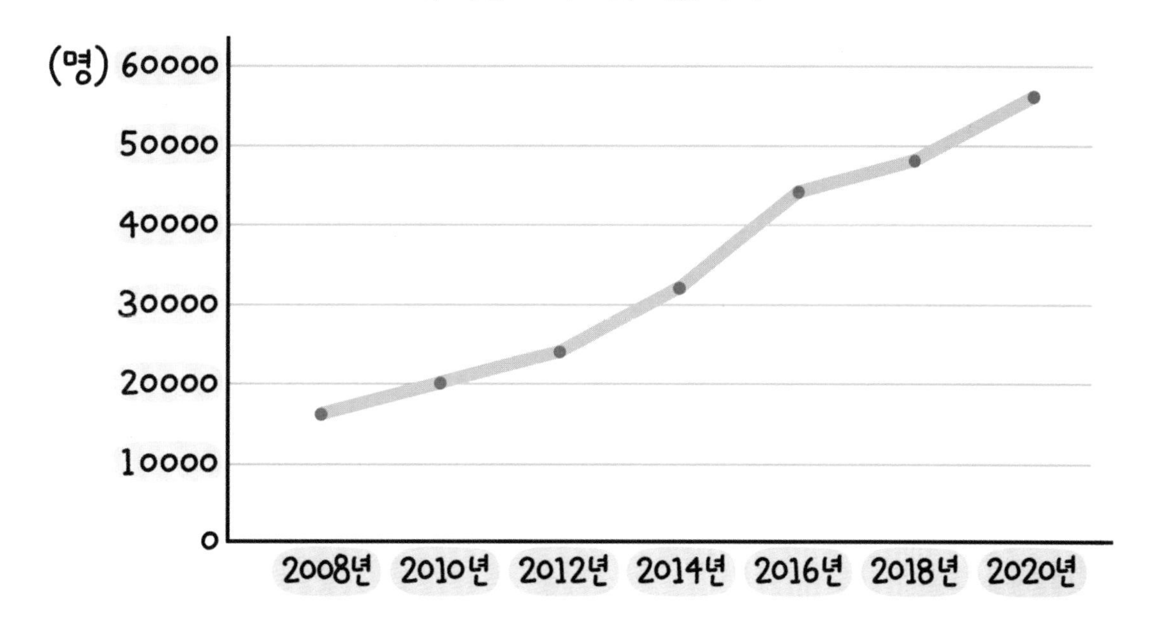

4 문제 해결

60대 이상 스마트폰 사용자 수가 가장 많이 늘어난 때는 몇 년과 몇 년 사이일까요?

( )

5 추론

2020년 이후 60대 이상 스마트폰 사용자 수는 어떻게 될 것인지 예상해 보세요.

1 정다각형의 변의 길이 구하기

예 정다각형의 한 변의 길이가 5 cm일 때 모든 변의 길이의 합

정다각형	(5 cm)	(5 cm)	(5 cm)	(5 cm)
이름	정삼각형	정사각형	정오각형	정육각형
모든 변의 길이의 합	(5×3) cm	(5×4) cm	(5×5) cm	(5×6) cm

활동 문제 정다각형의 모든 변의 길이의 합을 식을 써서 구해 보세요.

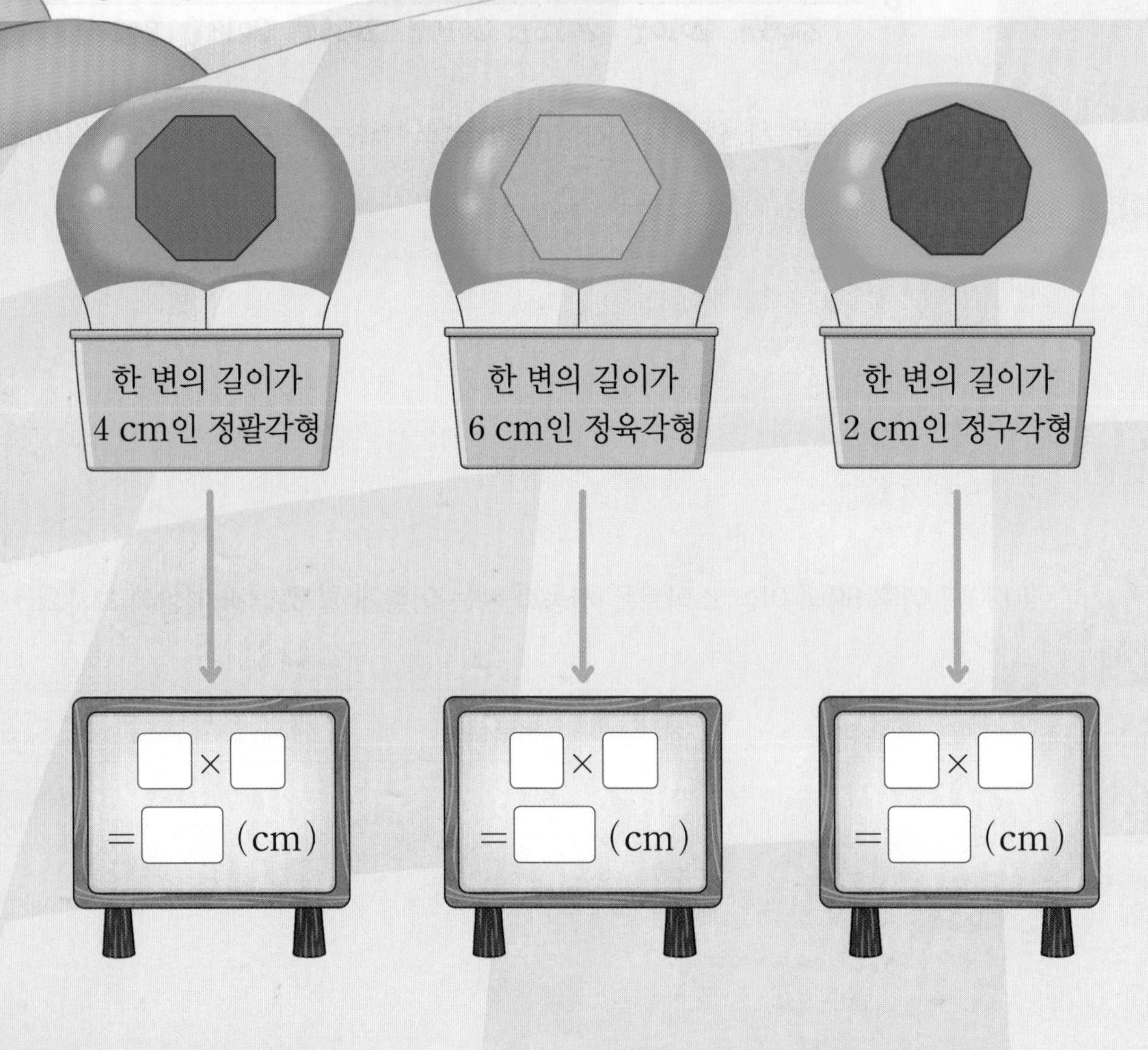

▶정답 및 해설 31쪽

2 정다각형의 한 각의 크기 구하기

예

정다각형을 삼각형으로 나눕니다.	정다각형의 모든 각의 크기의 합을 구합니다.	정다각형의 한 각의 크기를 구합니다.
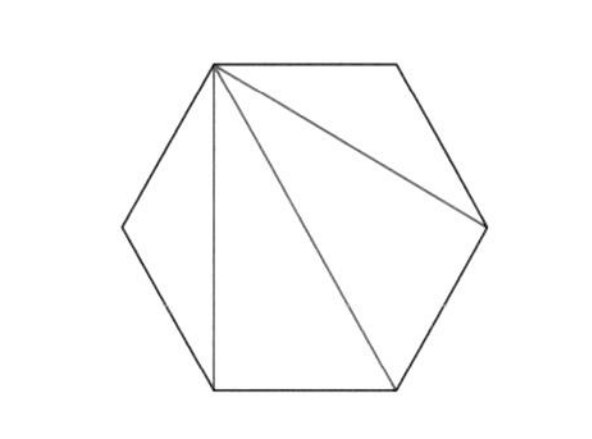	삼각형 4개로 나누어졌으므로 $180^\circ \times 4 = 720^\circ$ (삼각형의 세 각의 크기의 합)	정육각형은 각 6개의 크기가 모두 같으므로 $720^\circ \div 6 = 120^\circ$ (한 각의 크기)

활동 문제 학생들이 들고 있는 다각형을 삼각형으로 나누어 보세요. 그리고 다각형의 모든 각의 크기의 합을 구하는 식을 바르게 말한 친구를 찾아 선으로 이어 보세요.

3일 서술형 길잡이

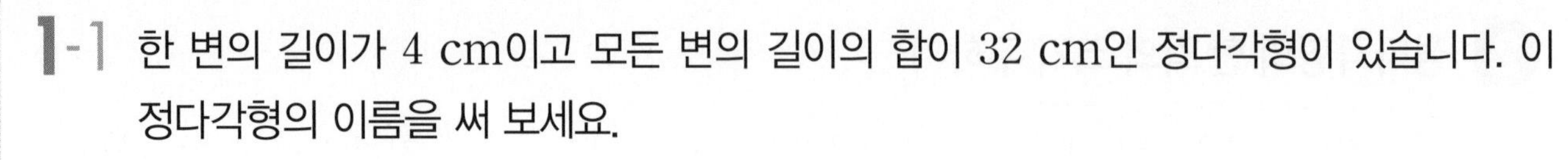

1-1 한 변의 길이가 4 cm이고 모든 변의 길이의 합이 32 cm인 정다각형이 있습니다. 이 정다각형의 이름을 써 보세요.

( )

❶ (정다각형의 변의 개수)=(모든 변의 길이의 합)÷(한 변의 길이)

❷ 정다각형의 변의 개수를 알면 도형의 이름을 알 수 있습니다.

1-2 한 변의 길이가 6 cm이고 모든 변의 길이의 합이 42 cm인 정다각형이 있습니다. 이 정다각형의 이름을 써 보세요.

(1) 정다각형의 변은 몇 개인지 식을 쓰고 답을 구해 보세요.

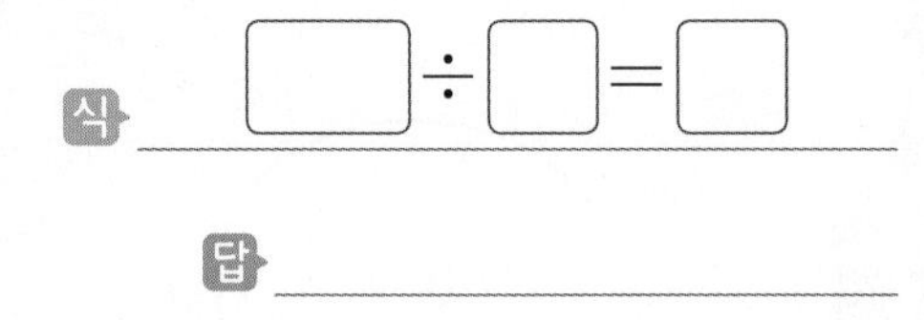

식 □÷□=□

답 ____________

(2) 정다각형의 이름을 써 보세요.

( )

1-3 한 변의 길이가 9 cm이고 모든 변의 길이의 합이 108 cm인 정다각형이 있습니다. 이 정다각형의 이름을 써 보세요.

( )

▶정답 및 해설 31쪽

2-1 원 위에 일정한 간격으로 점이 5개 찍혀 있고, 이 점을 이어 정오각형을 만들었습니다. 정오각형의 한 각의 크기는 몇 도인지 구해 보세요.

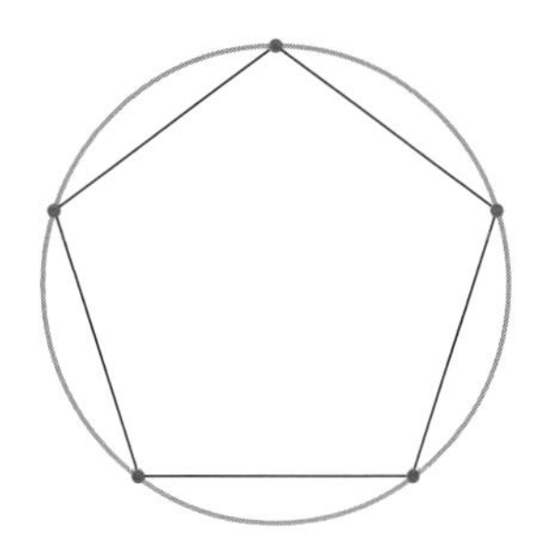

(　　　　　　　　)

- 구하려는 것: 정오각형의 한 각의 크기
- 주어진 조건: 정오각형
- 해결 전략: ❶ 정오각형을 삼각형으로 나누기
  ❷ 정삼각형의 세 각의 크기의 합이 180°임을 이용하여 정오각형의 모든 각의 크기의 합 구하기
  ❸ ❷에서 구한 값을 각의 수(=5)로 나누기

구하려는 것(〜〜)과 주어진 조건(——)에 표시해 봅니다.

2-2 원 위에 일정한 간격으로 점이 8개 찍혀 있고, 이 점을 차례로 모두 이어 정다각형을 만들려고 합니다. 정다각형을 완성하고, 한 각의 크기는 몇 도인지 구해 보세요.

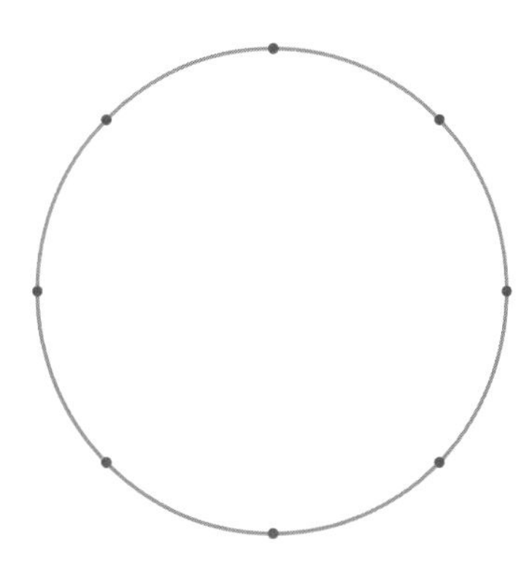

해결 전략

❶ 정팔각형을 삼각형으로 나누기
❷ 정팔각형의 모든 각의 크기의 합을 구하기
❸ ❷에서 구한 값을 각의 수로 나누기

(　　　　　　　　)

도형판에 고무줄을 걸어서 다음과 같은 도형을 만들었습니다. 만든 도형의 모든 각의 크기의 합을 구해 보세요.

(1)
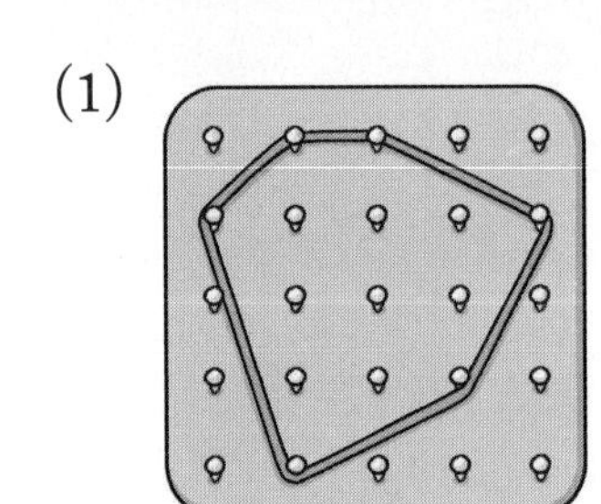

(2)
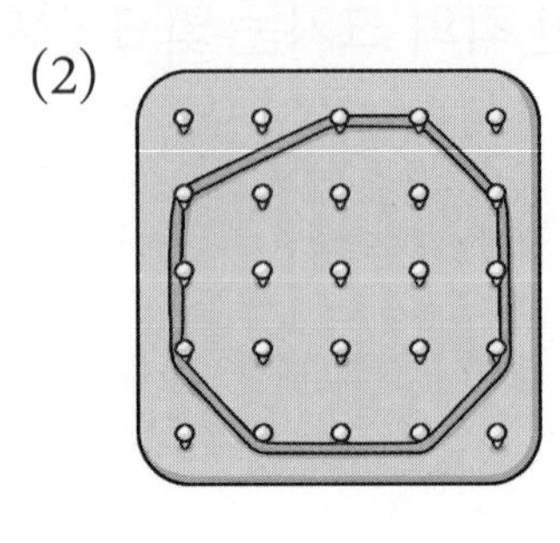

( )　　( )

다음 철사를 남김없이 구부려서 한 변의 길이가 3 cm인 정다각형 1개를 만들었습니다. 만든 정다각형의 이름은 무엇일까요? (단, 철사가 겹치는 부분은 없습니다.)

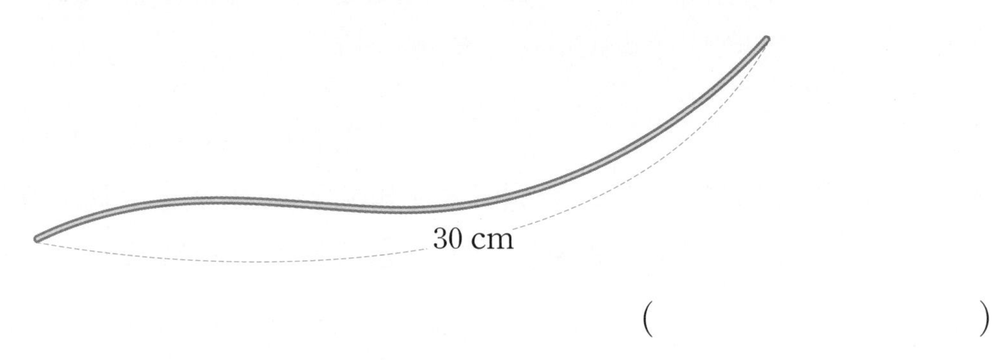

( )

3
문제 해결

정육각형의 한 변을 늘인 것입니다. ㉠의 각도를 구해 보세요.

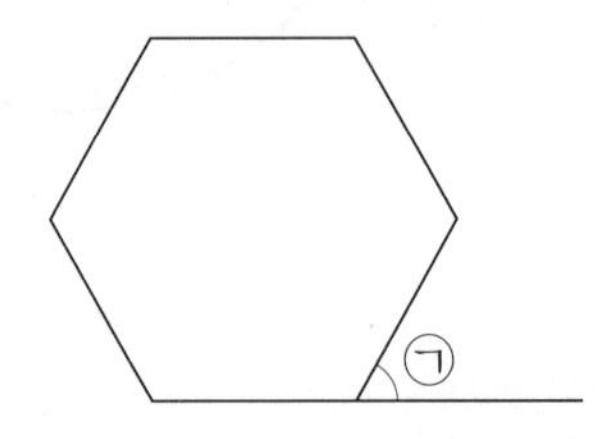

( )

▶정답 및 해설 32쪽

여러 가지 정다각형을 겹치지 않게 이어 붙여서 만든 도형입니다. 굵은 선의 길이는 몇 cm인지 구해 보세요.

(1) 정삼각형의 세 변의 길이의 합은 45 cm입니다.

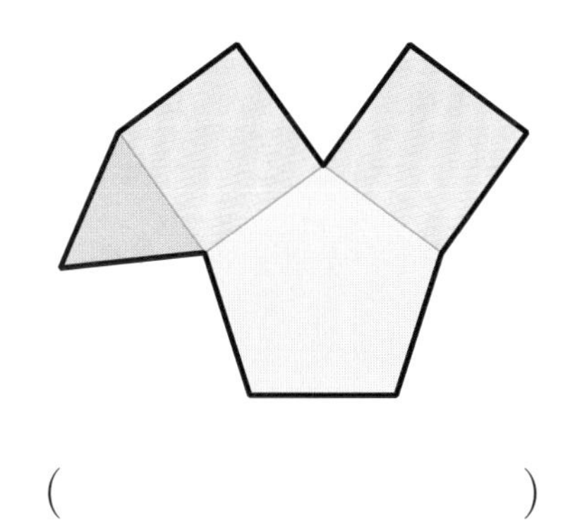

(　　　　　　　　)

(2) 정칠각형의 일곱 변의 길이의 합은 91 cm입니다.

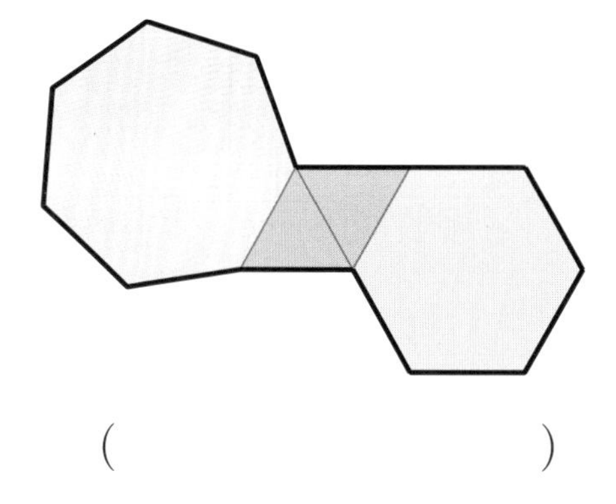

(　　　　　　　　)

한 변의 길이가 2 cm인 정사각형을 넣어 실행을 했을 때 끝에 나오는 정다각형의 모든 변의 길이의 합은 몇 cm인지 구해 보세요.

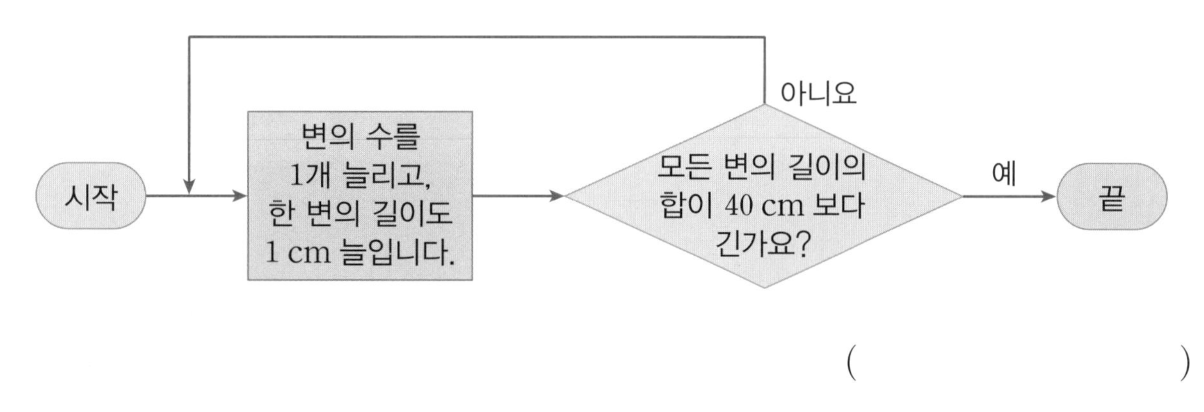

(　　　　　　　　)

대각선을 이용한 문제

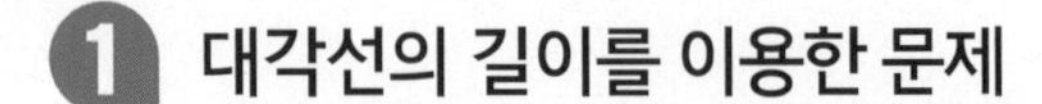

1 대각선의 길이를 이용한 문제

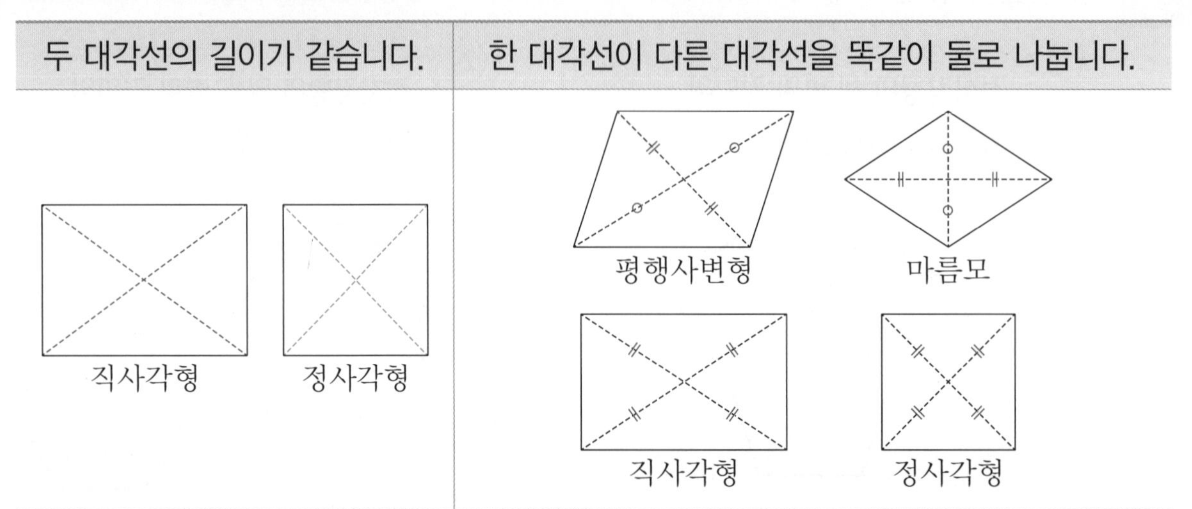

두 대각선의 길이가 같습니다.	한 대각선이 다른 대각선을 똑같이 둘로 나눕니다.
직사각형, 정사각형	평행사변형, 마름모, 직사각형, 정사각형

활동 문제 여러 가지 모양의 가방이 있습니다. □ 안에 알맞은 수를 써넣으세요.

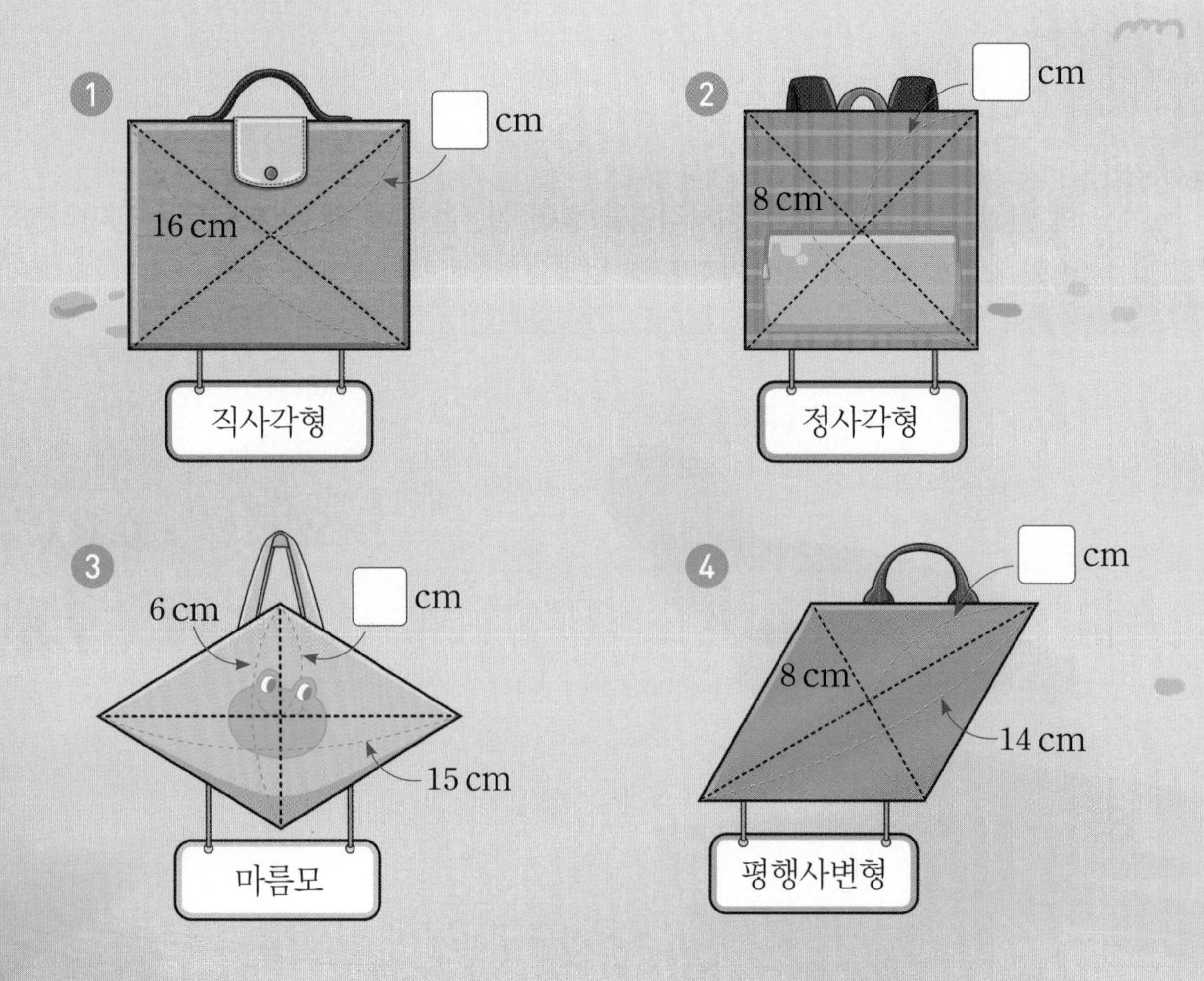

▶정답 및 해설 32쪽

2 대각선을 그어 생기는 각의 크기를 이용한 문제

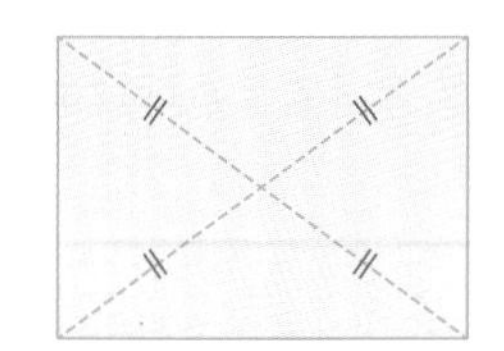

직사각형은 두 대각선의 길이가 같고, 한 대각선이 다른 대각선을 똑같이 둘로 나눕니다.

→

직사각형에 대각선을 그었을 때 생기는 4개의 삼각형은 모두 이등변삼각형입니다.

→

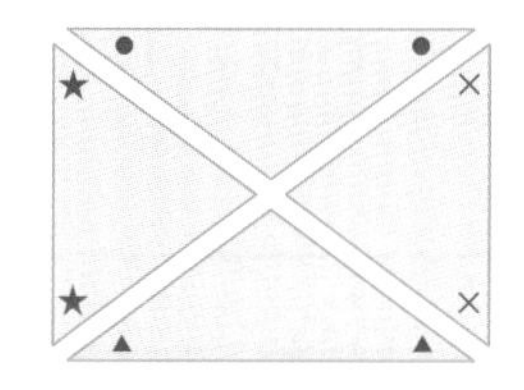

이등변삼각형은 두 각의 크기가 같습니다.

예 각 ■, 각 ▲의 크기 구하기

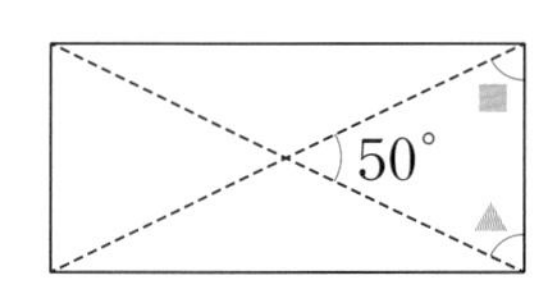

■＋▲＝180°－50°＝130°

■와 ▲의 크기는 같으므로

■＝▲＝130°÷2＝65°입니다.

활용 문제 각 ♥의 크기는 몇 도인지 구해 보세요.

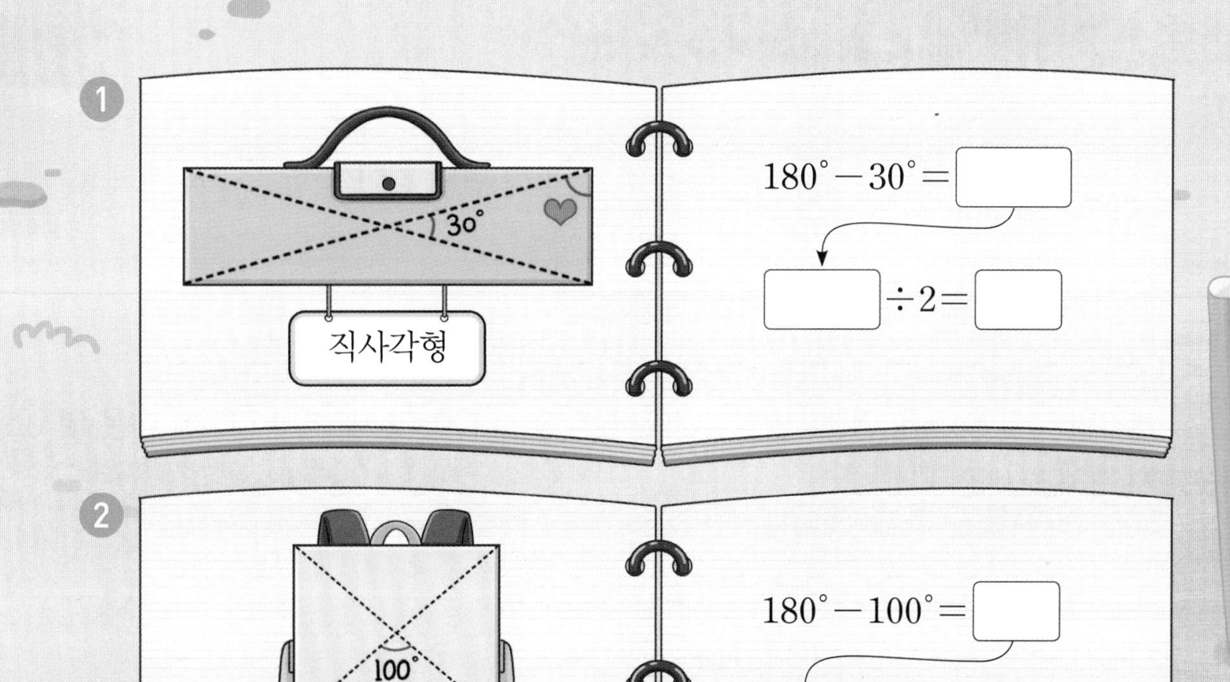

1-1 사각형 ㄱㄴㄷㄹ은 직사각형입니다. 삼각형 ㅁㄴㄷ의 세 변의 길이의 합은 몇 cm인지 구해 보세요.

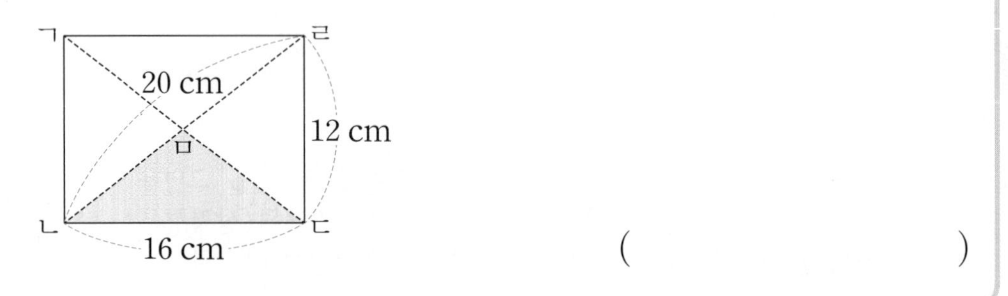

( )

- 직사각형은 두 대각선의 길이가 같고 한 대각선이 다른 대각선을 똑같이 둘로 나눕니다.
- 변 ㄴㅁ, 변 ㅁㄷ의 길이는 20 cm의 반입니다.

1-2 사각형 ㄱㄴㄷㄹ은 직사각형입니다. 삼각형 ㅁㄴㄷ의 세 변의 길이의 합은 몇 cm인지 구해 보세요.

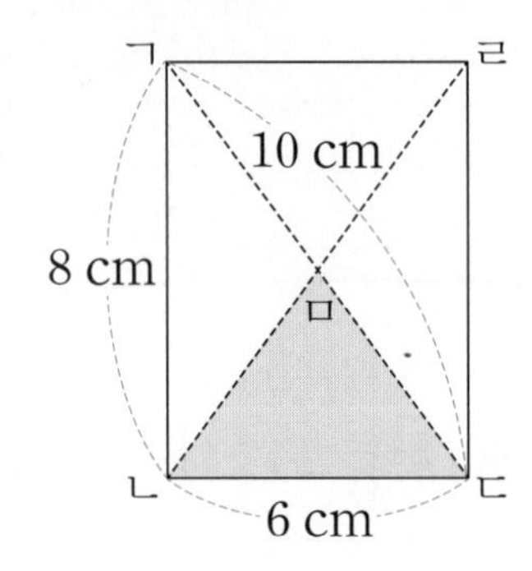

(1) 변 ㄴㅁ, 변 ㅁㄷ의 길이를 각각 구해 보세요.

변 ㄴㅁ ( )

변 ㅁㄷ ( )

(2) 삼각형 ㅁㄴㄷ의 세 변의 길이의 합을 구해 보세요.

( )

1-3 사각형 ㄱㄴㄷㄹ은 평행사변형입니다. 삼각형 ㅁㄴㄷ의 세 변의 길이의 합은 몇 cm인지 구해 보세요.

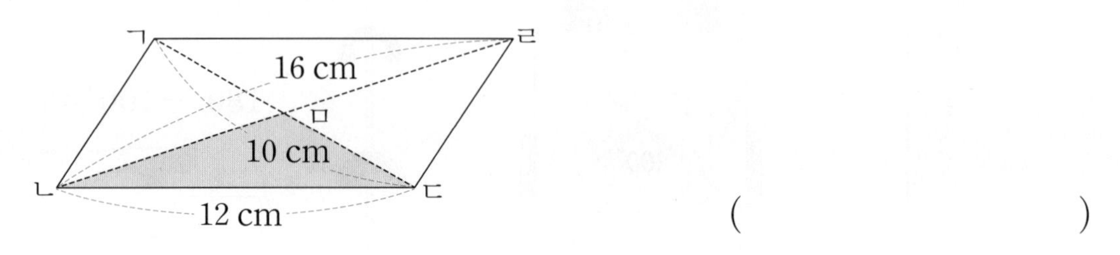

( )

▶정답 및 해설 32쪽

2-1 직사각형 ㄱㄴㄷㄹ을 그린 다음, 두 대각선을 점선으로 그었더니 다음과 같았습니다. 각 ♥의 크기는 몇 도인지 구해 보세요.

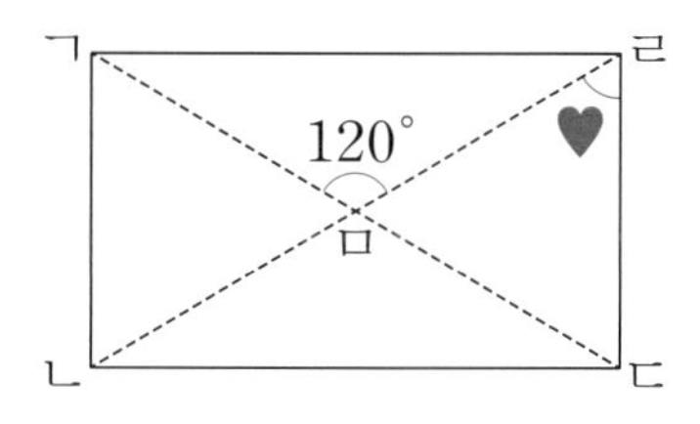

( )

- 구하려는 것: 각 ♥의 크기
- 주어진 조건: 사각형 ㄱㄴㄷㄹ은 직사각형, 두 대각선이 이루는 각의 크기가 120°
- 해결 전략: ❶ 삼각형 ㄱㅁㄹ은 이등변삼각형임을 이용하여 각 ㄱㄹㅁ의 크기 구하기
  ❷ 사각형 ㄱㄴㄷㄹ은 직사각형임을 이용하여 각 ♥의 크기 구하기

✎ 구하려는 것(〰)과 주어진 조건(——)에 표시해 봅니다.

2-2 직사각형 ㄱㄴㄷㄹ을 그린 다음, 두 대각선을 점선으로 그었더니 다음과 같았습니다. 각 ♥의 크기는 몇 도인지 구해 보세요.

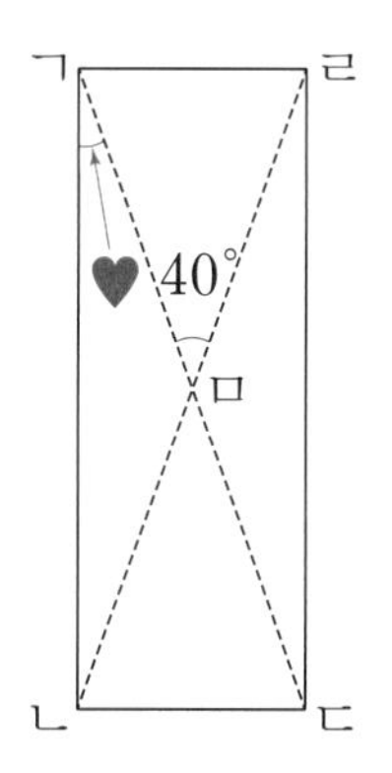

해결 전략

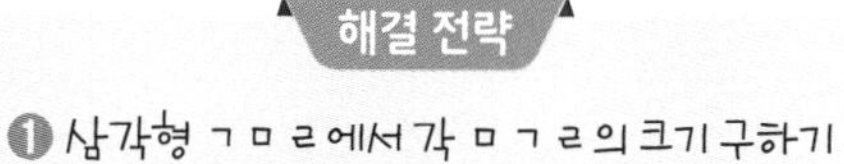

( )

2-3 사각형 ㄱㄴㄷㄹ은 직사각형입니다. 각 ㄱㅁㄹ의 크기는 몇 도인지 구해 보세요.

( )

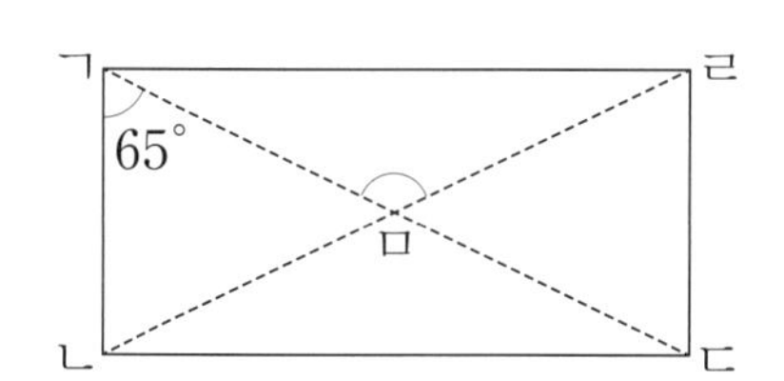

사고력 · 코딩

1 문제 해결

직사각형 모양의 운동장에서 한 친구가 ㄱ 지점에서 시작하여 ㄹ 지점, ㅁ 지점을 돌아 다시 ㄱ 지점으로 뛰어왔습니다. 몇 m를 뛴 것일까요?

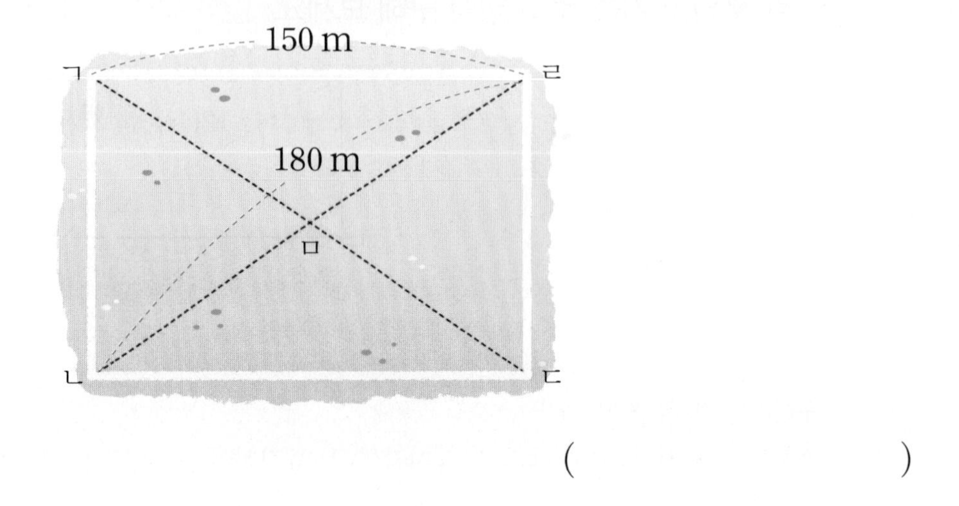

( )

2 창의 · 융합

규칙을 찾아 □ 안을 알맞게 채워 보세요.

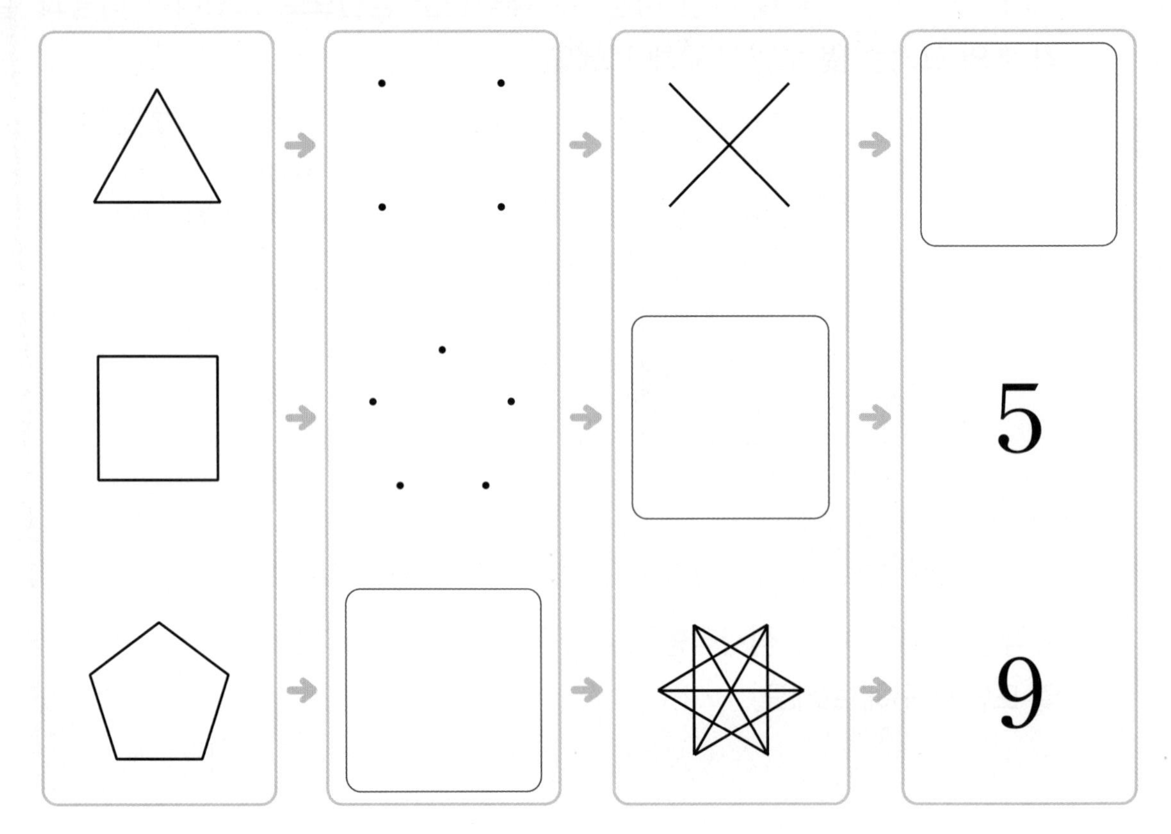

▶정답 및 해설 33쪽

3 추론

어떤 다각형의 한 꼭짓점에서 그을 수 있는 대각선이 6개일 때, 이 다각형의 이름을 쓰세요.

( )

4 추론

팔각형의 대각선의 수에 대해 알아보려고 합니다. 물음에 답하세요.

(1) 한 꼭짓점에서 그을 수 있는 대각선은 자기 자신과 이웃하는 두 꼭짓점을 뺀 나머지 꼭짓점과 이은 선분입니다. 팔각형의 한 꼭짓점에서 그을 수 있는 대각선은 몇 개일까요?

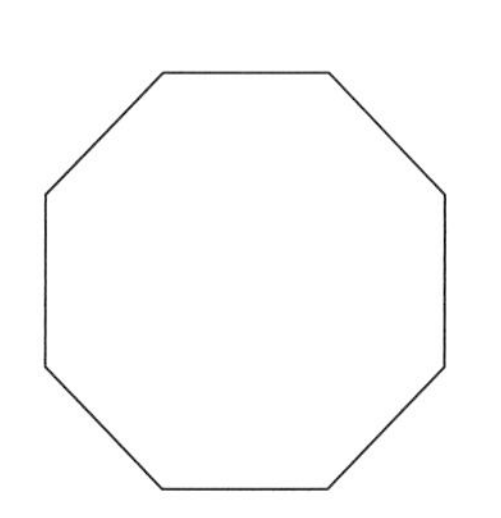

( )

(2) 팔각형에서 그을 수 있는 대각선의 수는
(한 꼭짓점에서 그을 수 있는 대각선의 수)×(꼭짓점의 수)인가요?
아니면 아닌 이유를 쓰세요.

( )

이유

(3) 팔각형에서 그을 수 있는 대각선은 몇 개일까요?

( )

4주 4일

1 다각형을 이용하여 모양 채우기

삼각형	사각형			육각형
	다른 변의 길이의 2배			
정삼각형	사다리꼴	마름모	정사각형	정육각형

예

활동 문제 주어진 모양 조각을 사용하여 서로 다른 방법으로 모양을 채워 보세요. (단, 같은 모양 조각을 여러 번 사용할 수 있고, 사용하지 않은 모양 조각이 있어도 됩니다.)

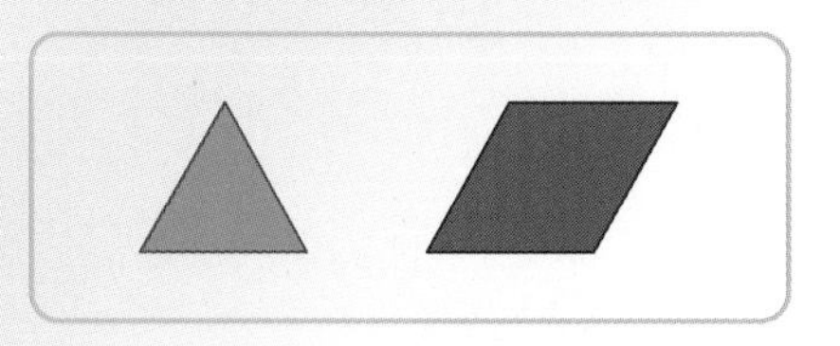

1 정삼각형 채우기

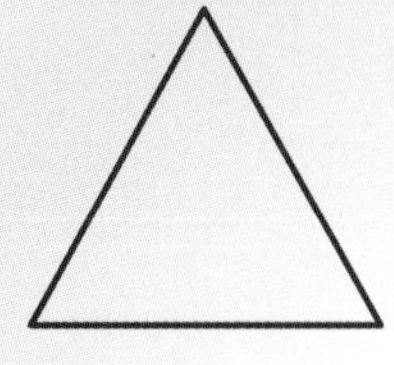 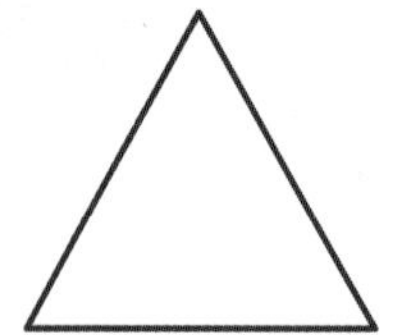 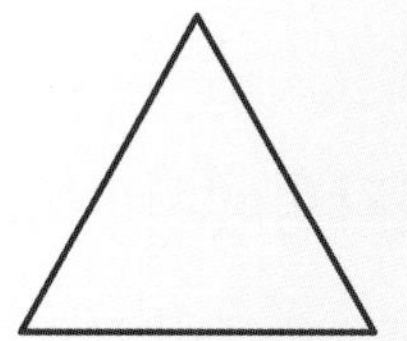

2 정육각형 채우기

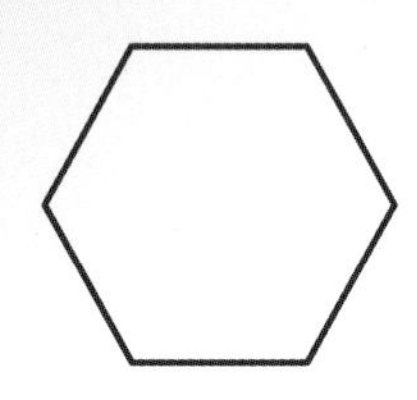 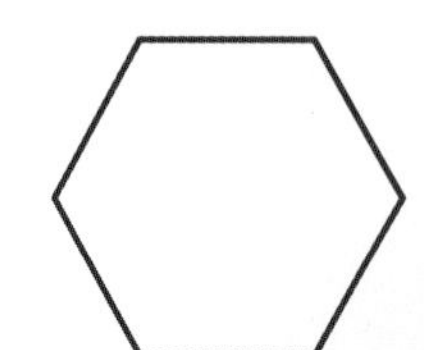 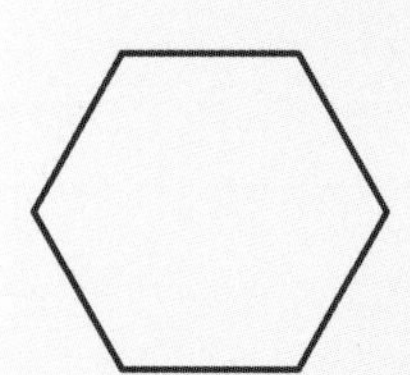

▶정답 및 해설 33쪽

2 정다각형을 이용하여 평면 채우기

정삼각형, 정육각형을 이어 붙여서 평면을 채웠습니다.

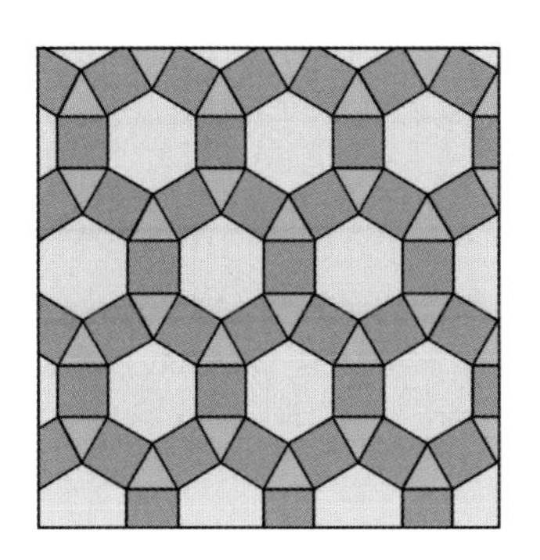

정삼각형, 정사각형, 정육각형을 이어 붙여서 평면을 채웠습니다.

활동 문제 주어진 정다각형을 한 점을 중심으로 겹치지 않게 이어 붙여서 360°를 만들어 평면을 채워 보세요.

① 정삼각형으로 평면 채우기

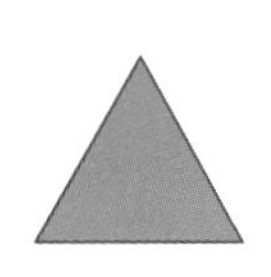

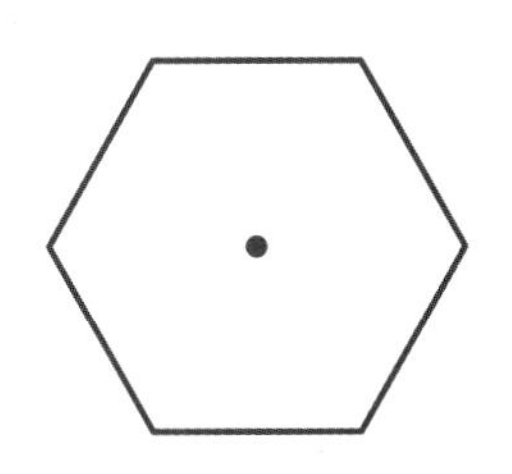

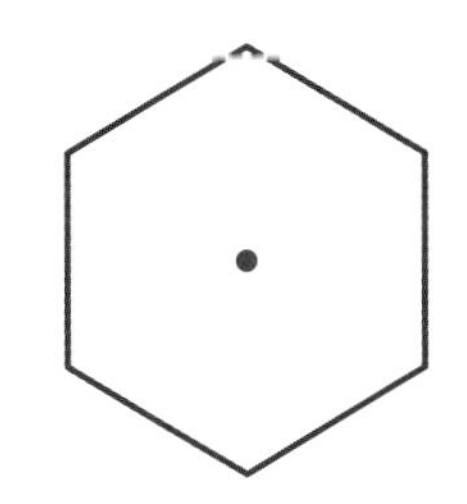

정다각형 중 공간을 빈틈없이 채울 수 있는 도형은 정삼각형, 정사각형, 정육각형입니다.

② 정사각형으로 평면 채우기

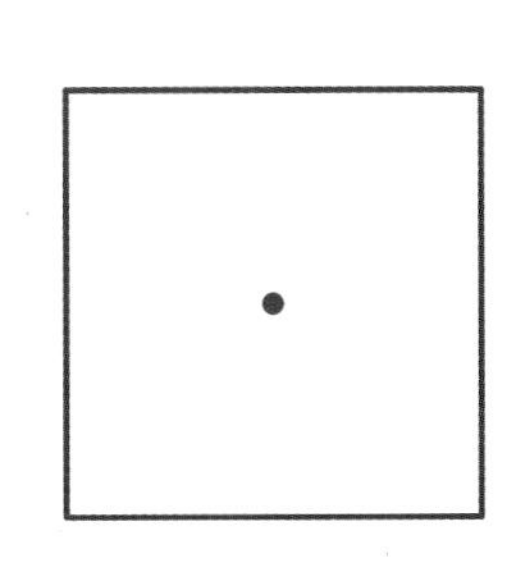

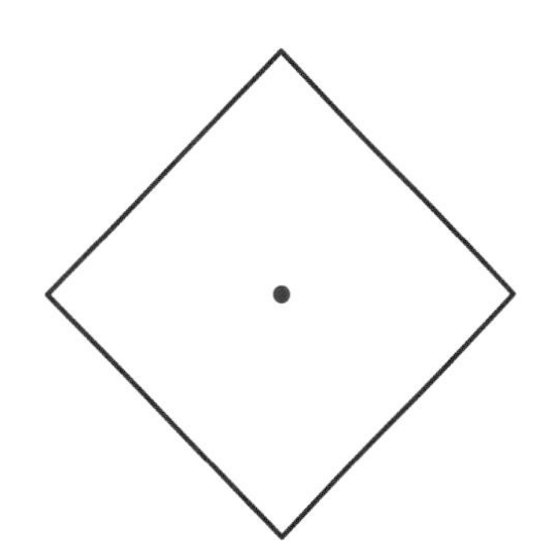

③ 정육각형으로 평면 채우기

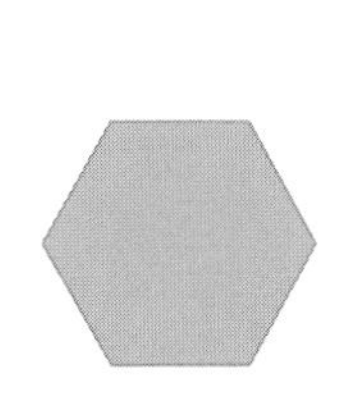

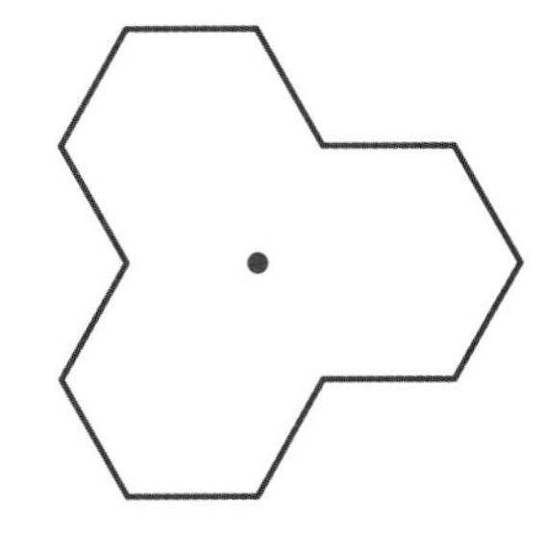

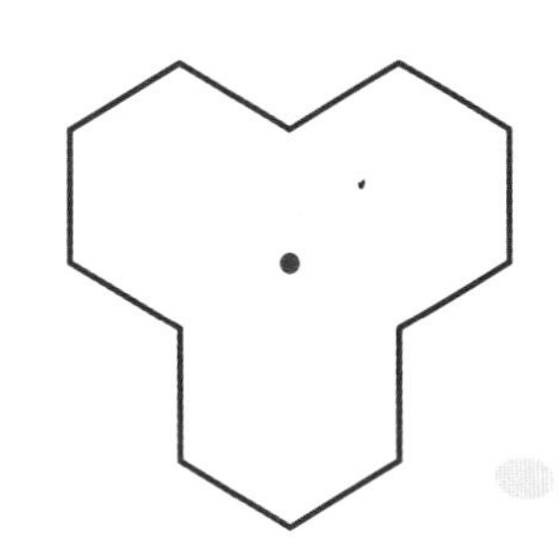

1-1 주어진 모양 조각을 사용하여 서로 다른 방법으로 모양을 채워 보세요. (단, 같은 모양 조각을 여러 번 사용할 수 있고, 사용하지 않은 모양 조각이 있어도 됩니다.)

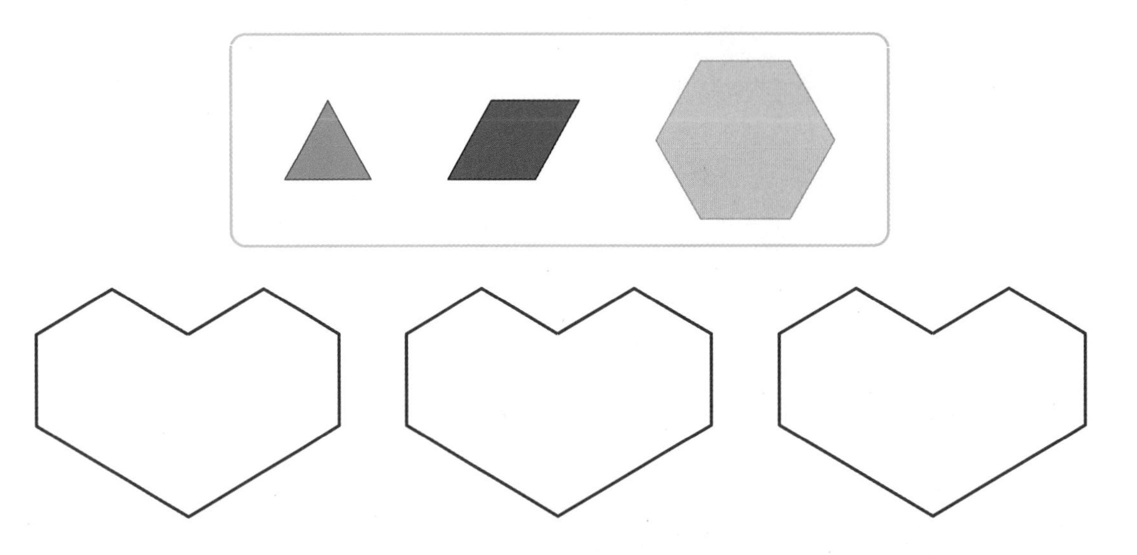

• 모양 조각이 서로 겹치거나 빈틈이 생기지 않게 이어 붙여서 모양을 채웁니다.
• 모양 조각의 변의 길이가 모두 같으므로 변끼리 붙여서 여러 가지 모양을 만들 수 있습니다.

1-2 주어진 모양 조각을 사용하여 서로 다른 방법으로 모양을 채워 보세요. (단, 같은 모양 조각을 여러 번 사용할 수도 있고, 사용하지 않은 모양 조각이 있어도 됩니다.)

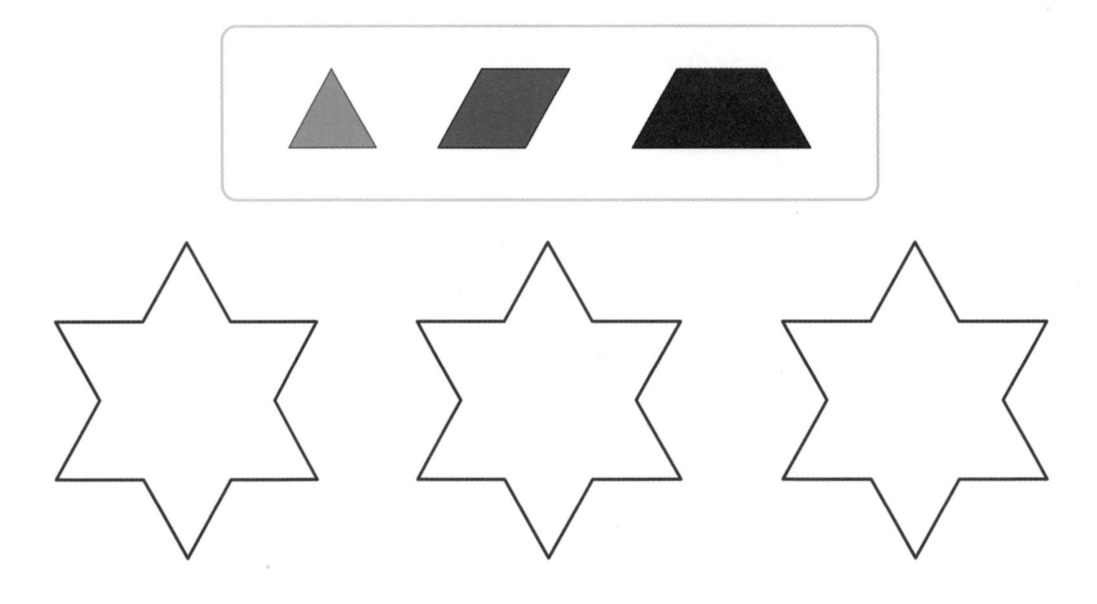

▶정답 및 해설 34쪽

2-1 주어진 정다각형을 모두 사용하여 한 점을 중심으로 겹치지 않게 이어 붙여서 360°를 만들어 평면을 채워 보세요.

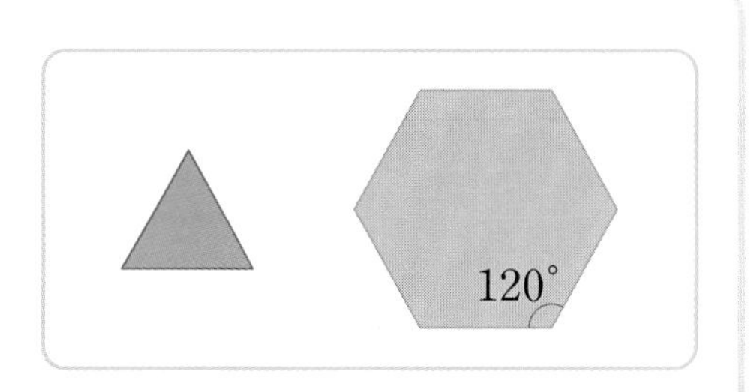

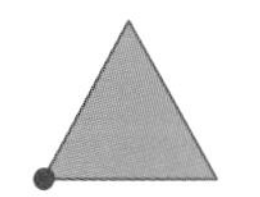

- 구하려는 것: 주어진 정다각형으로 360°를 만들어 평면 채우기
- 주어진 것: 2가지 정다각형, 360°로 채워야 할 평면
- 해결 전략: 정삼각형의 한 각의 크기는 60°, 정육각형의 한 각의 크기는 120°이므로 60°와 120°를 이어 붙여서 360°를 만들어 평면을 채웁니다.

✎ 구하려는 것(〜〜)과 주어진 조건(——)에 표시해 봅니다.

2-2 주어진 정다각형을 모두 사용하여 한 점을 중심으로 겹치지 않게 이어 붙여서 360°를 만들어 평면을 채워 보세요.

(1)

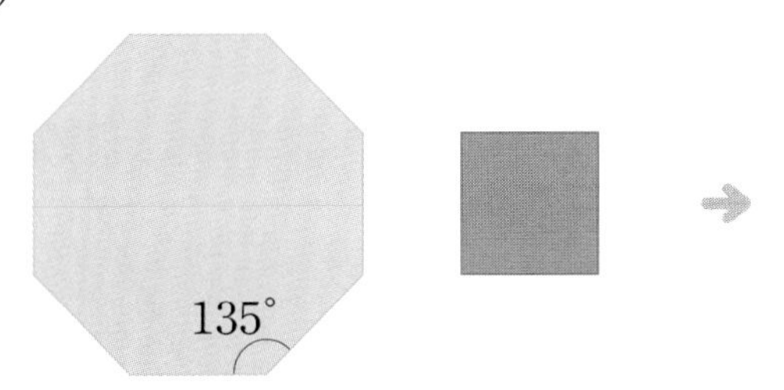

(2)

5일 사고력 · 코딩

주어진 모양 조각을 사용하여 모양을 채워 보세요. (단, 같은 모양 조각을 여러 번 사용할 수 있고, 사용하지 않은 모양 조각이 있어도 됩니다.)

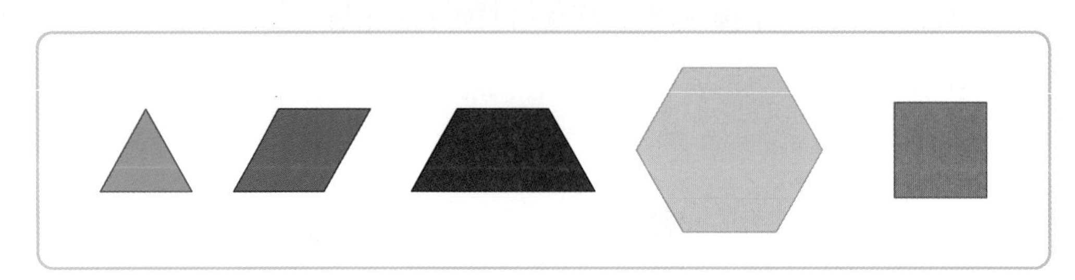

(1)

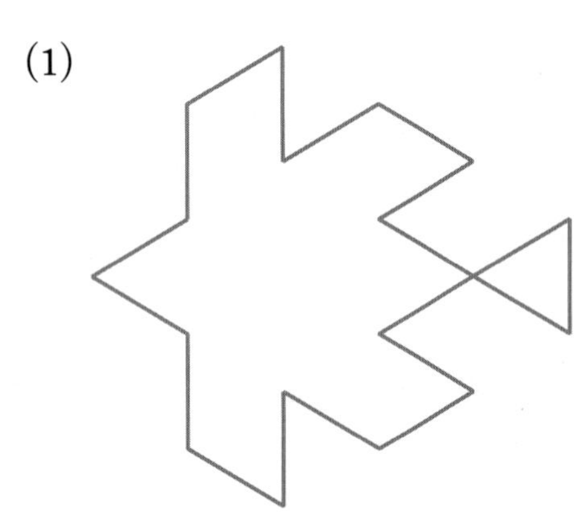

(2)

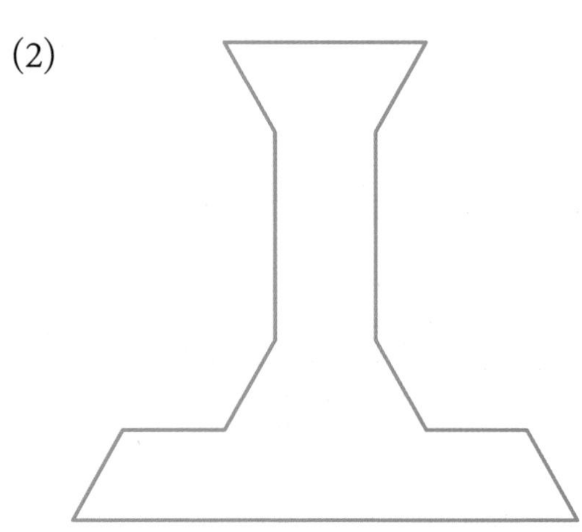

(3)

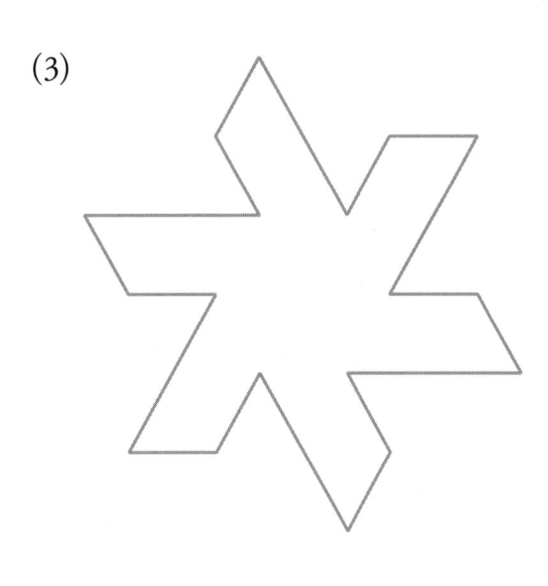

(4)

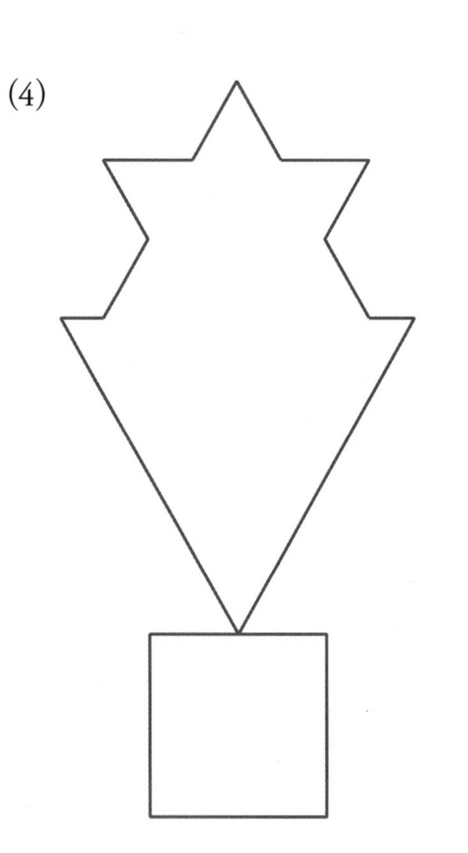

(5)

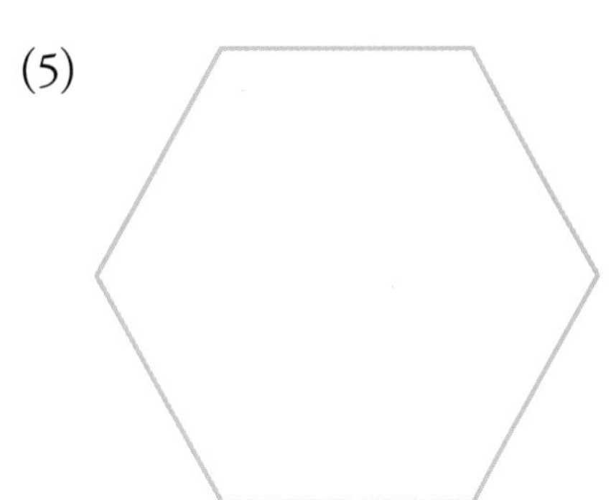

▶정답 및 해설 34~35쪽

2 추론

정오각형을 겹치지 않게 놓아 평면을 빈틈없이 채울 수 없는 이유를 써 보세요.

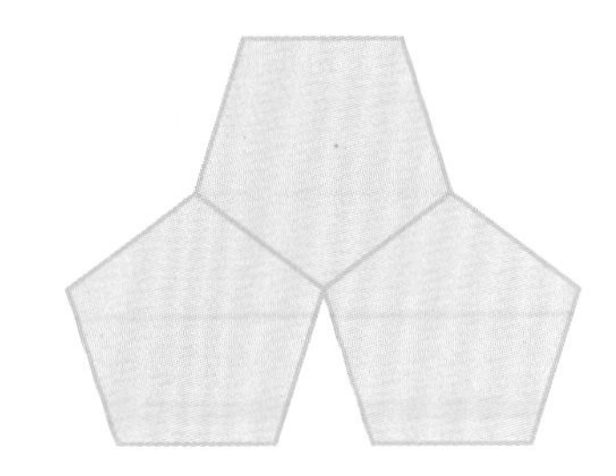

이유 정오각형의 한 각의 크기는 [ ]입니다.

____

____

3 창의·융합

정사각형과 정삼각형을 이어 붙여서 다음 평면을 채워 보세요. (단, 평면의 테두리에는 도형이 잘려도 됩니다.)

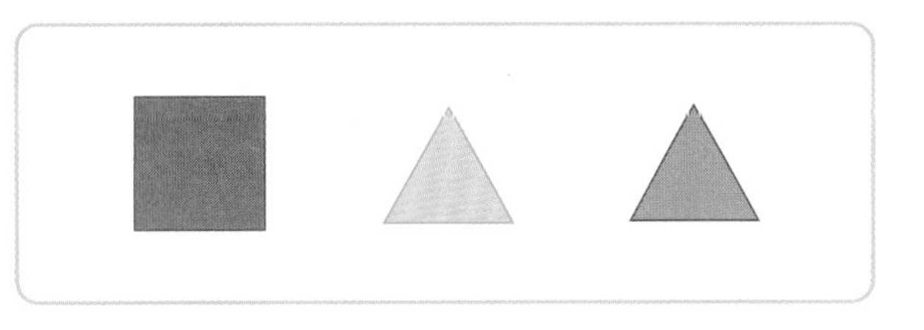

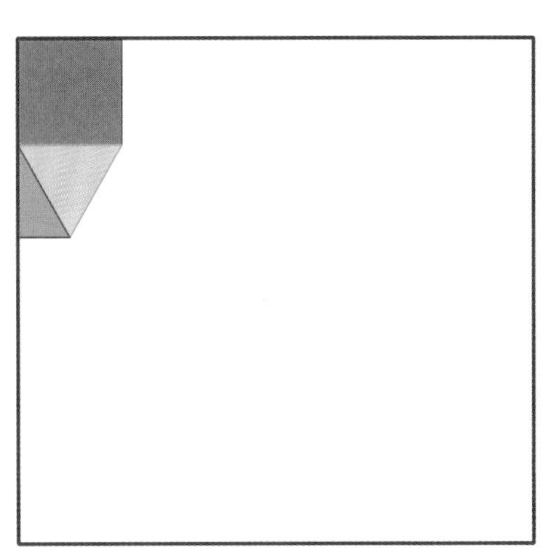

4주 특강 창의 · 융합 · 코딩

1 잭은 마당에 강낭콩을 던졌습니다. 그런데 어느 날 싹이 트더니 강낭콩이 쑥쑥 자랐어요. 잭은 매일 오전 9시에 강낭콩의 길이를 재어 보았습니다. 잭이 잰 강낭콩의 길이를 보고 꺾은선그래프를 바르게 그려 보세요. 문제 해결

강낭콩의 길이

(매일 오전 9시에 조사)

날짜(일)	1	2	3	4	5	6	7
길이(cm)	40	100	240	380	440	580	720

강낭콩의 길이

2 갈림길에 적힌 내용을 보고 바른 길을 따라가 보세요. 문제 해결

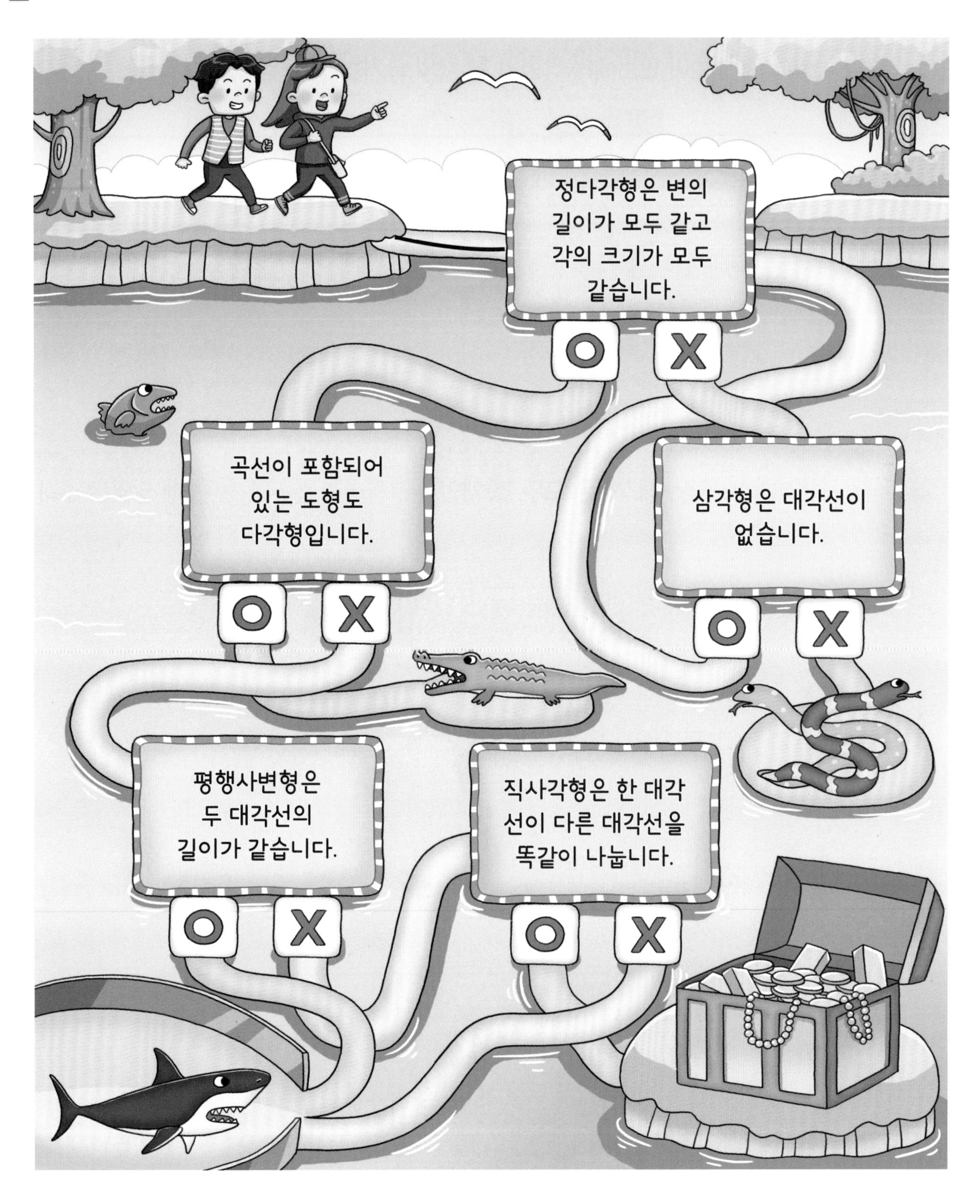

3 벌집에는 정육각형 모양의 방이 여러 개 있습니다. 방의 모양이 정육각형이면 빈틈없이 채울 수 있고 튼튼하며 방의 넓이도 넓다는 것을 벌들이 본능적으로 터득하게 되었다고 합니다. 이렇게 벌들이 만든 정육각형의 한 각의 크기는 몇 도일까요? 문제 해결

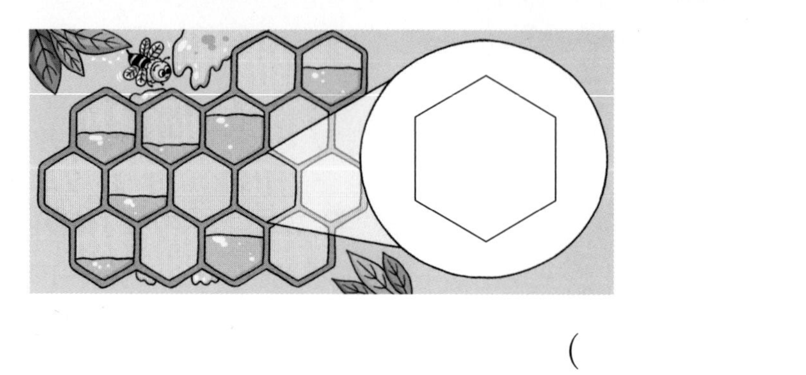

(　　　　　　　　　)

4 십각형에 그을 수 있는 대각선은 모두 몇 개인지 구하려고 합니다. 빈 곳에 알맞은 수나 식을 써넣으세요. 추론

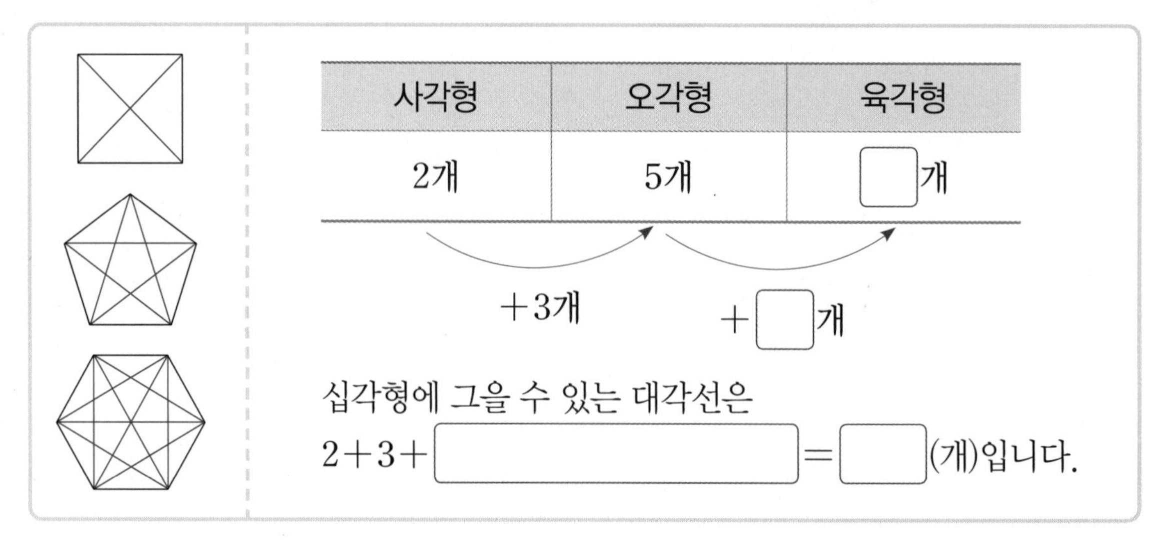

사각형	오각형	육각형
2개	5개	□개

+3개　　+□개

십각형에 그을 수 있는 대각선은

2+3+□=□(개)입니다.

▶정답 및 해설 35쪽

5 마름모와 정사각형의 대각선의 공통된 성질을 2가지 써 보세요. 추론

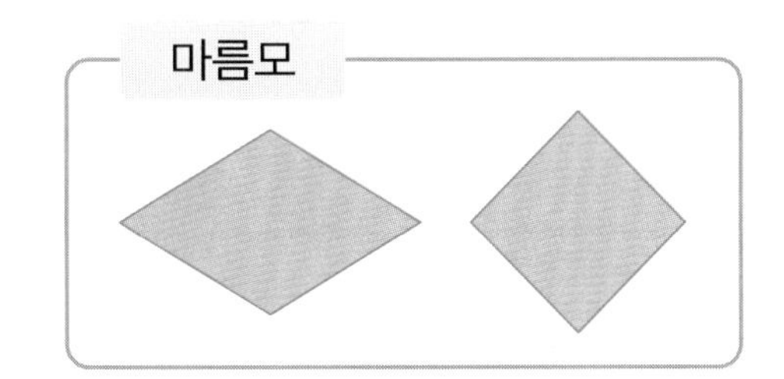

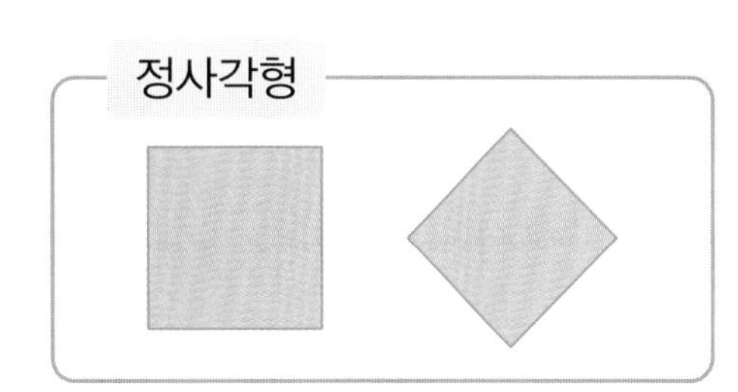

성질1 ______________________

성질2 ______________________

6 어느 마을의 쓰레기 배출량을 조사하여 표로 나타내었습니다. 물음에 답하세요. 문제 해결

월별 쓰레기 배출량

월	배출량(kg)
1	310
2	350
3	370
4	430
5	450

월별 쓰레기 배출량

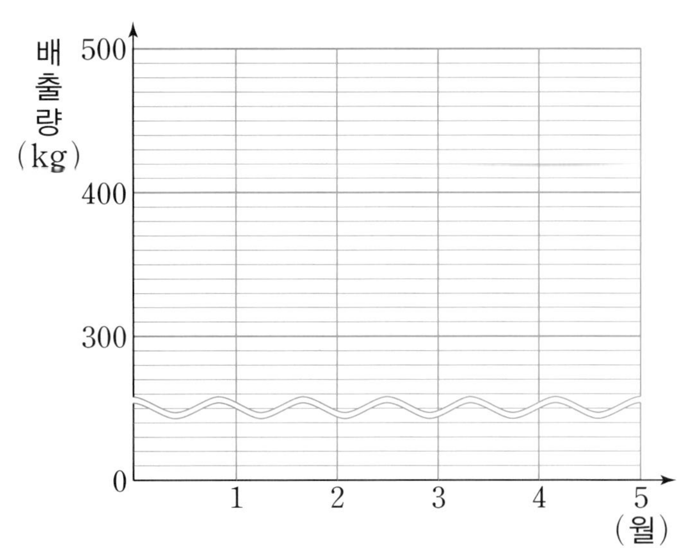

❶ 꺾은선그래프를 완성해 보세요.

❷ 6월 달에는 쓰레기 배출량이 어떻게 될 거라고 예상합니까?

____

4주 특강

7 오른쪽 그림은 정삼각형과 정사각형을 사용하여 평면을 덮은 모양입니다. □ 안에 알맞은 수를 써넣으세요. 창의 · 융합

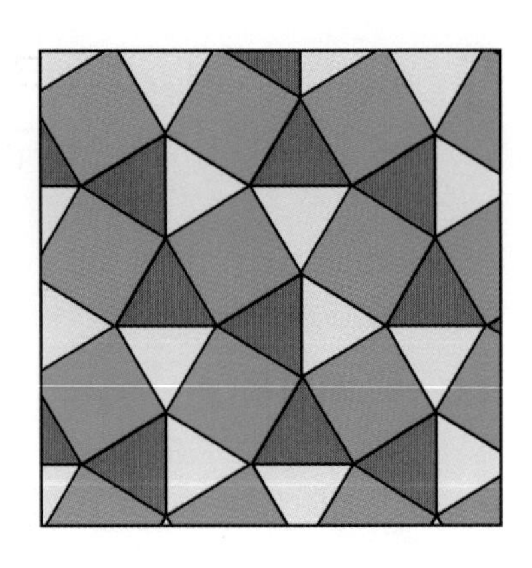

한 꼭짓점을 중심으로

한 각의 크기가 □°인 정삼각형 □개,

한 각의 크기가 □°인 정사각형 □개

가 모여 있으므로 한 꼭짓점에서 모인 각의 크기의 합은

□°가 됩니다.

8 오른쪽 축구공을 보고 물음에 답하세요. 창의 · 융합

① 둥근 공 모양의 축구공은 정다각형 모양의 조각을 이어 붙여서 만들었습니다. 이 정다각형의 이름은 □과 □입니다.

② 정오각형의 5개의 변에 정육각형을 붙이고 정육각형의 6개의 변에 정육각형과 정오각형을 빈틈없이 붙여 나가면서 동그란 공 모양을 만든 것입니다. 축구공을 평평하게 펼쳤을 때 평면을 채우지 못한 각의 크기를 구해 보세요.

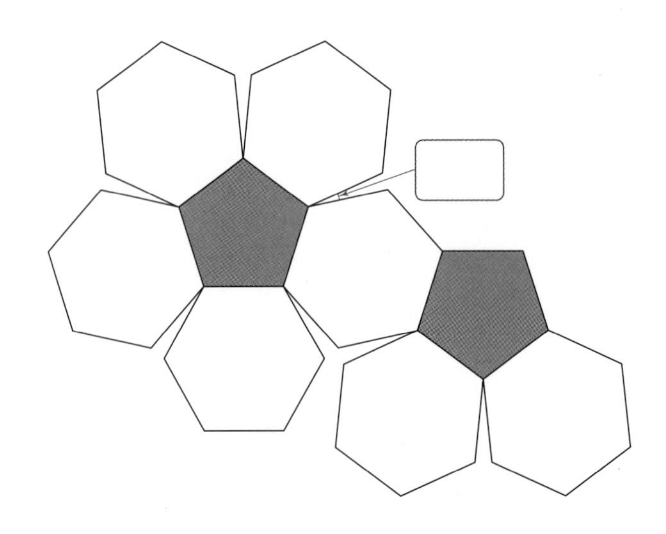

9 오각형의 다섯 각의 크기의 합을 구하는 과정입니다. □ 안에 알맞은 수를 써넣고 답을 구해 보세요. 창의·융합

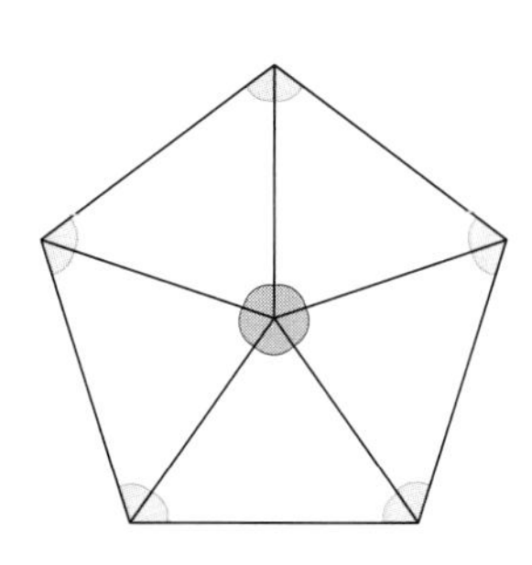

풀이 오각형을 삼각형으로 나누어 보면 삼각형 5개로 나눌 수 있습니다.

삼각형의 세 각의 크기의 합은 □°이므로

삼각형 5개의 각의 크기의 합은 □°×5=□°입니다.

그런데 그림에서 보는 것과 같이 삼각형 5개의 꼭짓점이 한 곳에서 만나는 부분의 각 360°는 오각형의 다섯 각에 해당하지 않습니다.

따라서 □°에서 360°를 빼면 □°가 되고,

이것이 오각형의 다섯 각의 크기의 합입니다.

답 

10 위 **9**번처럼 구각형의 아홉 각의 크기의 합을 구하는 풀이 과정을 쓰고 답을 구해 보세요. 창의·융합

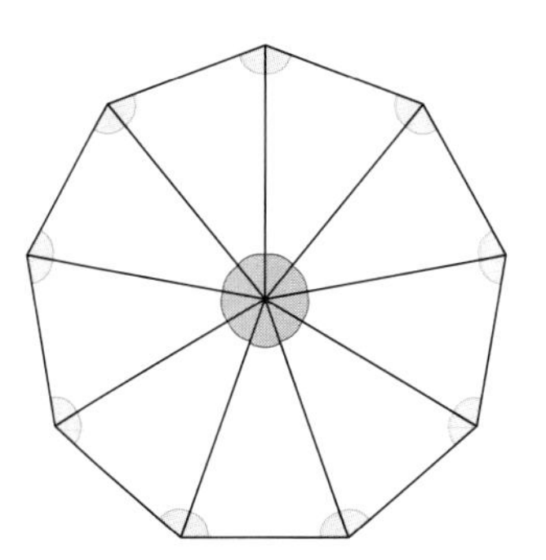

① 삼각형 9개의 각의 크기의 합 구하기

② 구각형의 아홉 각의 크기의 합 구하기

답 

4주 특강

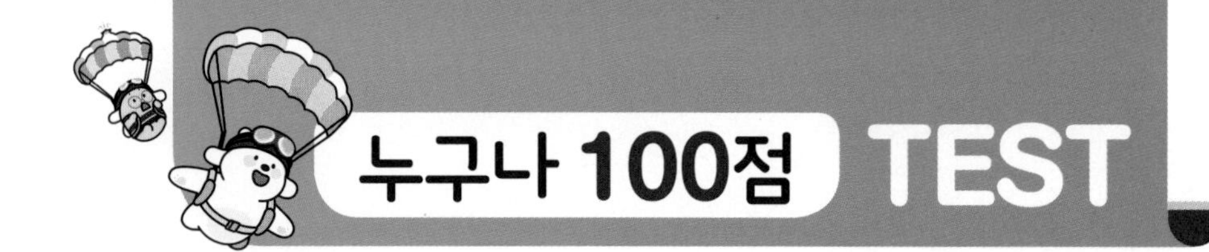

맞은 개수 /9개

1 한 변의 길이가 7 cm인 정팔각형의 모든 변의 길이의 합은 몇 cm일까요?

( )

2 정팔각형의 한 각의 크기를 구해 보세요.

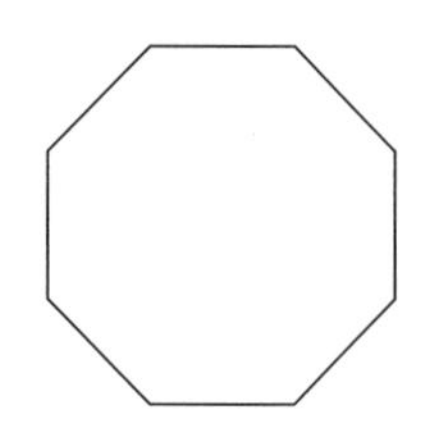

( )

[3~4] 민희의 몸무게를 조사하여 나타낸 표를 보고 꺾은선그래프로 나타내려고 합니다. 물음에 답하세요.

민희의 몸무게

(매월 1일에 조사)

월(월)	3	4	5	6	7
몸무게(kg)	29.1	29.3	29.6	29.8	30.1

3 표를 보고 꺾은선그래프로 나타내어 보세요.

민희의 몸무게

(매월 1일에 조사)

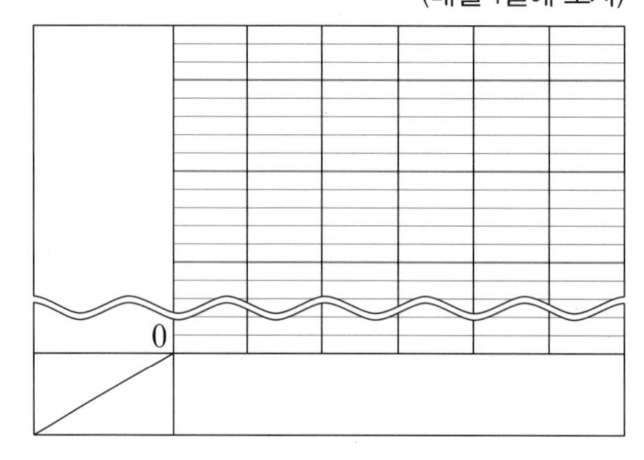

4 5월 15일에 민희의 몸무게는 몇 kg이었을지 예상해 보세요.

( )

[5~6] 사각형 ㄱㄴㄷㄹ은 직사각형입니다. 물음에 답하세요.

5

ㄱ ㄹ ㄴ ㄷ ㅁ 10 cm 6 cm 8 cm

삼각형 ㅁㄴㄷ의 세 변의 길이의 합 ➔ ☐ cm

6

ㄱ ㄹ ㄴ ㄷ ㅁ 60° ♥

각 ♥의 크기 ➔ ☐

[7~8] 주어진 모양 조각을 사용하여 모양을 채워 보세요. (단, 같은 모양 조각을 여러 번 사용할 수 있고, 사용하지 않는 모양 조각이 있어도 됩니다.)

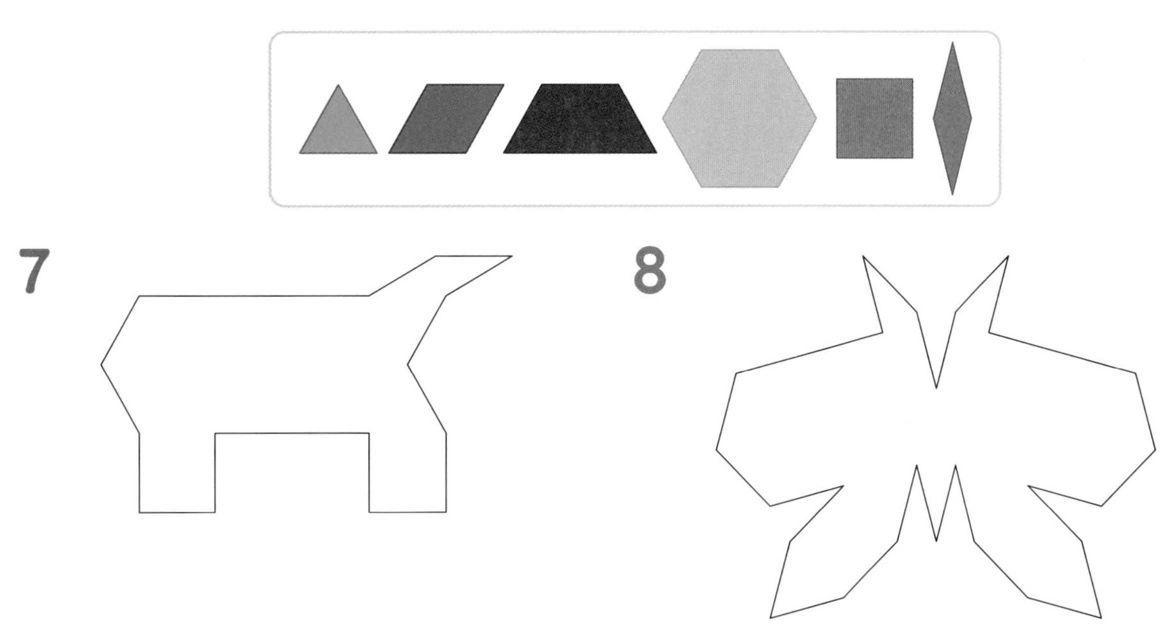

7

8

9 정다각형을 붙여 만든 모양입니다. ☐ 안에 알맞은 각도를 써넣으세요.

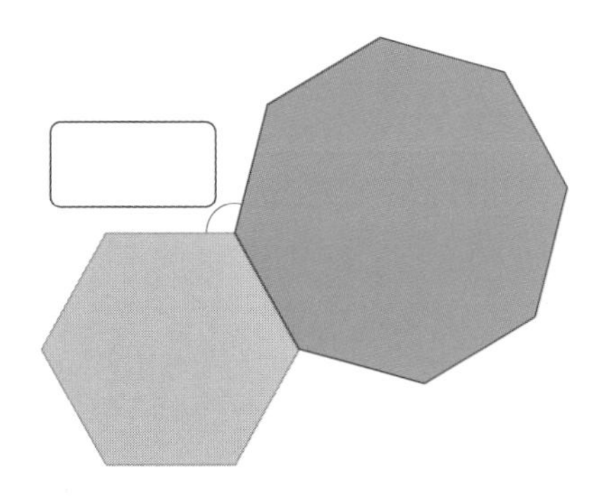

memo

쉽다!

10분이면 하루치 공부를 마칠 수 있는 커리큘럼으로,
아이들이 초등 학습에 쉽고 재미있게 접근할 수 있도록 구성하였습니다.

재미있다!

교과서는 물론 생활 속에서 쉽게 접할 수 있는 다양한 소재와
재미있는 게임 형식의 문제로 흥미로운 학습이 가능합니다.

똑똑하다!

초등학생에게 꼭 필요한 학습 지식 습득은 물론
창의력 확장까지 가능한 교재로 올바른 공부습관을 가지는 데 도움을 줍니다.

정답 및 해설

똑 똑 한

하루 사고력

초등 수학 4B

4학년 수준

천재교육

정답 및 해설
포인트 3가지

- 한눈에 알아볼 수 있는 정답 제시
- 혼자서도 이해할 수 있는 문제 풀이
- 꼭 필요한 사고력 유형 풀이 제시

똑 똑 한

하루 사고력

창의·융합·서술·코딩

정답 및 해설

정답 및 해설

1주

1주에는 무엇을 공부할까? ② 6쪽~7쪽

1-1 (1) $\frac{7}{10}$ (2) $\frac{1}{8}$

1-2 (1) $\frac{5}{6}$ (2) $1\frac{4}{11}$ (3) $\frac{2}{9}$ (4) $\frac{4}{7}$

2-1 $\frac{9}{9}-\frac{4}{9}=\frac{9-4}{9}=\frac{5}{9}$

2-2 (1) $\frac{1}{6}$ (2) $\frac{3}{8}$

3-1 (1) $5\frac{5}{6}$ (2) $3\frac{2}{7}$ **3-2** (1) $5\frac{7}{8}$ (2) $1\frac{1}{5}$

4-1 (1) $3\frac{2}{4}$ (2) $\frac{3}{5}$ **4-2** (1) $8\frac{6}{9}$ (2) $2\frac{10}{11}$

1-1 (1) $\frac{3}{10}+\frac{4}{10}=\frac{3+4}{10}=\frac{7}{10}$

(2) $\frac{7}{8}-\frac{6}{8}=\frac{7-6}{8}=\frac{1}{8}$

1-2 (2) $\frac{8}{11}+\frac{7}{11}=\frac{8+7}{11}=\frac{15}{11}=1\frac{4}{11}$

(4) $\frac{6}{7}-\frac{2}{7}=\frac{6-2}{7}=\frac{4}{7}$

2-2 (2) $1-\frac{5}{8}=\frac{8}{8}-\frac{5}{8}=\frac{8-5}{8}=\frac{3}{8}$

3-1 (1) $4\frac{3}{6}+1\frac{2}{6}=(4+1)+\left(\frac{3}{6}+\frac{2}{6}\right)=5+\frac{5}{6}=5\frac{5}{6}$

(2) $5\frac{6}{7}-2\frac{4}{7}=(5-2)+\left(\frac{6}{7}-\frac{4}{7}\right)=3+\frac{2}{7}=3\frac{2}{7}$

3-2 (1) $3\frac{1}{8}+2\frac{6}{8}=(3+2)+\left(\frac{1}{8}+\frac{6}{8}\right)=5+\frac{7}{8}=5\frac{7}{8}$

(2) $2\frac{4}{5}-1\frac{3}{5}=(2-1)+\left(\frac{4}{5}-\frac{3}{5}\right)=1+\frac{1}{5}=1\frac{1}{5}$

4-1 (1) $1\frac{3}{4}+1\frac{3}{4}=(1+1)+\left(\frac{3}{4}+\frac{3}{4}\right)=2+1\frac{2}{4}=3\frac{2}{4}$

(2) $3\frac{2}{5}-2\frac{4}{5}=2\frac{7}{5}-2\frac{4}{5}=(2-2)+\left(\frac{7}{5}-\frac{4}{5}\right)=\frac{3}{5}$

4-2 (1) $1\frac{8}{9}+6\frac{7}{9}=(1+6)+\left(\frac{8}{9}+\frac{7}{9}\right)=7+1\frac{6}{9}=8\frac{6}{9}$

(2) $8\frac{8}{11}-5\frac{9}{11}=7\frac{19}{11}-5\frac{9}{11}$

$=(7-5)+\left(\frac{19}{11}-\frac{9}{11}\right)$

$=2+\frac{10}{11}=2\frac{10}{11}$

1일 개념·원리 길잡이 8쪽~9쪽

활동 문제 8쪽

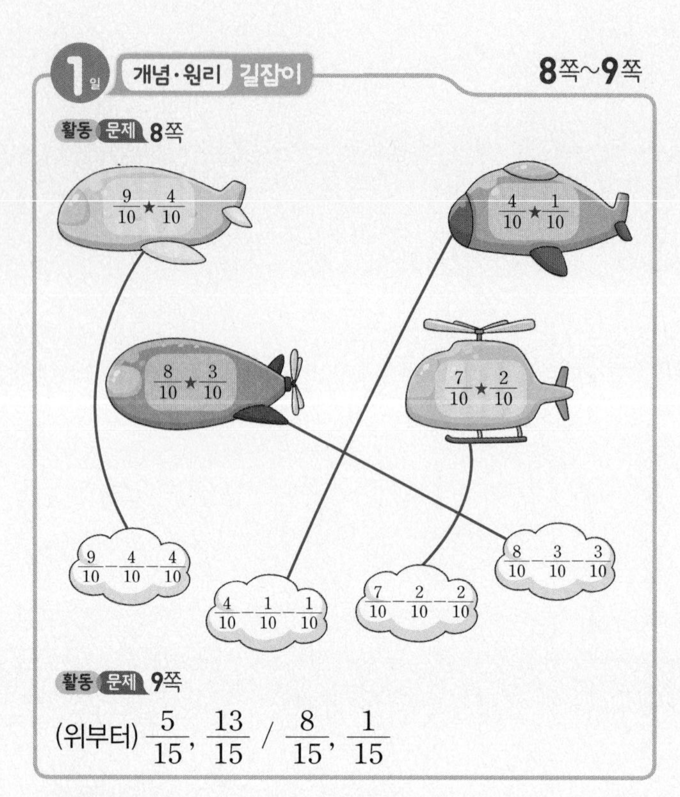

활동 문제 9쪽

(위부터) $\frac{5}{15}$, $\frac{13}{15}$ / $\frac{8}{15}$, $\frac{1}{15}$

활동 문제 8쪽

- $\frac{9}{10}★\frac{4}{10}=\frac{9}{10}-\frac{4}{10}-\frac{4}{10}$
- $\frac{4}{10}★\frac{1}{10}=\frac{4}{10}-\frac{1}{10}-\frac{1}{10}$
- $\frac{8}{10}★\frac{3}{10}=\frac{8}{10}-\frac{3}{10}-\frac{3}{10}$
- $\frac{7}{10}★\frac{2}{10}=\frac{7}{10}-\frac{2}{10}-\frac{2}{10}$

활동 문제 9쪽

$\frac{4}{15}-\square=\frac{2}{15}$, $\square=\frac{4}{15}-\frac{2}{15}=\frac{2}{15}$이고,

$\frac{13}{15}-\square=\frac{11}{15}$, $\square=\frac{13}{15}-\frac{11}{15}=\frac{2}{15}$이므로

뺄셈 상자는 $\frac{2}{15}$를 빼는 규칙입니다.

- $\frac{7}{15}-\frac{2}{15}=\frac{5}{15}$
- $1-\frac{2}{15}=\frac{15}{15}-\frac{2}{15}=\frac{13}{15}$
- $\frac{10}{15}-\frac{2}{15}=\frac{8}{15}$
- $\frac{3}{15}-\frac{2}{15}=\frac{1}{15}$

1일 서술형 길잡이 독해력 길잡이 10쪽~11쪽

1-1 (1) $\frac{5}{7}$ (2) 1

1-2 (1) $\frac{2}{8}$ (2) $\frac{7}{8}$

1-3 (1) $\frac{3}{9}$ (2) $\frac{6}{9}$

2-1 $\frac{6}{13}$

2-2 빨셈 상자에 $\frac{8}{9}$을 넣었더니 $\frac{4}{9}$가 나왔습니다. 이 빨셈 상자에 1을 넣었을 때 나오는 수를 구해 보세요.

/ $\frac{5}{9}$

2-3 $\frac{3}{7}$

1-1 (1) $\frac{1}{7}◈\frac{3}{7}=\frac{1}{7}+\frac{3}{7}+\frac{1}{7}=\frac{4}{7}+\frac{1}{7}=\frac{5}{7}$

(2) $\frac{4}{7}◈\frac{2}{7}=\frac{4}{7}+\frac{2}{7}+\frac{1}{7}=\frac{6}{7}+\frac{1}{7}=\frac{7}{7}=1$

1-2 (1) $\frac{7}{8}★\frac{3}{8}=\frac{7}{8}-\frac{2}{8}-\frac{3}{8}=\frac{5}{8}-\frac{3}{8}=\frac{2}{8}$

(2) $\frac{7}{8}★\frac{3}{8}$과 $\frac{5}{8}$의 합 ➔ $\frac{2}{8}+\frac{5}{8}=\frac{7}{8}$

1-3 (1) $\frac{2}{9}♣\frac{4}{9}=1-\frac{2}{9}-\frac{4}{9}=\frac{9}{9}-\frac{2}{9}-\frac{4}{9}$

$=\frac{7}{9}-\frac{4}{9}=\frac{3}{9}$

(2) $\frac{2}{9}♣\frac{4}{9}$와 $\frac{3}{9}$의 합 ➔ $\frac{3}{9}+\frac{3}{9}=\frac{6}{9}$

2-1 $\frac{10}{13}-\square=\frac{7}{13}$, $\square=\frac{10}{13}-\frac{7}{13}=\frac{3}{13}$이므로 빨셈 상자에 $\frac{9}{13}$를 넣었을 때 나오는 수는 $\frac{9}{13}-\frac{3}{13}=\frac{6}{13}$입니다.

2-2 $\frac{8}{9}-\square=\frac{4}{9}$, $\square=\frac{8}{9}-\frac{4}{9}=\frac{4}{9}$이므로 빨셈 상자에 1을 넣었을 때 나오는 수는 $1-\frac{4}{9}=\frac{9}{9}-\frac{4}{9}=\frac{5}{9}$입니다.

2-3 $\frac{5}{7}-\square=\frac{4}{7}$, $\square=\frac{5}{7}-\frac{4}{7}=\frac{1}{7}$이므로 빨셈 상자에 어떤 수를 넣었을 때 나오는 수는

(어떤 수)$-\frac{1}{7}=\frac{2}{7}$입니다.

➔ (어떤 수)$=\frac{2}{7}+\frac{1}{7}=\frac{3}{7}$

1일 사고력·코딩 12쪽~13쪽

1 $\frac{3}{4}$박자　2 (1) $\frac{8}{10}$ (2) $\frac{3}{10}$

3 (왼쪽부터) $\frac{5}{6}$, $\frac{2}{6}$　4 $\frac{11}{14}$

5 (위부터) $\frac{4}{15}$, $\frac{1}{15}$, $\frac{9}{15}$, $\frac{7}{15}$

1 둘째 마디에서 ♪ 음표 2개는 ♩ 음표 1개와 같으므로 한 마디는 $\frac{1}{4}+\frac{1}{4}+\frac{1}{4}=\frac{3}{4}$(박자)입니다.

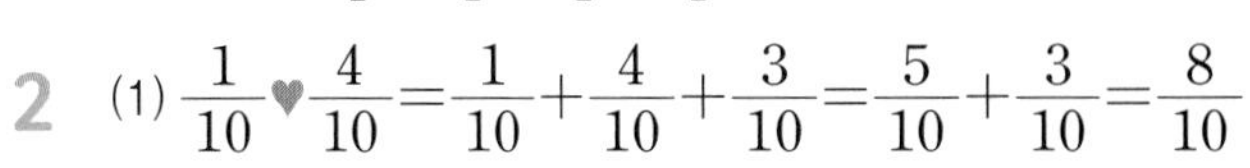

2 (1) $\frac{1}{10}♥\frac{4}{10}=\frac{1}{10}+\frac{4}{10}+\frac{3}{10}=\frac{5}{10}+\frac{3}{10}=\frac{8}{10}$

(2) $\frac{8}{10}♡\frac{2}{10}=\frac{8}{10}-\frac{2}{10}-\frac{3}{10}=\frac{6}{10}-\frac{3}{10}=\frac{3}{10}$

3 $\frac{4}{6}+\frac{1}{6}=\frac{5}{6}$, $\frac{5}{6}-\frac{3}{6}=\frac{2}{6}$

4 가$=\frac{3}{14}$일 때, 나$=\frac{3}{14}+\frac{6}{14}=\frac{9}{14}$입니다.

$\frac{9}{14}$는 $\frac{10}{14}$보다 크지 않으므로 가를 가$+\frac{2}{14}=\frac{3}{14}+\frac{2}{14}=\frac{5}{14}$로 바꿉니다.

$\frac{5}{14}+\frac{6}{14}=\frac{11}{14}$이고 $\frac{11}{14}$은 $\frac{10}{14}$보다 크므로 $\frac{11}{14}$을 출력합니다.

5

$\frac{8}{15}$	$\frac{3}{15}$	㉠
㉡	$\frac{5}{15}$	㉢
$\frac{6}{15}$	㉣	$\frac{2}{15}$

$\frac{8}{15}+\frac{3}{15}=\frac{11}{15}$이므로

㉠$=1-\frac{11}{15}=\frac{15}{15}-\frac{11}{15}=\frac{4}{15}$입니다.

$\frac{8}{15}+\frac{6}{15}=\frac{14}{15}$이므로

㉡$=1-\frac{14}{15}=\frac{15}{15}-\frac{14}{15}=\frac{1}{15}$입니다.

$\frac{1}{15}+\frac{5}{15}=\frac{6}{15}$이므로

㉢$=1-\frac{6}{15}=\frac{15}{15}-\frac{6}{15}=\frac{9}{15}$입니다.

남은 수는 $\frac{7}{15}$이므로 ㉣$=\frac{7}{15}$입니다.

2일 개념·원리 길잡이 14쪽~15쪽

활동 문제 14쪽

$4\frac{1}{5}$, $7\frac{4}{6}$, $17\frac{2}{10}$

활동 문제 15쪽

$15\frac{4}{10}$, $9\frac{2}{5}$, $4\frac{1}{3}$

활동 문제 14쪽

• 3일 동안 빨라진 시간은

$1\frac{2}{5}+1\frac{2}{5}+1\frac{2}{5}=3+\frac{6}{5}=3+1\frac{1}{5}=4\frac{1}{5}$(분)입니다.

• 2일 동안 빨라진 시간은

$3\frac{5}{6}+3\frac{5}{6}=6+\frac{10}{6}=6+1\frac{4}{6}=7\frac{4}{6}$(분)입니다.

• 4일 동안 빨라진 시간은

$4\frac{3}{10}+4\frac{3}{10}+4\frac{3}{10}+4\frac{3}{10}=16+\frac{12}{10}$

$=16+1\frac{2}{10}=17\frac{2}{10}$(분)입니다.

활동 문제 15쪽

• 집에서 우체국까지 가는 데 걸리는 시간은

$20\frac{7}{10}-5\frac{3}{10}=15\frac{4}{10}$(분)입니다.

• 놀이터에서 마트까지 가는 데 걸리는 시간은

$=17\frac{4}{5}-8\frac{2}{5}=9\frac{2}{5}$(분)입니다.

• 집에서 학교까지 가는 데 걸리는 시간은

$10\frac{2}{3}-6\frac{1}{3}=4\frac{1}{3}$(분)입니다.

2일 서술형 길잡이 독해력 길잡이 16쪽~17쪽

1-1 17분 30초

1-2 (1) $8\frac{3}{4}$분 (2) 8분 45초

1-3 (1) $20\frac{12}{15}$분 (2) 20분 48초

2-1 5분 12초

2-2 집에서 마트를 지나 놀이공원까지 가는 데 걸리는 시간은 $22\frac{3}{4}$분이고, 집에서 마트까지 가는 데 걸리는 시간은 $10\frac{2}{4}$분입니다. 마트에서 놀이공원까지 가는 데 걸리는 시간은 몇 분 몇 초인지 구해 보세요.

$10\frac{2}{4}$분, 집, 마트, 놀이공원, $22\frac{3}{4}$분

/ 12분 15초

1-1 7일 동안 빨라진 시간은

$2\frac{1}{2}+2\frac{1}{2}+2\frac{1}{2}+2\frac{1}{2}+2\frac{1}{2}+2\frac{1}{2}+2\frac{1}{2}$

$=14+\frac{7}{2}=14+3\frac{1}{2}=17\frac{1}{2}$(분)입니다.

$30+30=60$이므로 60초의 $\frac{1}{2}$은 30초입니다.

➜ $17\frac{1}{2}$분$=17$분$+\frac{1}{2}$분$=17$분 30초

1-2 (1) 5일 동안 빨라진 시간은

$1\frac{3}{4}+1\frac{3}{4}+1\frac{3}{4}+1\frac{3}{4}+1\frac{3}{4}=5+\frac{15}{4}$

$=5+3\frac{3}{4}=8\frac{3}{4}$(분)입니다.

(2) $15+15+15+15=60$이므로 60초의 $\frac{1}{4}$은 15초이고 $\frac{3}{4}$은 45초입니다.

➜ $8\frac{3}{4}$분$=8$분$+\frac{3}{4}$분$=8$분 45초

1-3 (1) 6일 동안 빨라진 시간은

$3\frac{7}{15}+3\frac{7}{15}+3\frac{7}{15}+3\frac{7}{15}+3\frac{7}{15}+3\frac{7}{15}$

$=18+\frac{42}{15}=18+2\frac{12}{15}=20\frac{12}{15}$(분)입니다.

(2) $\underbrace{4+4+\cdots\cdots+4+4}_{15개}=60$이므로 60초의 $\frac{1}{15}$은 4초이고 $\frac{12}{15}$는 48초입니다.

➜ $20\frac{12}{15}$분$=20$분$+\frac{12}{15}$분$=20$분 48초

2-1 (집~도서관~병원)−(도서관~병원)

$=30\frac{4}{5}-25\frac{3}{5}=5\frac{1}{5}$(분)

$12+12+12+12+12=60$이므로 60초의 $\frac{1}{5}$은 12초입니다.

➜ $5\frac{1}{5}$분$=5$분$+\frac{1}{5}$분$=5$분 12초

2-2 (집~마트~놀이공원)−(집~마트)

$=22\frac{3}{4}-10\frac{2}{4}=12\frac{1}{4}$(분)

$15+15+15+15=60$이므로 60초의 $\frac{1}{4}$은 15초입니다. ➜ $12\frac{1}{4}$분$=12$분$+\frac{1}{4}$분$=12$분 15초

2일 사고력·코딩 18쪽~19쪽

1 청팀

2 $4\frac{4}{9}$ g

3 7분 20초

4 $1\frac{5}{17}$

5

1 (홍팀)$=4\frac{1}{5}+7\frac{2}{5}=11\frac{3}{5}$,

(청팀)$=5\frac{3}{5}+6\frac{1}{5}=11\frac{4}{5}$

➜ $11\frac{3}{5}<11\frac{4}{5}$이므로 청팀이 이깁니다.

2 양쪽 접시의 추의 무게가 같으므로

$2\frac{4}{9}+㉮=6\frac{8}{9}$입니다.

➜ $㉮=6\frac{8}{9}-2\frac{4}{9}=4\frac{4}{9}$ (g)

3 학교에서 놀이터까지 가는 데 걸리는 시간은

$15\frac{2}{3}-8\frac{1}{3}=7\frac{1}{3}$(분)입니다.

$20+20+20=60$이므로 60초의 $\frac{1}{3}$은 20초입니다.

➜ $7\frac{1}{3}$분$=7$분$+\frac{1}{3}$분$=7$분 20초

4 $4\frac{11}{17}-1\frac{2}{17}=3\frac{9}{17}$

➜ 남은 수가 2보다 크므로 반복합니다.

$3\frac{9}{17}-1\frac{2}{17}=2\frac{7}{17}$

➜ 남은 수가 2보다 크므로 반복합니다.

$2\frac{7}{17}-1\frac{2}{17}=1\frac{5}{17}$

➜ 남은 수가 2보다 작으므로 남은 수를 씁니다.

따라서 화면에 쓰이는 수는 $1\frac{5}{17}$입니다.

5 (4일 동안 빨라진 시간)

$=3\frac{7}{15}+3\frac{7}{15}+3\frac{7}{15}+3\frac{7}{15}$

$=12+\frac{28}{15}=12+1\frac{13}{15}=13\frac{13}{15}$(분)

$\underbrace{4+4+\cdots\cdots+4+4}_{15개}=60$이므로 60초의 $\frac{1}{15}$은 4초, $\frac{13}{15}$은 52초입니다.

➜ $13\frac{13}{15}$분$=13$분$+\frac{13}{15}$분$=13$분 52초

따라서 4일 후 낮 12시에 이 시계는 12시 13분 52초를 가리킵니다.

3일 개념·원리 길잡이 20쪽~21쪽

활동 문제 20쪽

(왼쪽부터) $8\frac{3}{8}$, $\frac{4}{8}$, $7\frac{2}{8}$

활동 문제 21쪽

어떤 수에서 $\frac{3}{10}$을 빼야 할 것을 잘못하여 더했더니 3이 되었습니다. — $2\frac{7}{10}$

어떤 수에 $\frac{7}{10}$을 더해야 할 것을 잘못하여 뺐더니 $2\frac{3}{10}$이 되었습니다. — 3

어떤 수에 $2\frac{1}{10}$을 더해야 할 것을 잘못하여 뺐더니 $4\frac{9}{10}$가 되었습니다. — 7

활동 문제 20쪽

• ㉠ → $+3\frac{1}{8}$ → $-1\frac{5}{8}$ → $9\frac{7}{8}$이므로 거꾸로 생각하면

$9\frac{7}{8}+1\frac{5}{8}=10+\frac{12}{8}=10+1\frac{4}{8}=11\frac{4}{8}$,

$11\frac{4}{8}-3\frac{1}{8}=8\frac{3}{8}$입니다.

• ㉡ → $+3\frac{1}{8}$ → $+2\frac{3}{8}$ → 6이므로 거꾸로 생각하면

$6-2\frac{3}{8}=5\frac{8}{8}-2\frac{3}{8}=3\frac{5}{8}$, $3\frac{5}{8}-3\frac{1}{8}=\frac{4}{8}$입니다.

• ㉢ → $-1\frac{5}{8}$ → $+2\frac{3}{8}$ → 8이므로 거꾸로 생각하면

$8-2\frac{3}{8}=7\frac{8}{8}-2\frac{3}{8}=5\frac{5}{8}$,

$5\frac{5}{8}+1\frac{5}{8}=6+\frac{10}{8}=6+1\frac{2}{8}=7\frac{2}{8}$입니다.

활동 문제 21쪽

• 어떤 수는 $\frac{3}{10}$을 더하기 전의 수이므로 $\frac{3}{10}$을 빼어 구합니다. → $3-\frac{3}{10}=2\frac{10}{10}-\frac{3}{10}=2\frac{7}{10}$

• 어떤 수는 $\frac{7}{10}$을 빼기 전의 수이므로 $\frac{7}{10}$을 더하여 구합니다. → $2\frac{3}{10}+\frac{7}{10}=2+\frac{10}{10}=3$

• 어떤 수는 $2\frac{1}{10}$을 빼기 전의 수이므로 $2\frac{1}{10}$을 더하여 구합니다. → $4\frac{9}{10}+2\frac{1}{10}=6+\frac{10}{10}=7$

3일 서술형 길잡이 독해력 길잡이 22쪽~23쪽

1-1 $5\frac{5}{7}$

1-2 (1) $7\frac{5}{8}$ (2) $5\frac{2}{8}$

1-3 (1) $9\frac{1}{5}$ (2) 11

2-1 $9\frac{3}{9}$

2-2 파란색 선을 따라 계산한 결과는 10입니다. ㉡에 알맞은 수를 구해 보세요.

㉠	$+1\frac{2}{9}$	$-\frac{3}{9}$
㉡	$-4\frac{1}{9}$	$+2\frac{5}{9}$

/ $11\frac{8}{9}$

2-3 $11\frac{11}{13}$

1-1 어떤 수는 $\frac{1}{7}$을 더하기 전의 수이므로 $\frac{1}{7}$을 빼어 구합니다. → $6-\frac{1}{7}=5\frac{7}{7}-\frac{1}{7}=5\frac{6}{7}$

바르게 계산한 값은 $5\frac{6}{7}-\frac{1}{7}=5\frac{5}{7}$입니다.

1-2 (1) 어떤 수는 $2\frac{3}{8}$을 더하기 전의 수이므로 $2\frac{3}{8}$을 빼어 구합니다. → $10-2\frac{3}{8}=9\frac{8}{8}-2\frac{3}{8}=7\frac{5}{8}$

(2) 바르게 계산한 값은 $7\frac{5}{8}-2\frac{3}{8}=5\frac{2}{8}$입니다.

1-3 (1) 어떤 수는 $1\frac{4}{5}$를 빼기 전의 수이므로 $1\frac{4}{5}$를 더하여 구합니다. → $7\frac{2}{5}+1\frac{4}{5}=8+\frac{6}{5}=8+1\frac{1}{5}=9\frac{1}{5}$

(2) 바르게 계산한 값은 $9\frac{1}{5}+1\frac{4}{5}=10+\frac{5}{5}=11$입니다.

2-1 $2\frac{5}{9}$를 더하기 전의 수

→ $9-2\frac{5}{9}=8\frac{9}{9}-2\frac{5}{9}=6\frac{4}{9}$,

$4\frac{1}{9}$을 빼기 전의 수 → $6\frac{4}{9}+4\frac{1}{9}=10\frac{5}{9}$,

$1\frac{2}{9}$를 더하기 전의 수 → $10\frac{5}{9}-1\frac{2}{9}=9\frac{3}{9}$

2-2 $\frac{3}{9}$을 빼기 전의 수 → $10+\frac{3}{9}=10\frac{3}{9}$,

$2\frac{5}{9}$를 더하기 전의 수

→ $10\frac{3}{9}-2\frac{5}{9}=9\frac{12}{9}-2\frac{5}{9}=7\frac{7}{9}$,

$4\frac{1}{9}$을 빼기 전의 수 → $7\frac{7}{9}+4\frac{1}{9}=11\frac{8}{9}$

2-3 $2\frac{8}{13}$을 더하기 전의 수 → $7\frac{8}{13}-2\frac{8}{13}=5$,

$1\frac{3}{13}$을 더하기 전의 수

→ $5-1\frac{3}{13}=4\frac{13}{13}-1\frac{3}{13}=3\frac{10}{13}$,

$5\frac{5}{13}$를 빼기 전의 수

→ $3\frac{10}{13}+5\frac{5}{13}=8+\frac{15}{13}=8+1\frac{2}{13}=9\frac{2}{13}$,

$2\frac{9}{13}$를 빼기 전의 수 → $9\frac{2}{13}+2\frac{9}{13}=11\frac{11}{13}$

3일 사고력·코딩 24쪽~25쪽

1 $2\frac{3}{5}$

2 $3\frac{1}{7}$

3 (왼쪽부터) $5\frac{7}{8}$, 9 / $\frac{1}{8}$

4 $2\frac{4}{5}$

5 ★에 ○표, $14\frac{3}{8}$

1 □ 안에 알맞은 수는 $1\frac{1}{5}$을 더하기 전의 수이므로 $3\frac{4}{5}-1\frac{1}{5}=2\frac{3}{5}$입니다.

2 어떤 수는 $2\frac{3}{7}$을 더하기 전의 수이므로 $2\frac{3}{7}$을 빼어 구합니다. ➔ $8-2\frac{3}{7}=7\frac{7}{7}-2\frac{3}{7}=5\frac{4}{7}$

바르게 계산한 값은 $5\frac{4}{7}-2\frac{3}{7}=3\frac{1}{7}$입니다.

3 삼각형의 꼭짓점에 있는 세 수를 한 번씩 이용하여 가장 작은 대분수를 만드는 규칙입니다.

➔ $5\frac{7}{8}-5\frac{6}{8}=\frac{1}{8}$

4 가$=2\frac{3}{5}$이고 나$=6-2\frac{3}{5}=5\frac{5}{5}-2\frac{3}{5}=3\frac{2}{5}$입니다.

나가 $3\frac{2}{5}$로 3보다 작지 않으므로 가를 가$+\frac{3}{5}$ $=2\frac{3}{5}+\frac{3}{5}=2+\frac{6}{5}=2+1\frac{1}{5}=3\frac{1}{5}$로 바꿉니다.

나$=6-3\frac{1}{5}=5\frac{5}{5}-3\frac{1}{5}=2\frac{4}{5}$로 3보다 작으므로 $2\frac{4}{5}$를 출력합니다.

5 오른쪽으로 2칸을 가야 하므로 파란색이나 보라색 별에서 출발할 수 없습니다.

$5\frac{6}{8}$을 빼기 전의 수 ➔ $4+5\frac{6}{8}=9\frac{6}{8}$,

$3\frac{7}{8}$을 빼기 전의 수

➔ $9\frac{6}{8}+3\frac{7}{8}=12+\frac{13}{8}=12+1\frac{5}{8}=13\frac{5}{8}$,

$1\frac{3}{8}$을 더하기 전의 수 ➔ $13\frac{5}{8}-1\frac{3}{8}=12\frac{2}{8}$,

$2\frac{1}{8}$을 빼기 전의 수 ➔ $12\frac{2}{8}+2\frac{1}{8}=14\frac{3}{8}$

4일 개념·원리 길잡이 26쪽~27쪽

활동 문제 26쪽

(왼쪽부터) 5, 4 / 6, 5 / 7, 5 / 4, 3
(순서는 바뀌어도 됩니다.)

활동 문제 27쪽

$\frac{6}{8}$, $1\frac{5}{8}$ / $\frac{7}{9}$, $2\frac{4}{9}$ / $\frac{5}{7}$, $3\frac{4}{7}$

활동 문제 26쪽

- 진분수가 되려면 분자는 6보다 작은 4, 5, 2가 될 수 있고, 5 > 4 > 2이므로 합이 가장 크려면 5, 4를 사용합니다.
- 진분수가 되려면 분자는 9보다 작은 1, 5, 6이 될 수 있고, 6 > 5 > 1이므로 합이 가장 크려면 6, 5를 사용합니다.
- 진분수가 되려면 분자는 8보다 작은 4, 3, 5, 7이 될 수 있고, 7 > 5 > 4 > 3이므로 합이 가장 크려면 7, 5를 사용합니다.
- 진분수가 되려면 분자는 5보다 작은 1, 2, 3, 4가 될 수 있고, 4 > 3 > 2 > 1이므로 합이 가장 크려면 4, 3을 사용합니다.

활동 문제 27쪽

- 분모가 같아야 하므로 2개인 8을 분모로 사용합니다.
  6 > 5 > 1이므로 가장 큰 진분수는 $\frac{6}{8}$이고, 남은 수는 5 > 1이므로 가장 작은 대분수는 $1\frac{5}{8}$입니다.
- 분모가 같아야 하므로 2개인 9를 분모로 사용합니다.
  7 > 4 > 2이므로 가장 큰 진분수는 $\frac{7}{9}$이고, 남은 수는 4 > 2이므로 가장 작은 대분수는 $2\frac{4}{9}$입니다.
- 분모가 같아야 하므로 2개인 7을 분모로 사용합니다.
  5 > 4 > 3이므로 가장 큰 진분수는 $\frac{5}{7}$이고, 남은 수는 4 > 3이므로 가장 작은 대분수는 $3\frac{4}{7}$입니다.

4일 서술형 길잡이 독해력 길잡이 28쪽~29쪽

1-1 $\frac{5}{7}+\frac{3}{7}\left(\frac{3}{7}+\frac{5}{7}\right)$, $1\frac{1}{7}$

1-2 (1), (2) $\frac{6}{8}+\frac{4}{8}\left(\frac{4}{8}+\frac{6}{8}\right)$, $1\frac{2}{8}$

1-3 (1), (2) $\frac{1}{6}+\frac{4}{6}\left(\frac{4}{6}+\frac{1}{6}\right)$, $\frac{5}{6}$

2-1 $\frac{7}{9}$

2-2 수 카드를 모두 한 번씩 사용하여 분모가 같은 진분수와 대분수를 만들려고 합니다. 만들 수 있는 가장 큰 진분수와 가장 작은 대분수의 차를 구해 보세요.

7 6 3 7 4

/ $2\frac{5}{7}$

2-3 $5\frac{2}{5}$

1-1 분모가 될 수 있는 수는 수 카드가 2장인 7이고, 진분수가 되려면 분자는 1, 5, 3이 될 수 있습니다.

5 > 3 > 1이므로 가장 큰 진분수는 $\frac{5}{7}$, 둘째로 큰 진분수는 $\frac{3}{7}$입니다. ➔ $\frac{5}{7}+\frac{3}{7}=\frac{8}{7}=1\frac{1}{7}$

1-2 (1) 분모가 될 수 있는 수는 수 카드가 2장인 8입니다.

(2) 진분수가 되려면 분자는 6, 4, 2가 될 수 있습니다.

6 > 4 > 2이므로 가장 큰 진분수는 $\frac{6}{8}$, 둘째로 큰 진분수는 $\frac{4}{8}$입니다. ➔ $\frac{6}{8}+\frac{4}{8}=\frac{10}{8}=1\frac{2}{8}$

1-3 (1) 분모가 될 수 있는 수는 수 카드가 2장인 6입니다.

(2) 진분수가 되려면 분자는 4, 1, 5가 될 수 있습니다.

$1<4<5$이므로 가장 작은 진분수는 $\frac{1}{6}$, 둘째로 작은 진분수는 $\frac{4}{6}$입니다. ➜ $\frac{1}{6}+\frac{4}{6}=\frac{5}{6}$

2-1 분모가 같아야 하므로 수 카드가 2장인 9를 분모로 사용합니다.

$4>2>1$이므로 가장 큰 진분수는 $\frac{4}{9}$이고, 남은 수는 $2>1$이므로 가장 작은 대분수는 $1\frac{2}{9}$입니다.

➜ $1\frac{2}{9}-\frac{4}{9}=\frac{11}{9}-\frac{4}{9}=\frac{7}{9}$

2-2 분모가 같아야 하므로 수 카드가 2장인 7을 분모로 사용합니다.

$6>4>3$이므로 가장 큰 진분수는 $\frac{6}{7}$이고, 남은 수는 $4>3$이므로 가장 작은 대분수는 $3\frac{4}{7}$입니다.

➜ $3\frac{4}{7}-\frac{6}{7}=2\frac{11}{7}-\frac{6}{7}=2\frac{5}{7}$

2-3 분모가 같아야 하므로 수 카드가 2장인 5를 분모로 사용합니다.

$6>4>2>1$이므로 가장 큰 대분수는 $6\frac{4}{5}$이고, 남은 수는 $2>1$이므로 가장 작은 대분수는 $1\frac{2}{5}$입니다.

➜ $6\frac{4}{5}-1\frac{2}{5}=5\frac{2}{5}$

4일 사고력·코딩 30쪽~31쪽

1 4

2 (1) $3\frac{2}{5}$, $\frac{4}{5}$에 색칠, $2\frac{3}{5}$

(2) $4\frac{5}{13}$, $1\frac{7}{13}$에 색칠, $2\frac{11}{13}$

3 $11\frac{1}{7}$

4 $3\frac{10}{11}$

5 (위부터) $1\frac{5}{10}$, $\frac{4}{10}$, $2\frac{5}{10}$

1 원과 오각형이 겹쳐져 있으므로

$2\frac{1}{4}+1\frac{3}{4}=3+\frac{4}{4}=4$입니다.

2 (1) $3\frac{2}{5}>2\frac{1}{5}>1\frac{3}{5}>\frac{4}{5}$

➜ $3\frac{2}{5}-\frac{4}{5}=2\frac{7}{5}-\frac{4}{5}=2\frac{3}{5}$

(2) $4\frac{5}{13}>3\frac{1}{13}>\frac{21}{13}\left(=1\frac{8}{13}\right)>1\frac{7}{13}$

➜ $4\frac{5}{13}-1\frac{7}{13}=3\frac{18}{13}-1\frac{7}{13}=2\frac{11}{13}$

3 분모가 같아야 하므로 구슬이 2개인 7을 분모로 사용합니다. $9>5>4>3>1$이므로 가장 큰 대분수는 $9\frac{5}{7}$이고, 남은 수는 $4>3>1$이므로 가장 작은 대분수는 $1\frac{3}{7}$입니다.

➜ $9\frac{5}{7}+1\frac{3}{7}=10+\frac{8}{7}=10+1\frac{1}{7}=11\frac{1}{7}$

4 $5-7-6-$㉢이므로 ㉢$=5\frac{6}{11}$,

$1-7-8-$㉡이므로 ㉡$=1\frac{7}{11}$,

$4-6-8-$㉠이므로 ㉠$=4\frac{6}{11}$입니다.

➜ (가장 큰 수)−(가장 작은 수)

$=5\frac{6}{11}-1\frac{7}{11}=4\frac{17}{11}-1\frac{7}{11}=3\frac{10}{11}$

5

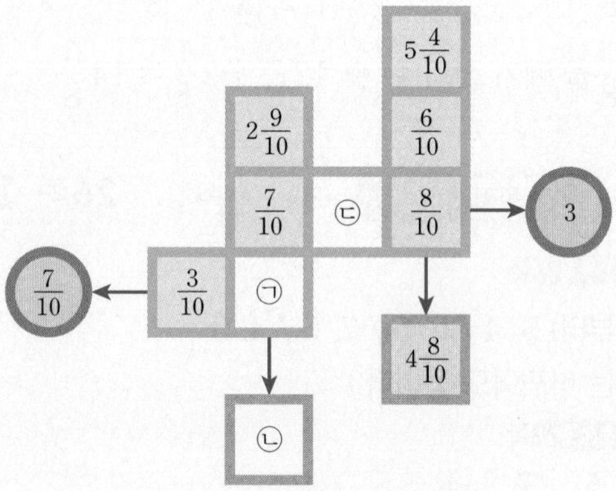

• $\frac{3}{10}+$㉠$=\frac{7}{10}$, ㉠$=\frac{7}{10}-\frac{3}{10}=\frac{4}{10}$

• $2\frac{9}{10}>\frac{7}{10}>\frac{4}{10}$이므로

㉡$=2\frac{9}{10}-\frac{4}{10}=2\frac{5}{10}$입니다.

• $\frac{7}{10}+$㉢$+\frac{8}{10}=3$, ㉢$+\frac{15}{10}=3$, ㉢$+1\frac{5}{10}=3$,

㉢$=3-1\frac{5}{10}=2\frac{10}{10}-1\frac{5}{10}=1\frac{5}{10}$

정답 및 해설

5일 개념·원리 길잡이 32쪽~33쪽

활동 문제 32쪽

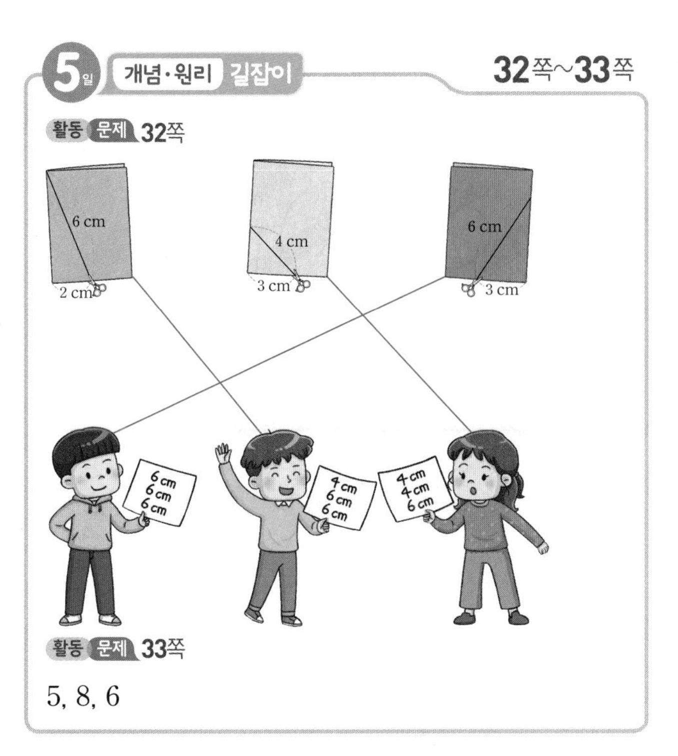

활동 문제 33쪽

5, 8, 6

활동 문제 32쪽

- 이등변삼각형의 세 변의 길이는 각각 6 cm, 6 cm, $2+2=4$ (cm)입니다.
- 이등변삼각형의 세 변의 길이는 각각 4 cm, 4 cm, $3+3=6$ (cm)입니다.
- 이등변삼각형의 세 변의 길이는 각각 6 cm, 6 cm, $3+3=6$ (cm)입니다.

활동 문제 33쪽

- 굵은 선은 정삼각형의 한 변의 길이가 6개 모인 것과 같습니다. (정삼각형의 한 변의 길이)$=30\div6=5$ (cm)
- 굵은 선은 정삼각형의 한 변의 길이가 6개 모인 것과 같습니다. (정삼각형의 한 변의 길이)$=48\div6=8$ (cm)
- 굵은 선은 정삼각형의 한 변의 길이가 4개 모인 것과 같습니다. (정삼각형의 한 변의 길이)$=24\div4=6$ (cm)

5일 서술형 길잡이 독해력 길잡이 34쪽~35쪽

1-1 26 cm

1-2 (1) 7 cm, 7 cm, 10 cm (2) 24 cm

1-3 (1) ㉠+㉠+3+3=14 또는 ㉠+㉠+6=14
(2) 4 cm

2-1 12 cm

2-2 똑같은 정삼각형 6개를 변끼리 이어 붙여 만든 도형입니다. 파란색 선의 길이가 54 cm일 때, 가장 작은 정삼각형의 세 변의 길이의 합은 몇 cm인지 구해 보세요.
/ 27 cm

2-3 18 cm

1-1 이등변삼각형의 세 변의 길이는 9 cm, 9 cm, $4+4=8$ (cm)입니다. ➜ $9+9+8=26$ (cm)

1-2 (1) 이등변삼각형의 세 변의 길이는 7 cm, 7 cm, $5+5=10$ (cm)입니다.
(2) $7+7+10=24$ (cm)

1-3 (1) 이등변삼각형의 세 변의 길이는 ㉠, ㉠, $3+3=6$ (cm)입니다. ➜ 삼각형의 세 변의 길이의 합은 ㉠+㉠+3+3=14 또는 ㉠+㉠+6=14입니다.
(2) ㉠+㉠+6=14, ㉠+㉠=8, ㉠=4 cm

2-1 파란색 선은 가장 작은 정삼각형의 한 변의 길이가 8개 모인 것과 같습니다. ➜ 가장 작은 정삼각형의 한 변의 길이는 $32\div8=4$ (cm)이므로, 세 변의 길이의 합은 $4\times3=12$ (cm)입니다.

2-2 파란색 선은 가장 작은 정삼각형의 한 변의 길이가 6개 모인 것과 같습니다. ➜ 가장 작은 정삼각형의 한 변의 길이는 $54\div6=9$ (cm)이므로, 세 변의 길이의 합은 $9\times3=27$ (cm)입니다.

2-3 (가장 작은 정삼각형의 한 변의 길이)$=6\div3=2$ (cm)
파란색 선은 가장 작은 정삼각형의 한 변의 길이가 9개 모인 것과 같습니다.
➜ (파란색 선의 길이)$=2\times9=18$ (cm)

5일 사고력·코딩 36쪽~37쪽

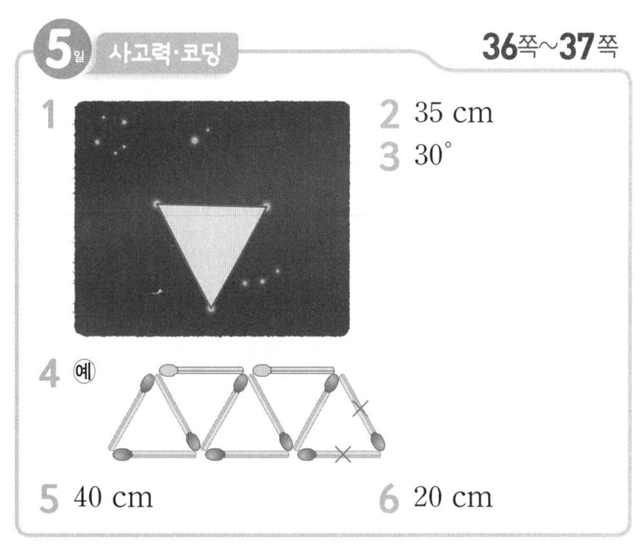

1 거리가 같은 세 개의 별을 찾아 연결하여 정삼각형을 그립니다.

2 정삼각형은 세 변의 길이가 같으므로 세 변의 길이의 합은 $10+10+10=30$ (cm)입니다. 따라서 재일이가 가지고 있던 줄은 $30+5=35$ (cm)입니다.

3 120°를 뺀 나머지 두 각의 크기가 같고 두 각의 크기의 합은 $180° - 120° = 60°$입니다.
$60° = 30° + 30°$이므로 가려진 한 각의 크기는 30°입니다.

4

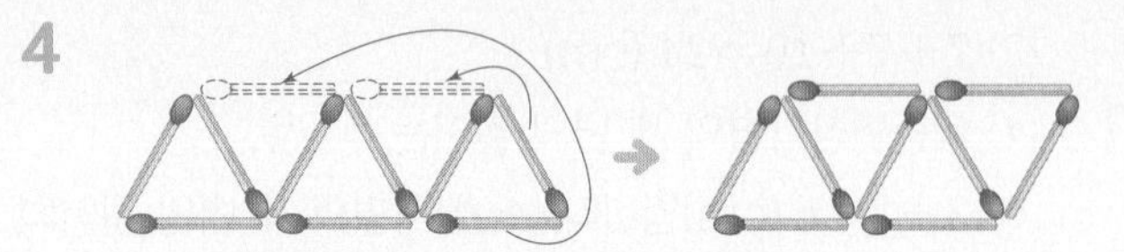

5 색종이를 잘라서 만들어지는 삼각형은

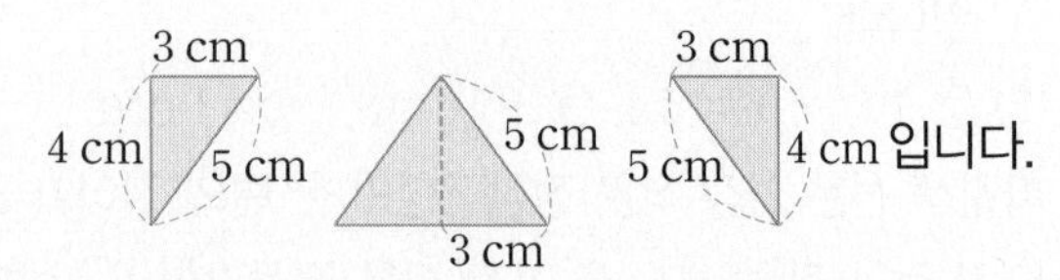

입니다.

세 삼각형의 세 변의 길이의 합은 각각
$4+3+5=12$ (cm), $5+5+6=16$ (cm),
$3+5+4=12$ (cm)입니다.
➔ $12+16+12=40$ (cm)

6 굵은 선은 가장 작은 정삼각형의 한 변의 길이가 8개 모인 것과 같습니다.
➔ 가장 작은 정삼각형의 한 변의 길이는 $40 \div 8 = 5$ (cm)이므로, 파란색 선의 길이는 $5 \times 4 = 20$ (cm)입니다.

1주 특강 창의 · 융합 · 코딩 38쪽~43쪽

1

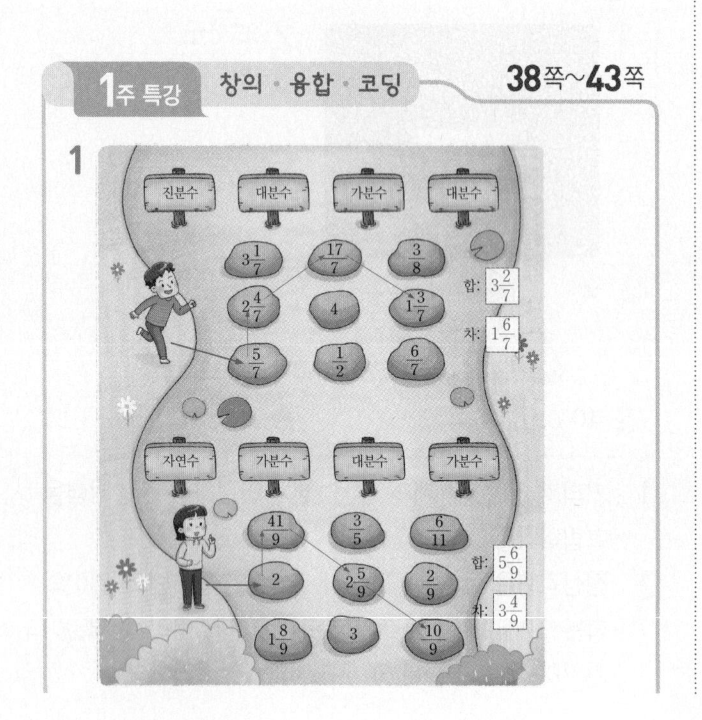

2

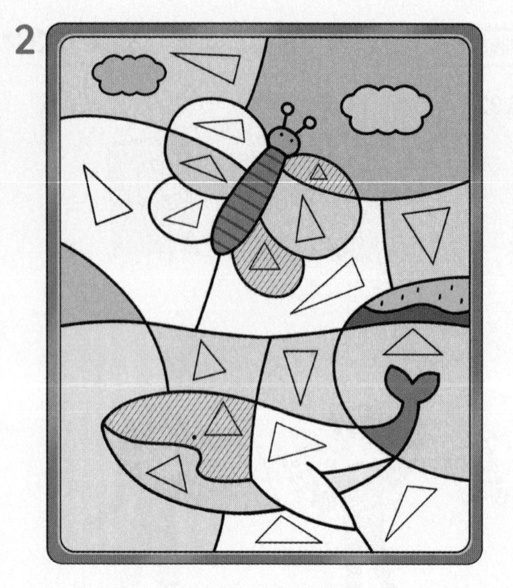

3 ❶ $2\frac{7}{8}$, $1\frac{3}{8}$ ❷ $1\frac{2}{10}$, $\frac{6}{10}$

4 6

5 ❶ $2\frac{5}{17}$ m ❷ $2\frac{11}{17}$ m

6 ❶ (위부터) 7, $\frac{2}{15}$ ❷ 7개 ❸ $\frac{2}{15}$ m

7 예

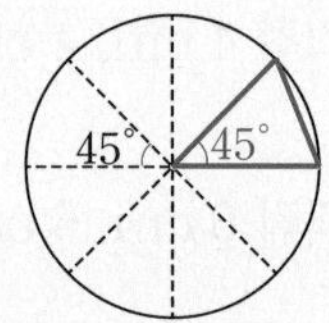

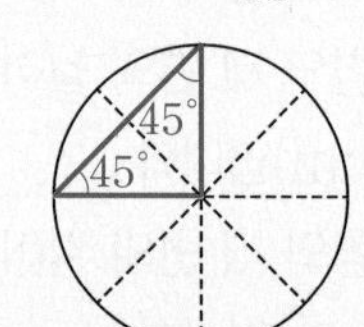

8 예

1
- $2\frac{4}{7} > \frac{17}{7}\left(=2\frac{3}{7}\right) > 1\frac{3}{7} > \frac{5}{7}$

➔ 합: $2\frac{4}{7}+\frac{5}{7}=2+\frac{9}{7}=2+1\frac{2}{7}=3\frac{2}{7}$

차: $2\frac{4}{7}-\frac{5}{7}=1\frac{11}{7}-\frac{5}{7}=1\frac{6}{7}$

- $\frac{41}{9}\left(=4\frac{5}{9}\right) > 2\frac{5}{9} > 2 > \frac{10}{9}\left(=1\frac{1}{9}\right)$

➔ 합: $4\frac{5}{9}+1\frac{1}{9}=5\frac{6}{9}$

차: $4\frac{5}{9}-1\frac{1}{9}=3\frac{4}{9}$

3 주어진 두 수의 합을 ♡에, 차를 ☆에 써넣는 규칙입니다.

$\frac{8}{9}+\frac{5}{9}=\frac{13}{9}=1\frac{4}{9}$, $\frac{8}{9}-\frac{5}{9}=\frac{3}{9}$

$4\frac{2}{7}+1\frac{5}{7}=5+\frac{7}{7}=5+1=6$,

$4\frac{2}{7}-1\frac{5}{7}=3\frac{9}{7}-1\frac{5}{7}=2\frac{4}{7}$

❶ $2\frac{1}{8}+\frac{6}{8}=2\frac{7}{8}$, $2\frac{1}{8}-\frac{6}{8}=1\frac{9}{8}-\frac{6}{8}=1\frac{3}{8}$

❷ $\frac{9}{10}+\frac{3}{10}=\frac{12}{10}=1\frac{2}{10}$, $\frac{9}{10}-\frac{3}{10}=\frac{6}{10}$

4 분모를 □라 하면 $\frac{5}{□}+\frac{4}{□}=\frac{9}{□}$이고,

$\frac{9}{□}=1\frac{3}{□}=\frac{□+3}{□}$이므로 $9=□+3$입니다.

$□=9-3=6$

5 ❶ (해민)=(승규)$+\frac{9}{17}=1\frac{13}{17}+\frac{9}{17}=1+\frac{22}{17}$

$=1+1\frac{5}{17}=2\frac{5}{17}$ (m)

❷ (자욱)=(해민)$+\frac{4}{17}+\frac{2}{17}=2\frac{5}{17}+\frac{4}{17}+\frac{2}{17}$

$=2\frac{9}{17}+\frac{2}{17}=2\frac{11}{17}$ (m)

6 ❶ $3\frac{13}{15}=\frac{58}{15}$이므로 58에서 8씩 7번을 빼면 됩니다.

➔ $3\frac{13}{15}-\frac{\overbrace{8+8+\cdots\cdots+8}^{7개}}{15}=\frac{58}{15}-\frac{56}{15}=\frac{2}{15}$

❷ $3\frac{13}{15}$에서 $\frac{8}{15}$을 7번까지 뺄 수 있으므로 리본은 7개까지 만들 수 있습니다.

❸ $3\frac{13}{15}$에서 $\frac{8}{15}$을 7번 빼고 남은 수가 $\frac{2}{15}$이므로 남은 색 테이프는 $\frac{2}{15}$ m입니다.

7 한 각의 크기가 45°인 이등변삼각형과 두 각의 크기가 45°인 이등변삼각형을 그릴 수 있습니다.

누구나 100점 TEST 44쪽~45쪽

1 $3\frac{5}{8}$	**2** $1\frac{2}{9}$
3 36분	**4** 13분 48초
5 13	**6** (위부터) 7, 7, 4 / 18 cm
7 2, 5 / $5\frac{6}{11}$	

1 $5\frac{5}{8}♣1\frac{7}{8}=5\frac{5}{8}-1\frac{7}{8}-\frac{1}{8}$

$=4\frac{13}{8}-1\frac{7}{8}-\frac{1}{8}$

$=3\frac{6}{8}-\frac{1}{8}=3\frac{5}{8}$

2 $\frac{3}{9}+□=1$, $□=1-\frac{3}{9}=\frac{9}{9}-\frac{3}{9}=\frac{6}{9}$이므로

덧셈 상자에 $\frac{5}{9}$를 넣었을 때 나오는 수는

$\frac{5}{9}+\frac{6}{9}=\frac{11}{9}=1\frac{2}{9}$입니다.

3 (집~시청~공항)=(집~시청)+(시청~공항)

$=\frac{7}{20}+\frac{5}{20}=\frac{12}{20}$(시간)

$\underbrace{3+3+3+\cdots\cdots+3+3}_{20개}=60$이므로

60분의 $\frac{1}{20}$은 3분, $\frac{12}{20}$는 36분입니다.

➔ $\frac{12}{20}$시간=36분

4 하루에 $2\frac{3}{10}$분씩 빨라지는 시계가 6일 동안 빨라진

시간은 $2\frac{3}{10}+2\frac{3}{10}+2\frac{3}{10}+2\frac{3}{10}+2\frac{3}{10}+2\frac{3}{10}$

$=12+\frac{18}{10}=12+1\frac{8}{10}=13\frac{8}{10}$(분)입니다.

$\underbrace{6+6+\cdots\cdots+6+6}_{10개}=60$이므로

60초의 $\frac{1}{10}$은 6초, $\frac{8}{10}$은 48초입니다.

➔ $13\frac{8}{10}$분=13분$+\frac{8}{10}$분=13분 48초

5 $\frac{3}{7}$을 빼기 전의 수 ➔ $9\frac{3}{7}+\frac{3}{7}=9\frac{6}{7}$,

$\frac{1}{7}$을 더하기 전의 수 ➔ $9\frac{6}{7}-\frac{1}{7}=9\frac{5}{7}$,

$3\frac{2}{7}$를 빼기 전의 수 ➔ $9\frac{5}{7}+3\frac{2}{7}=12+\frac{7}{7}=13$

6 잘라내 펼친 삼각형은 이등변삼각형이고, 세 변의 길이는 7 cm, 7 cm, 2+2=4 (cm)입니다.

➔ 7+7+4=18 (cm)

7 계산 결과가 가장 커야 하므로 빼는 수의 자연수 부분에 가장 작은 수를, 분자에 두 번째로 작은 수를 씁니다.

➔ $8-2\frac{5}{11}=7\frac{11}{11}-2\frac{5}{11}=5\frac{6}{11}$

정답 및 해설

2주

2주에는 무엇을 공부할까? ❷ 48쪽~49쪽

1-1 (　　)(○)　1-2 (　　)(○)
2-1 (1) 가, 다 (2) 다　2-2 (1) 가, 나 (2) 가
3-1 (1) 0, 8 (2) 1 ; 4, 4
3-2 (1) 0, 4 (2) 3, 10 ; 2, 7
4-1 (1) 5.61 (2) 4.07　4-2 (1) 4.01 (2) 3.78

1-1 세 각이 모두 예각인 삼각형을 찾습니다.
1-2 한 각이 둔각인 삼각형을 찾습니다.
2-1 (1) 두 변의 길이가 같은 삼각형은 가, 다입니다.
(2) 가, 다 중에서 한 각이 둔각인 삼각형은 다입니다.
2-2 (1) 세 각이 모두 예각인 삼각형은 가, 나입니다.
(2) 가, 나 중에서 세 변의 길이가 같은 삼각형은 가입니다.
3-1 (2) 소수 첫째 자리에서 받아올림이 있으면 일의 자리로 받아올림하여 계산합니다.
3-2 (2) 소수 첫째 자리 수끼리 뺄 수 없으면 일의 자리에서 받아내림하여 계산합니다.
4-1 ~ 4-2 소수 둘째 자리, 소수 첫째 자리, 일의 자리의 순서대로 같은 자리 수끼리 계산합니다.

1일 개념·원리 길잡이 50쪽~51쪽

활동 문제 50쪽

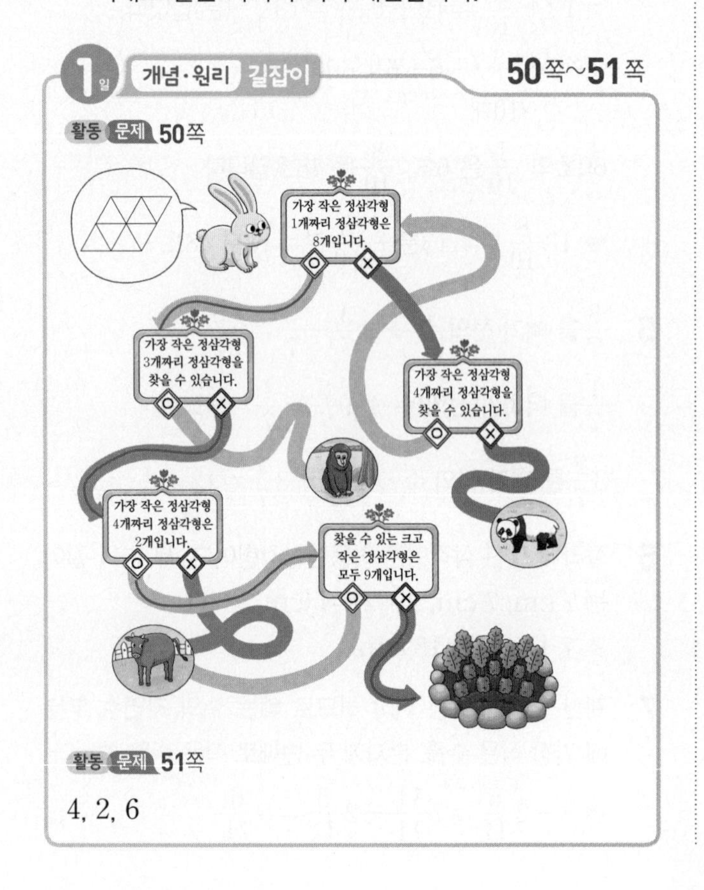

활동 문제 51쪽

4, 2, 6

활동 문제 50쪽

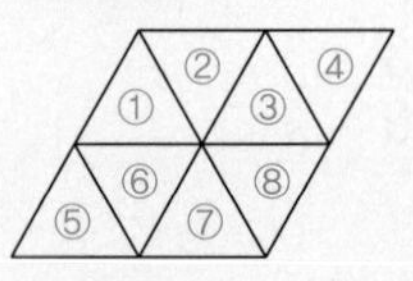

• 1개짜리: ①, ②, ③, ④, ⑤, ⑥, ⑦, ⑧ → 8개
• 4개짜리: ①⑤⑥⑦, ②③④⑧ → 2개
→ 8+2=10(개)

활동 문제 51쪽

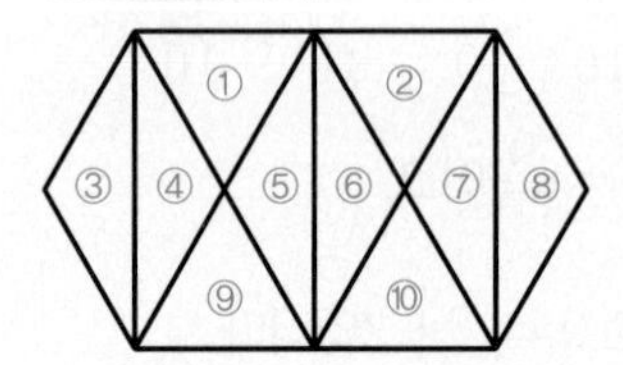

• ①, ②, ⑨, ⑩ → 4개
• ①⑤⑥②, ⑨⑤⑥⑩ → 2개
• ③, ④, ⑤, ⑥, ⑦, ⑧ → 6개

1일 서술형 길잡이 독해력 길잡이 52쪽~53쪽

1-1 10개
1-2 (1) 8개 (2) 2개 (3) 10개
1-3 (1) 9개 (2) 3개 (3) 13개
2-1 4개
2-2

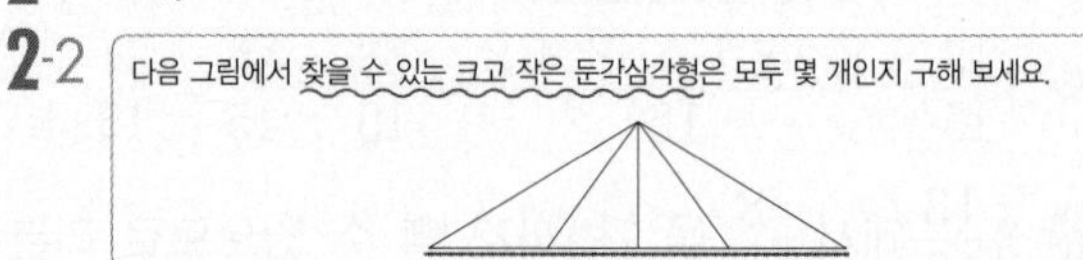

/ 5개
2-3 6개, 7개

1-1

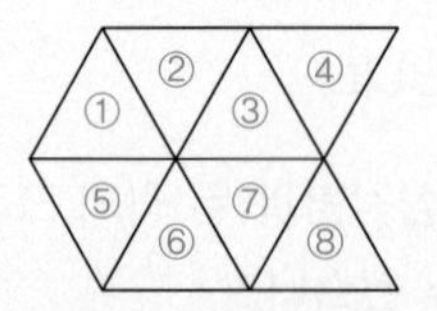

1개짜리: ①, ②, ③, ④, ⑤, ⑥, ⑦, ⑧ → 8개
4개짜리: ②③④⑦, ③⑥⑦⑧ → 2개
] 10개

1-2

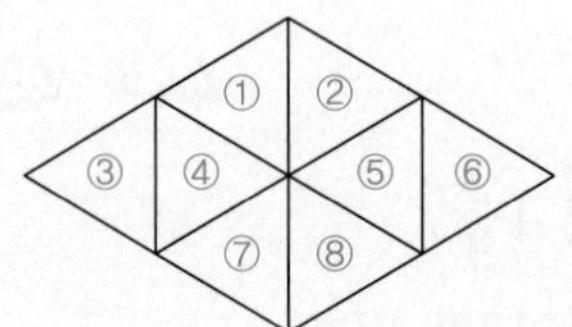

(1) ①, ②, ③, ④, ⑤, ⑥, ⑦, ⑧로 8개입니다.
(2) ①③④⑦, ②⑤⑥⑧로 2개입니다.
(3) 크고 작은 정삼각형은 모두 8+2=10(개)입니다.

1-3

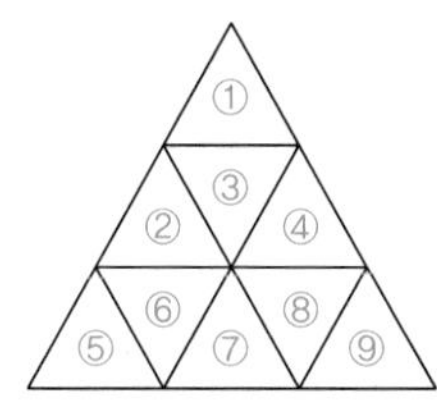

(1) ①, ②, ③, ④, ⑤, ⑥, ⑦, ⑧, ⑨로 9개입니다.

(2) ①②③④, ②⑤⑥⑦, ④⑦⑧⑨로 3개입니다.

(3) 가장 작은 정삼각형 9개짜리 정삼각형은 ①②③④⑤⑥⑦⑧⑨로 1개입니다.
따라서 크고 작은 정삼각형은 모두 $9+3+1=13$(개)입니다.

2-1

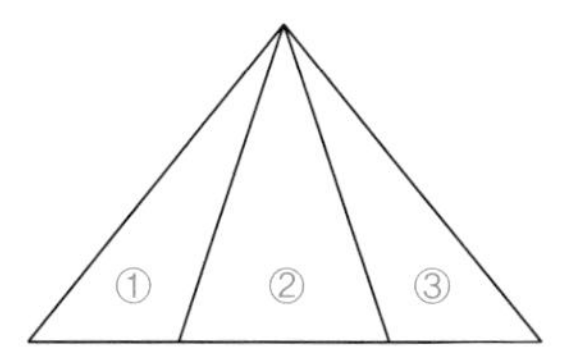

1개짜리: ② ➔ 1개,
2개짜리: ①②, ②③ ➔ 2개,
3개짜리: ①②③ ➔ 1개
따라서 모두 $1+2+1=4$(개)입니다.

2-2

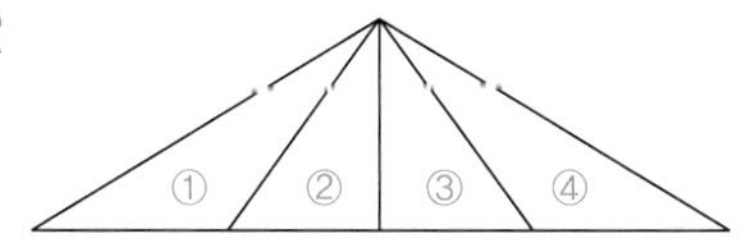

1개짜리: ①, ④ ➔ 2개,
2개짜리: ①②③, ②③④ ➔ 2개,
4개짜리: ①②③④ ➔ 1개
따라서 모두 $2+2+1=5$(개)입니다.

2-3

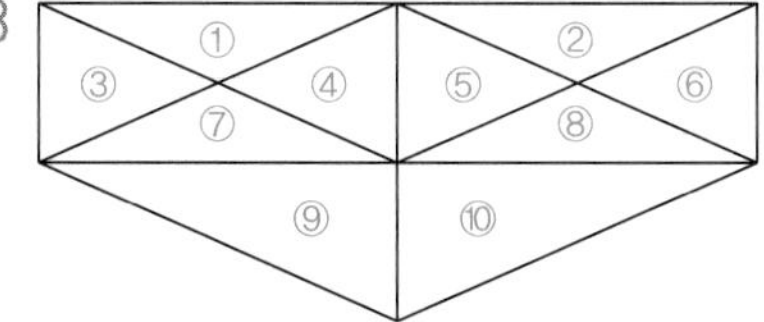

• 크고 작은 예각삼각형
1개짜리: ③, ④, ⑤, ⑥ ➔ 4개,
3개짜리: ④⑦⑨, ⑤⑧⑩ ➔ 2개
따라서 모두 $4+2=6$(개)입니다.

• 크고 작은 둔각삼각형
1개짜리: ①, ⑦, ②, ⑧ ➔ 4개,
2개짜리: ⑨⑩ ➔ 1개,
4개짜리: ①④⑤②, ⑦④⑤⑧ ➔ 2개
따라서 모두 $4+1+2=7$(개)입니다.

1일 사고력·코딩 54쪽~55쪽

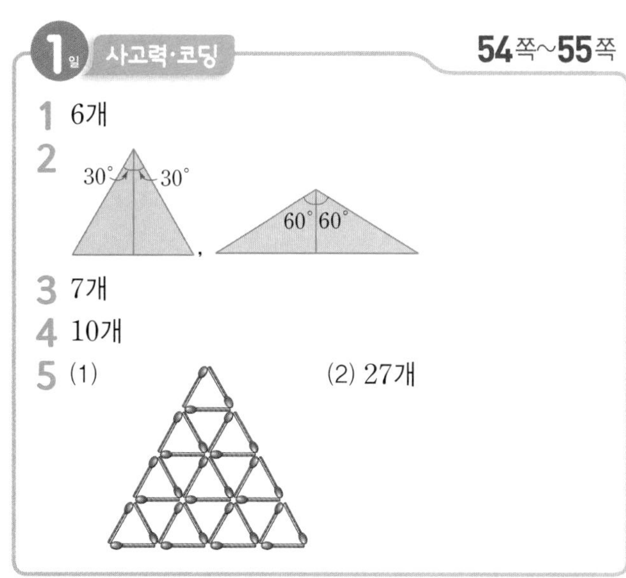

1 6개

2 (30°, 30° / 60°, 60°)

3 7개

4 10개

5 (1) (2) 27개

1

옷걸이 모양 자체가 둔각삼각형이므로 가장 큰 둔각삼각형은 3개, 두 번째로 큰 둔각삼각형은 2개, 가장 작은 둔각삼각형은 1개입니다.
따라서 크고 작은 둔각삼각형은 모두 $3+2+1=6$(개)입니다.

2

• 30°인 각을 2개 붙이면 $30°+30°=60°$로 예각이므로 예각삼각형을 만들 수 있습니다.

• 60°인 각을 2개 붙이면 $60°+60°=120°$로 둔각이므로 둔각삼각형을 만들 수 있습니다.

3

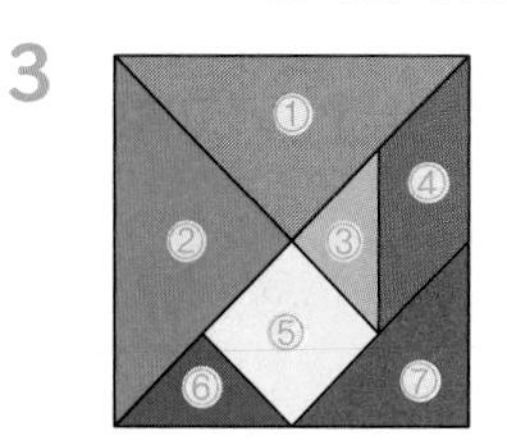

• 1개짜리: ①, ②, ③, ⑥, ⑦ ➔ 5개
• 2개짜리: ①② ➔ 1개
• 5개짜리: ⑥⑤③④⑦ ➔ 1개
따라서 모두 $5+1+1=7$(개)입니다.

4

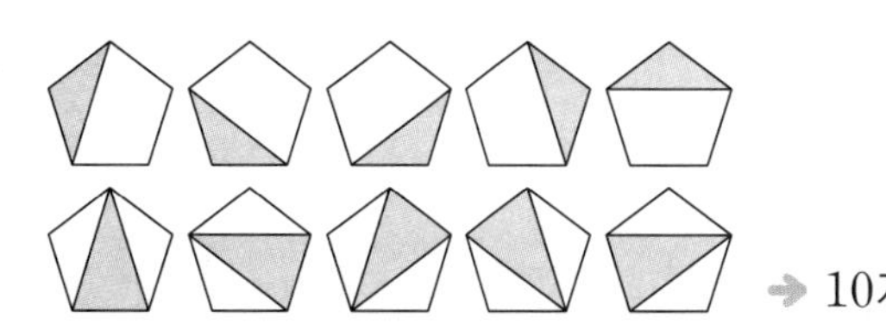

➔ 10개

5

(2) 1개짜리: 16개, 4개짜리: 7개,
9개짜리: 3개, 16개짜리: 1개
따라서 모두 $16+7+3+1=27$(개)입니다.

2일 개념·원리 길잡이 56쪽~57쪽

활동 문제 56쪽

① 예각삼각형에 ○표
③ 둔각삼각형에 ○표
③ 예각삼각형에 ○표

활동 문제 57쪽

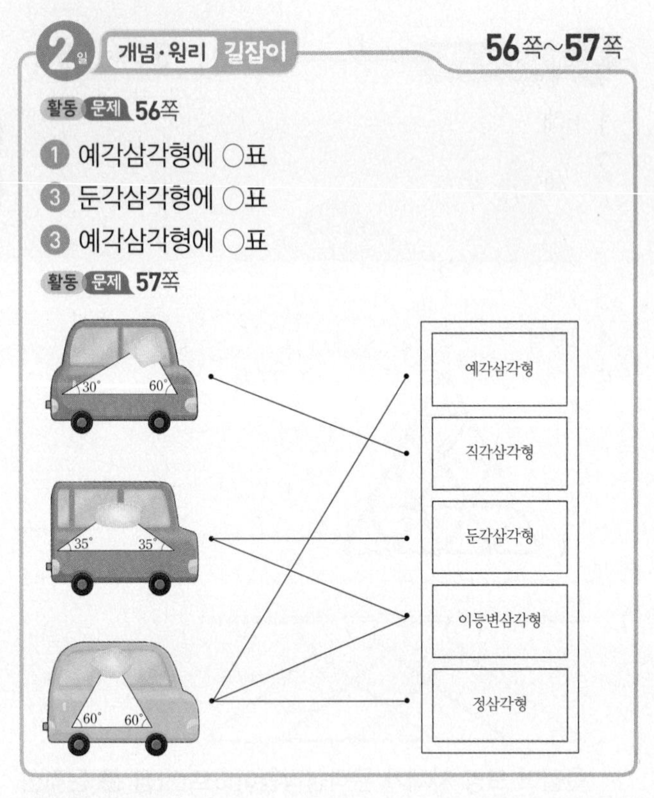

활동 문제 56쪽

① 세 조각을 이어 붙여 만든 삼각형은 세 각의 크기가 60°, 70°, 50°로 세 각이 모두 예각입니다.
세 각이 모두 예각인 삼각형은 예각삼각형이라고 합니다.

③ 세 조각을 이어 붙여 만든 삼각형은 세 각의 크기가 30°, 40°, 110°로 한 각이 둔각입니다.
한 각이 둔각인 삼각형은 둔각삼각형이라고 합니다.

③ 세 조각을 이어 붙여 만든 삼각형은 세 각의 크기가 50°, 80°, 50°로 세 각이 모두 예각입니다.
세 각이 모두 예각인 삼각형은 예각삼각형이라고 합니다.

활동 문제 57쪽

- 삼각형의 세 각의 크기는 30°, 60°, 180°−30°−60°=90°로 한 각이 직각이므로 직각삼각형입니다.
- 두 각의 크기가 35°로 같으므로 이등변삼각형입니다. 삼각형의 세 각의 크기는 35°, 35°, 180°−35°−35°=110°로 한 각이 둔각이므로 둔각삼각형입니다.
- 삼각형의 세 각의 크기는 60°, 60°, 180°−60°−60°=60°로 세 각이 모두 예각이므로 예각삼각형이고, 세 각의 크기가 모두 60°로 같으므로 정삼각형, 이등변삼각형입니다.

2일 서술형 길잡이 독해력 길잡이 58쪽~59쪽

1-1 예각삼각형, 이등변삼각형
1-2 (1) 120° (2) 이등변삼각형, 둔각삼각형
1-3 (1) 75° (2) 예각삼각형

2-1 60°, 60° 에 ○표; 예각삼각형, 정삼각형, 이등변삼각형

2-2 삼각형을 세 조각으로 잘랐습니다. 한 조각이 왼쪽과 같을 때 나머지 두 조각을 찾아 ○표 하고, 삼각형의 이름이 될 수 있는 것을 모두 써 보세요.

/ 90°, 45° 에 ○표, 직각삼각형, 이등변삼각형

2-3 45°, 55° 에 ○표 ; 예각삼각형

1-1 가려진 나머지 한 각의 크기는 180°−80°−50°=50°입니다. 삼각형의 세 각의 크기가 50°, 80°, 50°로 모두 예각이므로 예각삼각형이고, 두 각의 크기가 50°로 같으므로 이등변삼각형입니다.

1-2 (1) 가려진 나머지 한 각의 크기는 180°−30°−30°=120°입니다.
(2) 삼각형의 세 각의 크기가 30°, 30°, 120°로 두 각의 크기가 30°로 같으므로 이등변삼각형이고, 한 각이 둔각이므로 둔각삼각형입니다.

1-3 (1) 나머지 한 각의 크기는 180°−80°−25°=75°입니다.
(2) 삼각형의 세 각의 크기가 80°, 25°, 75°로 모두 예각이므로 예각삼각형입니다.

2-1 나머지 두 각의 크기의 합은 180°−60°=120°입니다. 세 조각 중에서 두 조각씩 각의 크기의 합을 구해 보면 60°+60°=120°로 나머지 두 조각을 찾을 수 있습니다. 삼각형의 세 각의 크기가 60°, 60°, 60°로 세 각이 모두 예각이므로 예각삼각형이고, 세 각의 크기가 60°로 모두 같으므로 정삼각형, 이등변삼각형입니다.

2-2 나머지 두 각의 크기의 합은 180°−45°=135°입니다. 세 조각 중에서 두 조각씩 각의 크기의 합을 구해 보면 90°+45°=135°로 나머지 두 조각을 찾을 수 있습니다. 삼각형의 세 각의 크기가 45°, 90°, 45°로 한 각이 직각이므로 직각삼각형이고, 두 각의 크기가 45°로 같으므로 이등변삼각형입니다.

2-3 나머지 두 각의 크기의 합은 180°−80°=100°입니다. 세 조각 중에서 두 조각씩 각의 크기의 합을 구해 보면 45°+55°=100°로 나머지 두 조각을 찾을 수 있습니다. 삼각형의 세 각의 크기가 80°, 45°, 55°로 세 각이 모두 예각이므로 예각삼각형입니다.

정답 및 해설

2일 사고력·코딩 60쪽~61쪽

1 (1) 예각삼각형, 정삼각형, 이등변삼각형 (2) 직각삼각형

2 직각삼각형, 둔각삼각형

3

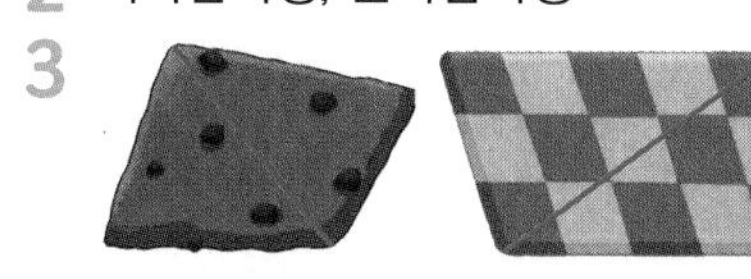

4 (1)

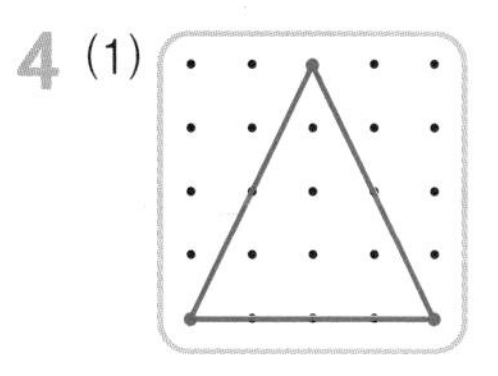 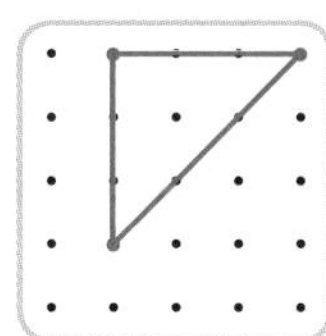 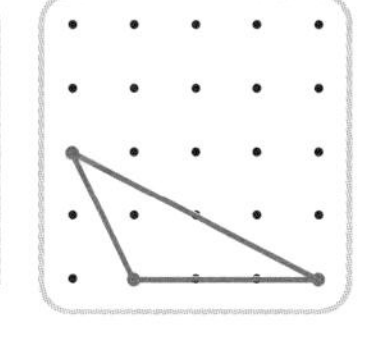

(2) 해민

5 예각삼각형, 이등변삼각형

1 (1) 삼각형의 세 각의 크기가
$60°$, $60°$, $180°-60°-60°=60°$로 세 각이 모두 예각이므로 예각삼각형이고, 세 각의 크기가 $60°$로 같으므로 정삼각형, 이등변삼각형입니다.

(2) 삼각형의 세 각의 크기가
$50°$, $40°$, $180°-50°-40°=90°$로 한 각이 직각이므로 직각삼각형입니다.

2 종이를 접은 선들이 남아서 생기는 자국은 왼쪽과 같습니다.
정사각형의 한 각의 크기는 $90°$이므로 바깥쪽 두 삼각형은 직각삼각형, 안쪽 두 삼각형은 둔각삼각형입니다.

3 세 각이 모두 예각이 되는 삼각형이 만들어지도록 선을 긋습니다.

4 (2) 만든 삼각형이 이등변삼각형인 사람은 해민이와 재희입니다. 해민이가 만든 삼각형은 예각삼각형이고, 재희가 만든 삼각형은 직각삼각형입니다.

5 (그린 삼각형의 나머지 한 각의 크기)
$=180°-50°-65°=65°$
삼각형의 세 각의 크기가 $50°$, $65°$, $65°$로 모두 예각이므로 예각삼각형이고, 두 각의 크기가 같으므로 이등변삼각형입니다.

3일 개념·원리 길잡이 62쪽~63쪽

활동 문제 62쪽

0.75, 0.86 / 1.8, 0.003

활동 문제 63쪽

2, 1, 3 / 2, 3, 1 / 3, 2, 1

활동 문제 63쪽

• 540 cm=5.4 m
5.3, 4.9, 5.4의 자연수 부분을 비교하면 5>4이므로 4.9가 가장 작습니다. 5.3과 5.4의 소수 첫째 자리를 비교하면 3<4이므로 5.4가 가장 큽니다.

• 850 g=0.85 kg
0.85, 0.87, 0.79의 자연수 부분이 모두 0으로 같으므로 소수 첫째 자리를 비교하면 8>7이므로 0.79가 가장 작습니다. 0.85와 0.87의 소수 둘째 자리를 비교하면 5<7이므로 0.87이 가장 큽니다.

• 1800 mL=1.8 L
1.83, 1.8, 1.38의 자연수 부분이 모두 1로 같으므로 소수 첫째 자리를 비교하면 8>3이므로 1.38이 가장 작습니다. 1.83과 1.8(=1.80)의 소수 둘째 자리를 비교하면 3>0이므로 1.83이 가장 큽니다.

3일 서술형 길잡이 독해력 길잡이 64쪽~65쪽

1-1 1.44 m

1-2 (1) 153 cm (2) 1.53 m

1-3 (1) 690 g (2) 0.69 kg

2-1 (왼쪽부터) 병원, 도서관, 학교

2-2 석호네 집에서 은행, 시청, 놀이공원까지의 거리는 각각 0.997 km, 2187 m, 2.153 km입니다. 집에서 은행, 시청, 놀이공원까지의 거리를 비교하여 빈 곳에 알맞게 써넣으세요.
/ (왼쪽부터) 은행, 놀이공원, 시청

2-3 민지, 태인, 승현

1-1 수민이의 키는 192−48=144 (cm)입니다.
➡ 144 cm=1.44 m

1-2 (1) 해솔이의 키는 213−60=153 (cm)입니다.
(2) 153 cm=1.53 m

1-3 (1) 다른 한 마리의 무게는 1560−870=690 (g)입니다.
(2) 690 g=0.69 kg

2-1 1519 m=1.519 km
1.487, 1.519, 1.493의 자연수 부분은 모두 1로 같으므로 소수 첫째 자리를 비교하면 4<5이므로 1.519가 가장 큽니다. 1.487과 1.493의 소수 둘째 자리를 비교하면 8<9이므로 1.487이 가장 작습니다. 따라서 집에서 가까운 순서대로 병원, 도서관, 학교를 써넣습니다.

2-2 2187 m=2.187 km

0.997, 2.187, 2.153의 자연수 부분은 0<2이므로 0.997이 가장 작습니다. 2.187과 2.153의 자연수 부분과 소수 첫째 자리가 같으므로 소수 둘째 자리를 비교하면 8>5이므로 2.187이 가장 큽니다. 따라서 집에서 가까운 순서대로 은행, 놀이공원, 시청을 써넣습니다.

2-3 370 mL=0.37 L

0.35, 0.37, 0.48의 자연수 부분은 모두 0으로 같으므로 소수 첫째 자리를 비교하면 3<4이므로 0.48이 가장 큽니다. 0.35와 0.37의 소수 둘째 자리를 비교하면 5<7이므로 0.35가 가장 작습니다. 따라서 주스를 많이 마신 사람부터 차례로 쓰면 민지, 태인, 승현입니다.

3일 사고력·코딩 66쪽~67쪽

1 0.279 km에 ○표　　2 나 농장
3 3.32 m　　4 (위부터) 0.4 L, 4 L
5 1.27 m, 1.3 m / 124 cm, 1.35 m

1 • 0.933 → ×　• 0.715 → 0.7
• 0.497 → 0.007　• 0.279 → 0.07

2 각각의 무게를 kg 단위로 바꾸어 보면
가 농장: 0.485 kg, 나 농장: 0.847 kg,
다 농장: 0.887 kg입니다.
소수 둘째 자리 숫자는 각각 8, 4, 8이므로 다른 한 농장은 나 농장입니다.

3 세로는 변하지 않고 가로는 174÷2=87 (cm)입니다.
따라서 네 변의 길이의 합은
87+79+87+79=332 (cm)이고,
332 cm=3.32 m입니다.

4 40 mL=0.04 L
0.04의 100배는 4이므로 4 L, 4의 $\frac{1}{10}$은 0.4이므로 0.4 L를 빈 곳에 각각 써넣습니다.

5 124 cm=1.24 m
1.24 m<1.27 m<1.3 m<1.35 m
해민이는 장원이보다 크지만 은희보다 작습니다.
→ 장원<해민<은희
윤주는 해민이보다 작지만 장원이보다 큽니다.
→ 장원<윤주<해민
→ 장원<윤주<해민<은희
따라서 장원(1.24 m)<윤주(1.27 m)<해민(1.3 m)<은희(1.35 m)입니다.

4일 개념·원리 길잡이 68쪽~69쪽

활동 문제 68쪽
(위부터) 5 / 2 / 5 / 0
활동 문제 69쪽
(위부터) 7 / 5 / 2 / 2

활동 문제 68쪽

• $\begin{array}{r} 6.\square \\ +\ 3.2 \\ \hline 9.7 \end{array}$ □+2=7, □=7−2=5

• $\begin{array}{r} \square.8 \\ +\ 3.3 \\ \hline 6.1 \end{array}$ 받아올림이 있으므로 1+□+3=6, □+4=6, □=6−4=2입니다.

• $\begin{array}{r} 1.\square \\ +\ 3.9 \\ \hline 5.4 \end{array}$ □+9는 4가 될 수 없으므로 □+9=14입니다. □=14−9=5

• $\begin{array}{r} 5.7 \\ +\ \square.4 \\ \hline 6.1 \end{array}$ 받아올림이 있으므로 1+5+□=6, 6+□=6, □=0입니다.

활동 문제 69쪽

• $\begin{array}{r} 8.\square \\ -\ 2.5 \\ \hline 6.2 \end{array}$ □−5=2, □=2+5=7

• $\begin{array}{r} 6.4 \\ -\ 4.\square \\ \hline 1.9 \end{array}$ 4−□가 9가 되는 □는 없으므로 받아내림하여 10+4−□=9입니다. 14−□=9, □=14−9=5

• $\begin{array}{r} 3.4 \\ -\ \square.7 \\ \hline 0.7 \end{array}$ 받아내림하였으므로 3−1−□=0, 2−□=0, □=2입니다.

• $\begin{array}{r} \square.1 \\ -\ 0.3 \\ \hline 1.8 \end{array}$ 받아내림하였으므로 □−1−0=1, □=1+1=2입니다.

4일 서술형 길잡이 독해력 길잡이 70쪽~71쪽

1-1 (1) 1, 4 (2) 4, 3　　1-2 (1) 8 (2) 2
1-3 (1) 4 (2) 5 (3) 4　　2-1 8.7−3.3=5.4
2-2 한울이는 종이에 뺄셈식을 적고 계산해 보았습니다. 뺄셈식이 적힌 종이가 다음과 같이 찢어졌습니다. 찢어진 부분에 들어갈 수를 구해 뺄셈식을 완성해 보세요.
.2 − 0. = 3.7
/ 4.2−0.5=3.7
2-3 9, 9, 6

1-1 (1)

```
    5.㉠
+   ㉡.2
--------
    9.3
```

㉠+2=3, ㉠=3−2=1 ➔ 5+㉡=9, ㉡=9−5=4

(2)

```
    ㉡.9
+   2.㉠
--------
    6.3
```

9+㉠은 3이 될 수 없으므로 9+㉠=13입니다. ㉠=13−9=4 ➔ 받아올림이 있으므로 1+㉡+2=6, ㉡+3=6, ㉡=6−3=3입니다.

1-2

```
    1.㉠
+   ㉡.8
--------
    4.6
```

(1) ㉠+8은 6이 될 수 없으므로 ㉠+8=16입니다. ㉠=16−8=8

(2) 받아올림이 있으므로 1+1+㉡=4, 2+㉡=4, ㉡=4−2=2입니다.

1-3

```
    1.㉡㉠
+   ㉢.0 7
----------
    5.6 1
```

(1) ㉠+7은 1이 될 수 없으므로 ㉠+7=11입니다. ㉠=11−7=4

(2) 받아올림이 있으므로 1+㉡+0=6, 1+㉡=6, ㉡=6−1=5입니다.

(3) 1+㉢=5, ㉢=5−1=4

2-1

```
    8.㉠
−   ㉡.3
--------
    5.4
```

㉠−3=4, ㉠=4+3=7
8−㉡=5, ㉡=8−5=3

2-2

```
    ㉡.2
−   0.㉠
--------
    3.7
```

2−㉠=7인 ㉠이 없으므로 받아내림하여 10+2−㉠=7, 12−㉠=7, ㉠=12−7=5입니다.
받아내림하였으므로 ㉡−1−0=3, ㉡−1=3, ㉡=3+1=4입니다.

2-3

```
    9.㉡ 1
−   ㉢.6 ㉠
----------
    0.2 5
```

1−㉠=5인 ㉠이 없으므로 받아내림하여 10+1−㉠=5, 11−㉠=5, ㉠=11−5=6입니다.
받아내림하였으므로 ㉡−1−6=2, ㉡−7=2, ㉡=2+7=9입니다.
9−㉢=0, ㉢=9

4일 사고력·코딩 72쪽~73쪽

1 9가지	**2** (1) 3, 0 (2) 4, 1
3 6, 5, 2, 8, 4	**4** 4.29
5 (1) 3, 2 / 1 / 1, 3 (2) 7 / 7, 4 / 3, 4	

1 1.㉠+2.㉡이 자연수이려면 소수점 아래의 수가 없어야 하므로 ㉠+㉡이 10이 되어야 합니다.
합이 10이 되는 (㉠, ㉡)은 (1, 9), (2, 8), (3, 7), (4, 6), (5, 5), (6, 4), (7, 3), (8, 2), (9, 1)입니다.

2 (1)

```
    ㉡.8
+   6.㉠
--------
    7.1
```

8+㉠은 1이 될 수 없으므로 8+㉠=11입니다. ㉠=11−8=3 ➔ 받아올림이 있으므로 1+㉡+6=7, ㉡+7=7, ㉡=7−7=0입니다.

(2)

```
    4.㉠
−   ㉡.5
--------
    2.9
```

㉠−5가 9가 되는 ㉠은 없으므로 받아내림하여 10+㉠−5=9입니다. ㉠+5=9, ㉠=9−5=4
➔ 받아내림하였으므로 4−1−㉡=2, 3−㉡=2, ㉡=3−2=1입니다.

3 소수 둘째 자리의 계산에서 1이 되는 수는 5와 4입니다. ➔ □.05−□.□4=3.21
소수 첫째 자리의 계산에서 0에서 뺄 수 없으므로 일의 자리에서 받아내림하여 10−□=2입니다.
□=10−2=8 ➔ □.05−□.84=3.21
받아내림하였으므로 일의 자리 계산은 6−1−2=3입니다. ➔ 6.05−2.84=3.21

4 가=4.09 ➔ 나=3.78+4.09=7.87로 8.05보다 크지 않습니다. 가+0.1=4.19이므로 나=3.78+4.19=7.97로 8.05보다 크지 않습니다. 가+0.1=4.29이므로 나=3.78+4.29=8.07로 8.05보다 큽니다.
따라서 4.29를 출력합니다.

5 (1)

```
    ★.♥ 7
−   ▲.6 4
----------
    ▲.6 ★
```

소수 둘째 자리의 계산: 7−4=3 ➔ ★=3
소수 첫째 자리의 계산: ♥−6은 6이 될 수 없으므로 받아내림하여 10+♥−6=6, 4+♥=6, ♥=6−4=2입니다.
일의 자리의 계산: 받아내림하였으므로 3−1−▲=▲, 2−▲=▲, ▲+▲=2, ▲=1입니다.

(2)

```
    ♥.1 9
−   3.♥ ★
----------
    ▲.★ 5
```

소수 둘째 자리의 계산: 9−★=5, ★=9−5=4
소수 첫째 자리의 계산: 1−♥는 4가 될 수 없으므로 받아내림하여 10+1−♥=4, 11−♥=4, ♥=11−4=7입니다.
일의 자리의 계산: 받아내림하였으므로 7−1−3=▲, ▲=3입니다.

5일 개념·원리 길잡이 74쪽~75쪽

활동 문제 74쪽

4.3, 4.3, 0.4, 3.9 / 4.47, 4.47, 0.36, 4.11

활동 문제 75쪽

1.9, 3.58, 3.58, 1.04, 2.54 / 1.1, 3, 3, 0.5, 2.5

활동 문제 74쪽

- $2.7+1.6=4.3$ (m) ➔ $4.3-0.4=3.9$ (m)
- $1.42+3.05=4.47$ (m) ➔ $4.47-0.36=4.11$ (m)

활동 문제 75쪽

- 마을 입구에서 박물관까지의 거리:
  $1.68+1.9=3.58$ (km) ➔ $3.58-1.04=2.54$ (km)
- 마을 입구에서 공연장까지의 거리:
  $1.9+1.1=3$ (km) ➔ $3-0.5=2.5$ (km)

5일 서술형 길잡이 독해력 길잡이 76쪽~77쪽

1-1 4 m
1-2 (1) 7.8 m (2) 6.6 m
1-3 (1) 7.74 m (2) 6.04 m
2-1 2.12 km
2-2 한울이네 집에서 학교까지의 거리는 2.21 km이고, 서점에서 놀이공원까지의 거리는 3.08 km입니다. 서점과 학교 사이의 거리가 1.7 km일 때 한울이네 집에서 놀이공원까지의 거리는 몇 km인지 구해 보세요.

/ 3.59 km

1-1 색 테이프의 길이의 합: $2.7+1.5=4.2$ (m)
➔ 겹친 부분의 길이를 빼면 $4.2-0.2=4$ (m)입니다.

1-2 (1) $3.2+4.6=7.8$ (m)
(2) $7.8-1.2=6.6$ (m)

1-3 (1) $3.69+4.05=7.74$ (m)
(2) $7.74-1.7=6.04$ (m)

2-1 (집~놀이터)+(마트~야구장)
$=0.85+1.43=2.28$ (km)
➔ (집~야구장)$=2.28-0.16=2.12$ (km)

2-2 (집~학교)+(서점~놀이공원)
$=2.21+3.08=5.29$ (km)
➔ (집~놀이공원)$=5.29-1.7=3.59$ (km)

5일 사고력·코딩 78쪽~79쪽

1 10.83 cm
2 19.8 cm
3 41.73 kg
4 10.4 km
5 0.8 m

1 다 막대의 길이: $11.45+6.9=18.35$ (cm)
나 막대의 길이: $18.35-7.52=10.83$ (cm)

2 (색 테이프 3장의 길이의 합)
$=8.4+8.4+8.4=25.2$ (cm)
(겹치는 두 부분의 길이의 합)$=2.7+2.7=5.4$ (cm)
➔ (전체 길이)$=25.2-5.4=19.8$ (cm)

3 민호의 몸무게: 38.75 kg
➔ 성표의 몸무게: $38.75-2.37=36.38$ (kg)
➔ 해영이의 몸무게: $36.38+5.35=41.73$ (kg)

4 (집~은행)+(병원~시청)$=8.16+5.44=13.6$ (km),
(병원~서점)+(서점~은행)$=2.37+0.83=3.2$ (km)
➔ (집~시청)$=13.6-3.2=10.4$ (km)

5 (색 테이프 3장의 길이의 합)
$=3.54+3.54+3.54=10.62$ (m)
(겹친 두 부분의 길이의 합)$=10.62-9.02=1.6$ (m)
이고 $1.6=0.8+0.8$이므로 ㉠은 0.8 m입니다.

2주 특강 창의·융합·코딩 80쪽~85쪽

1

2

3 ❶ 95.42 ❷ 24.59 ❸ 70.83
4 15개
5

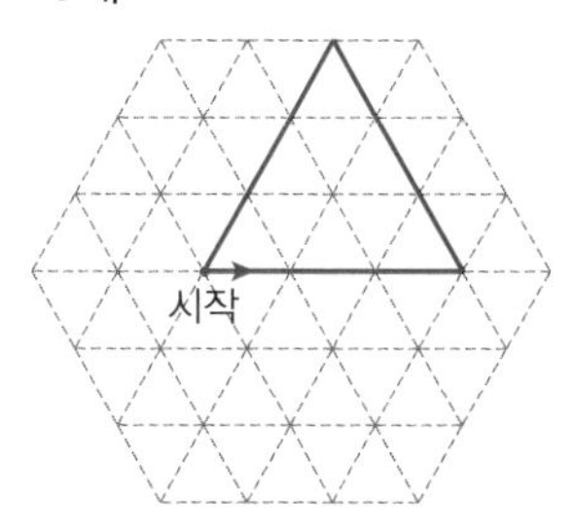

; 이등변삼각형, 정삼각형, 예각삼각형
6 ❶ 6.401 ❷ 640.1 ❸ 0.6401
7 ❶ 9.5 cm ❷ 12.21 cm ❸ 28.84 cm

1 두 각이 각각 70°, 45°인 삼각형의 나머지 한 각의 크기는 $180°-70°-45°=65°$로 세 각이 모두 예각이므로 예각삼각형입니다.

3 ❶ 수 카드 4장을 모두 사용하여 만들어야 하므로 ★▲.■● 형태로 만듭니다.
큰 수부터 높은 자리에 놓아 만들면 95.42입니다.
❷ 작은 수부터 높은 자리에 놓아 만들면 24.59입니다.
❸ $95.42-24.59=70.83$

4

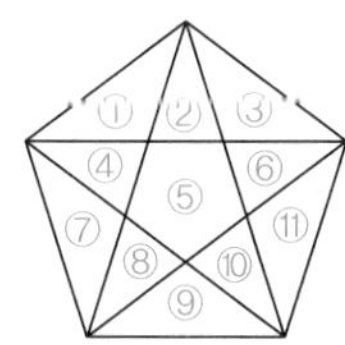

삼각형 1개로 이루어진 둔각삼각형은 ①, ③, ⑦, ⑨, ⑪로 5개, 삼각형 3개로 이루어진 둔각삼각형은 ①②③, ①④⑦, ⑦⑧⑨, ⑨⑩⑪, ⑪⑥③, ④⑤⑥, ②⑤⑧, ④⑤⑩, ⑧⑤⑥, ②⑤⑩으로 10개이므로 모두 $5+10=15$(개)입니다.

5

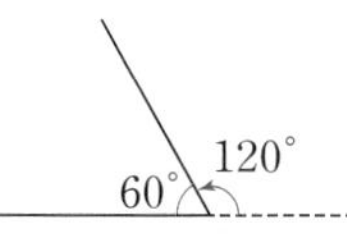

'왼쪽으로 120° 돌기' 명령문으로 그려지는 각의 크기는 60°입니다.
➔ 세 변의 길이가 같은 삼각형이므로 정삼각형, 이등변삼각형입니다.
세 각이 모두 예각이므로 예각삼각형입니다.

6 ❶ 6◎4①0②1③
6 . 4 0 1
❷ 6.401의 100배인 수는 640.1입니다.
❸ 6.401의 $\frac{1}{10}$인 수는 0.6401입니다.

7 ❶ $7.13+2.37=9.5$ (cm)
❷ $7.13+5.08=12.21$ (cm)
❸ $9.5+12.21+7.13=21.71+7.13$
$=28.84$ (cm)

누구나 100점 TEST 86쪽~87쪽

1 619 g=0.619 kg, 70 cm=0.7 m에 ○표
2 병원, 학교, 도서관
3 12개
4 5.3 m
5 8, 2
6 (1) 2, 1 (2) 5, 0
7 1.85 km

1 89 mL=0.089 L, 134 mm=13.4 cm

2 1406 m=1.406 km
1.406, 1.387, 1.311의 자연수 부분은 모두 1로 같으므로 소수 첫째 자리를 비교하면 $4>3$이므로 1.406이 가장 큽니다.
1.387과 1.311의 소수 둘째 자리를 비교하면 $8>1$이므로 1.311이 가장 작습니다.
➔ 병원, 학교, 도서관

3

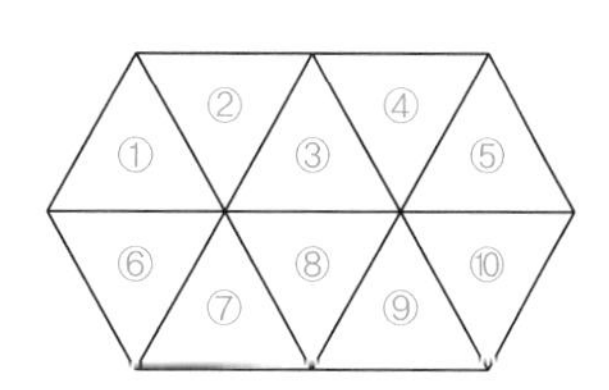

1개짜리: ①, ②, ③, ④, ⑤, ⑥, ⑦, ⑧, ⑨, ⑩ ➔ 10개
4개짜리: ②③④⑧, ③⑦⑧⑨ ➔ 2개
따라서 모두 $10+2=12$(개)입니다.

4 색 테이프의 길이의 합: $3.2+2.4=5.6$ (m)
겹친 부분의 길이를 빼면 $5.6-0.3=5.3$ (m)입니다.

5
```
  9 . ㉠
- ㉡ . 5
  7 . 3
```
$㉠-5=3$, $㉠=3+5=8$
$9-㉡=7$, $㉡=9-7=2$

6 (1)
```
  4 . ㉠
+ ㉡ . 5
  5 . 7
```
$㉠+5=7$, $㉠=7-5=2$
➔ $4+㉡=5$, $㉡=5-4=1$

(2)
```
  ㉡ . 6
+ 0 . ㉠
  1 . 1
```
6+㉠은 1이 될 수 없으므로 $6+㉠=11$입니다.
$㉠=11-6=5$
➔ $1+0+㉡=1$, $1+㉡=1$, $㉡=1-1=0$

7 (집~PC방)+(문구점~박물관)
$=0.77+1.39=2.16$ (km)
➔ (집~박물관)$=2.16-0.31=1.85$ (km)

3주

3주에는 무엇을 공부할까? ② 90쪽~91쪽

1-1 (○)( )( )
1-2 ( )(○)( )
2-1 (위부터) 50, 6 2-2 (위부터) 105, 4
3-1 (1) 1°C (2) 8°C (3) 9시와 10시 사이
3-2 (1) 2 cm (2) 14 cm (3) 5월과 6월 사이

1-1 평행한 변이 한 쌍이라도 있는 사각형을 찾습니다.
1-2 마주 보는 두 쌍의 변이 서로 평행한 사각형을 찾습니다.
2-1~2-2 마름모는 네 변의 길이가 모두 같고 마주 보는 두 각의 크기가 같습니다.
3-1 (1) 세로 눈금 5칸이 5°C이므로 세로 눈금 1칸은 1°C를 나타냅니다.
(3) 선이 가장 많이 기울어진 부분을 찾습니다.
3-2 (1) 세로 눈금 5칸이 10 cm이므로 세로 눈금 1칸은 2 cm를 나타냅니다.
(3) 선이 가장 많이 기울어진 부분을 찾습니다.

1일 개념·원리 길잡이 92쪽~93쪽

활동 문제 92쪽

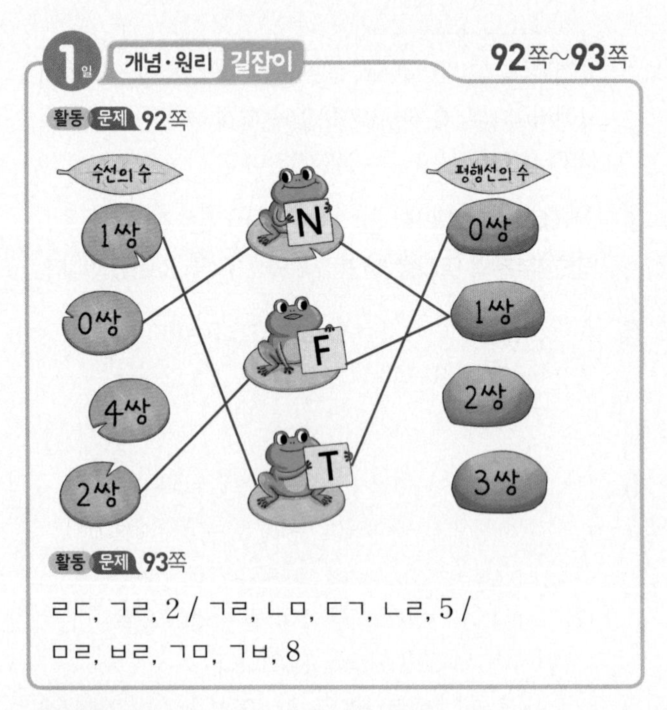

활동 문제 93쪽

ㄹㄷ, ㄱㄹ, 2 / ㄱㄹ, ㄴㅁ, ㄷㄱ, ㄴㄹ, 5 / ㅁㄹ, ㅂㄹ, ㄱㅁ, ㄱㅂ, 8

활동 문제 93쪽

• 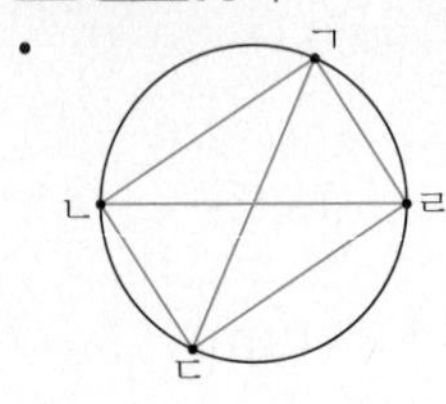

선분 ㄱㄴ과 선분 ㄹㄷ, 선분 ㄴㄷ과 선분 ㄱㄹ ➔ 2쌍

• 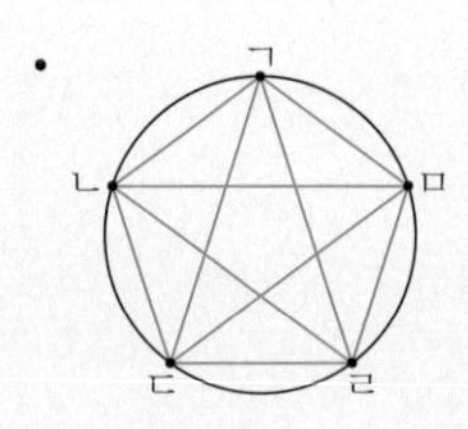

선분 ㄱㄴ과 선분 ㅁㄷ, 선분 ㄴㄷ과 선분 ㄱㄹ, 선분 ㄷㄹ과 선분 ㄴㅁ, 선분 ㄹㅁ과 선분 ㄷㄱ, 선분 ㄱㅁ과 선분 ㄴㄹ ➔ 5쌍

• 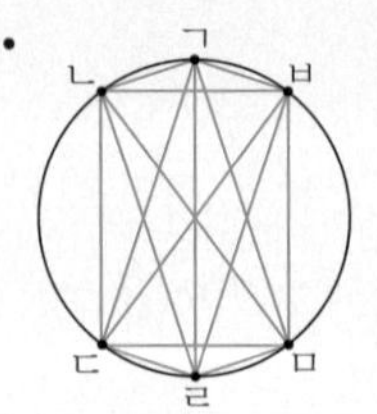

선분 ㄱㄴ과 선분 ㅁㄹ, 선분 ㄱㄷ과 선분 ㅂㄹ, 선분 ㄴㄷ과 선분 ㄱㄹ, 선분 ㄴㄷ과 선분 ㅂㅁ, 선분 ㄴㄹ과 선분 ㄱㅁ, 선분 ㄷㄹ과 선분 ㄱㅂ, 선분 ㄷㅁ과 선분 ㄴㅂ, 선분 ㄱㄹ과 선분 ㅂㅁ ➔ 8쌍

1일 서술형 길잡이 독해력 길잡이 94쪽~95쪽

1-1 (1) 4쌍, 2쌍 (2) 4쌍, 4쌍
1-2 (1) 2쌍 (2) 1쌍 1-3 (1) 4쌍 (2) 2쌍
2-1 2개
2-2 원 위에 똑같은 간격으로 점을 8개 찍었습니다. 점끼리 이어서 만들 수 있는 선분 중 선분 ㄱㄴ과 평행한 선분은 모두 몇 개인지 구해 보세요.

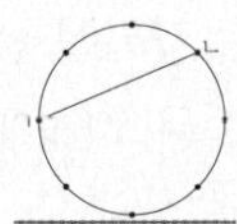

/ 3개
2-3 4개

1-1 (1) 수선: ①과 ②, ①과 ③, ②와 ④, ③과 ④ ➔ 4쌍
평행선: ①과 ④, ②와 ③ ➔ 2쌍

(2) 수선: ①과 ②, ②와 ③, ③과 ④, ④와 ⑤ ➔ 4쌍
평행선: ①과 ③, ③과 ⑤, ①과 ⑤, ②와 ④ ➔ 4쌍

1-2 (1) ①과 ②, ②와 ③ ➔ 2쌍
(2) ①과 ③ ➔ 1쌍

1-3 (1) ①과 ②, ①과 ④, ②와 ③, ④와 ③ ➔ 4쌍
(2) ①과 ③, ②와 ④ ➔ 2쌍

2-1 선분 ㄱㄴ과 만나지 않게 점 2개를 이어 선분을 그었을 때 선분 ㄱㄴ과 평행한 선분은 모두 2개입니다.

2-2 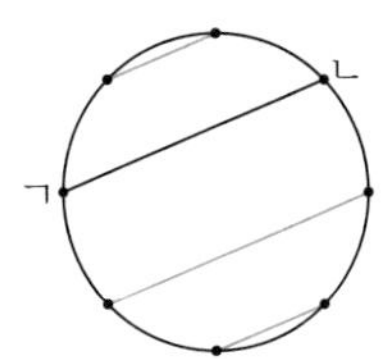

선분 ㄱㄴ과 만나지 않게 점 2개를 이어 선분을 그었을 때 선분 ㄱㄴ과 평행한 선분은 모두 3개입니다.

2-3 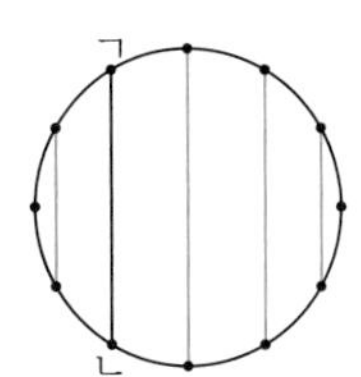

선분 ㄱㄴ과 만나지 않게 점 2개를 이어 선분을 그었을 때 선분 ㄱㄴ과 평행한 선분은 모두 4개입니다.

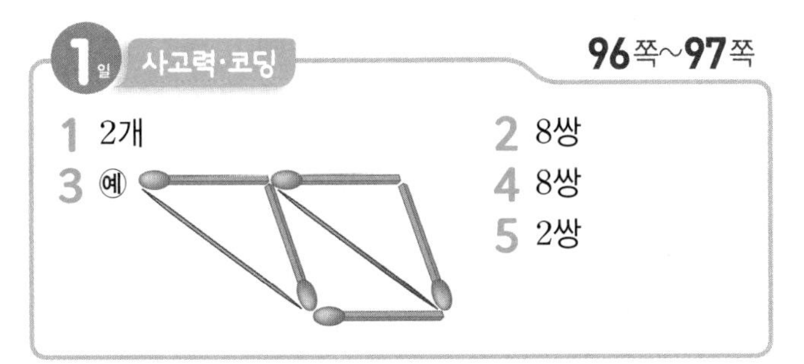

1일 사고력·코딩 96쪽~97쪽

1 2개
2 8쌍
3 예
4 8쌍
5 2쌍

1 천장에 평행한 선분은 ①, ②로 2개입니다.

2

①과 ②, ①과 ③, ②와 ④, ③과 ⑤, ④와 ⑥, ⑤와 ⑦, ⑥과 ⑧, ⑦과 ⑧ ➔ 8쌍

3 왼쪽과 같이 놓으면 서로 평행한 직선은 (①+②, ⑤), (③, ④), (㉠, ㉡)으로 3쌍이 됩니다.

4 두 직선이 만나서 직각을 이루는 곳을 찾아보면 8군데입니다. 따라서 수선은 8쌍입니다.

5 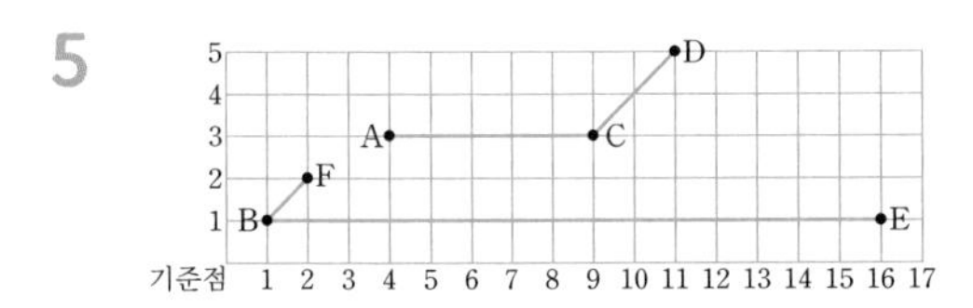

선분 AC, 선분 BE가 서로 평행하고, 선분 CD, 선분 BF가 서로 평행합니다. ➔ 2쌍

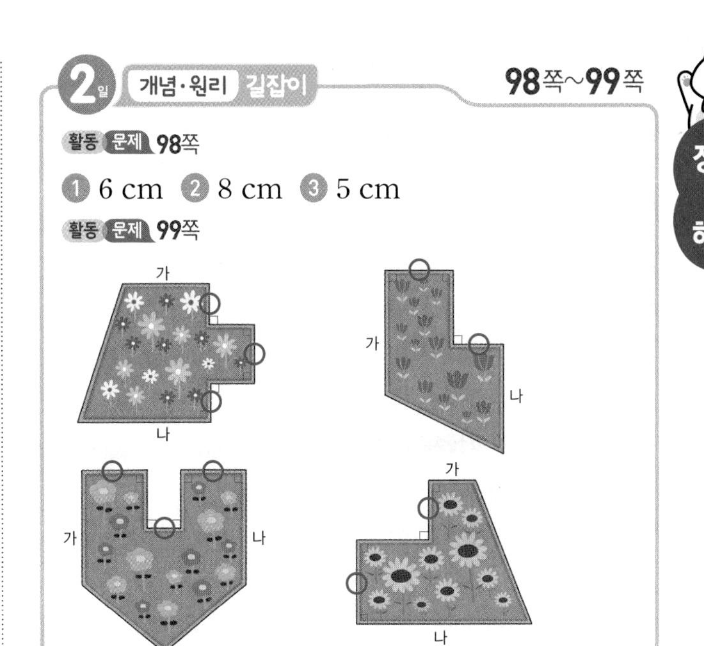

2일 개념·원리 길잡이 98쪽~99쪽

활동 문제 98쪽

❶ 6 cm ❷ 8 cm ❸ 5 cm

활동 문제 99쪽

활동 문제 98쪽

❶ 직선 가와 나 사이의 거리는 2 cm, 직선 나와 다 사이의 거리는 4 cm입니다.

➔ 직선 가와 다 사이의 거리는 $2+4=6$ (cm)입니다.

❷ 직선 가와 나 사이의 거리는 2 cm, 직선 나와 다 사이의 거리는 6 cm입니다.

➔ 직선 가와 다 사이의 거리는 $2+6=8$ (cm)입니다.

❸ 직선 가와 나 사이의 거리는 1 cm, 직선 나와 다 사이의 거리는 4 cm입니다.

➔ 직선 가와 다 사이의 거리는 $1+4=5$ (cm)입니다.

활동 문제 99쪽

변 가와 변 나에 수직인 선분을 그어 봤을 때 그 선분과 길이가 같은 변을 찾습니다.

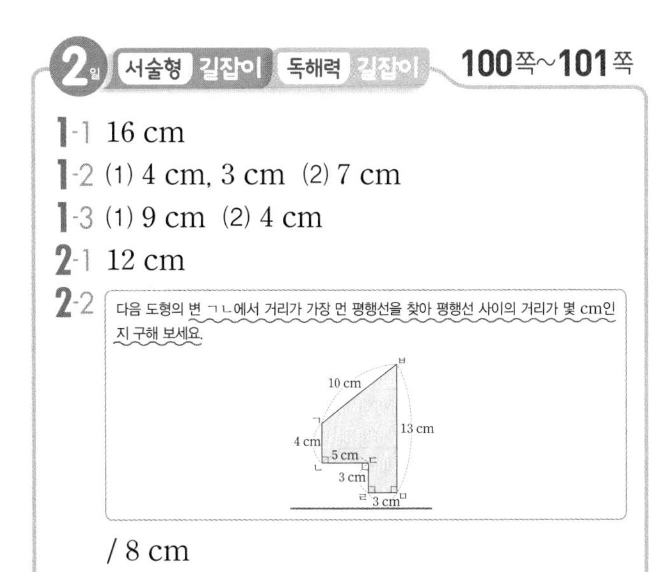

2일 서술형 길잡이 독해력 길잡이 100쪽~101쪽

1-1 16 cm
1-2 (1) 4 cm, 3 cm (2) 7 cm
1-3 (1) 9 cm (2) 4 cm
2-1 12 cm
2-2 다음 도형의 변 ㄱㄴ에서 거리가 가장 먼 평행선을 찾아 평행선 사이의 거리가 몇 cm인지 구해 보세요.

/ 8 cm

2-3 7 cm

1-1 직선 가와 나 사이의 거리는 8 cm이고, 직선 나와 다 사이의 거리는 8 cm입니다.
직선 가와 다 사이의 거리는 8+8=16 (cm)입니다.

1-2 (1) 직선 가와 나 사이의 거리는 4 cm이고, 직선 나와 다 사이의 거리는 3 cm입니다.
(2) 직선 가와 다 사이의 거리는 4+3=7 (cm)입니다.

1-3 (1) 직선 나와 다 사이의 거리는 9 cm입니다.
(2) (직선 가와 나 사이의 거리)
=(직선 가와 다 사이의 거리)
−(직선 나와 다 사이의 거리)
=13−9=4 (cm)

2-1 변 ㄱㄴ과 서로 평행한 선분은 변 ㄷㄹ, 변 ㅁㅂ입니다.
변 ㄱㄴ에서 가장 먼 평행선은 변 ㅁㅂ입니다.
변 ㄱㄴ과 변 ㅁㅂ 사이의 거리는
(변 ㄴㄷ)+(변 ㄹㅂ)=4+8=12 (cm)입니다.

2-2 변 ㄱㄴ과 서로 평행한 선분은 변 ㄷㄹ, 변 ㅂㅁ입니다.
변 ㄱㄴ에서 가장 먼 평행선은 변 ㅂㅁ입니다.
변 ㄱㄴ과 변 ㅂㅁ 사이의 기리는
(변 ㄴㄷ)+(변 ㄹㅁ)=5+3=8 (cm)입니다.

2-3 변 ㅂㅅ과 서로 평행한 선분은 변 ㄱㅇ, 변 ㅁㄹ, 변 ㄴㄷ입니다.
변 ㅂㅅ과 가장 먼 평행선은 변 ㄴㄷ입니다.
변 ㅂㅅ과 변 ㄴㄷ 사이의 거리는
(변 ㅂㅁ)+(변 ㄹㄷ)=5+2=7 (cm)입니다.

2일 사고력·코딩 102쪽~103쪽

1 12 cm

2

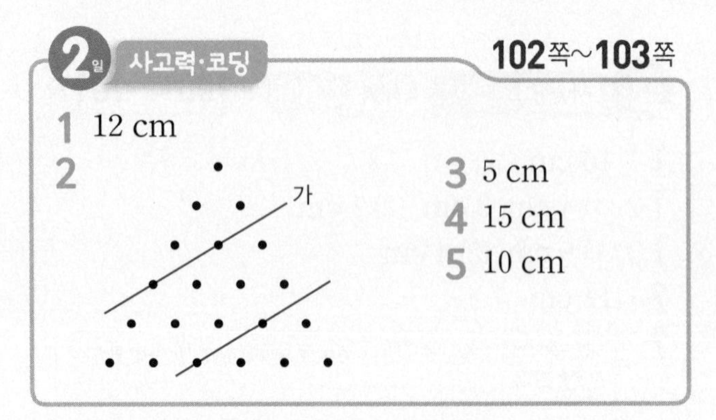

3 5 cm
4 15 cm
5 10 cm

1 선분 ㄱㄴ과 선분 ㄷㄹ 사이의 거리는 정사각형 ㉮의 한 변의 길이와 같으므로 2+4+2+4=12 (cm)입니다.

2 점과 점 사이의 간격이 2 cm이고
4 cm=2 cm+2 cm이므로 점 2칸만큼 떨어진 곳에 직선 가와 만나지 않게 선을 긋습니다.

3 직선 가와 다 사이의 거리는 20 cm이고, 직선 가와 나 사이의 거리는 15 cm입니다.
직선 나와 다 사이의 거리는 20−15=5 (cm)입니다.

4

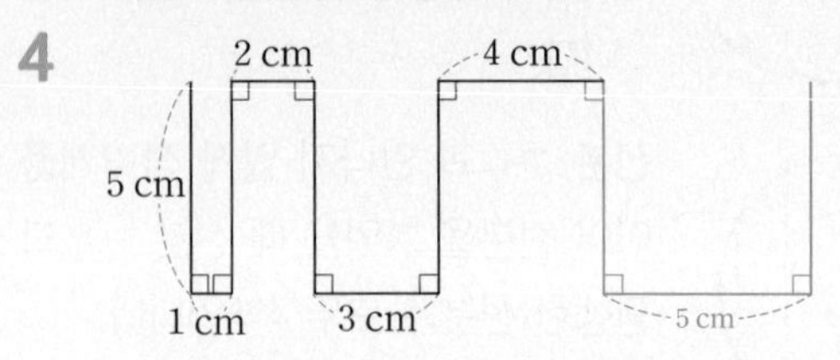

가장 먼 평행선 사이의 거리는 첫 번째 세로선과 6번째 세로선 사이의 거리입니다.
➔ (가장 먼 평행선 사이의 거리)
=1+2+3+4+5=15 (cm)

5

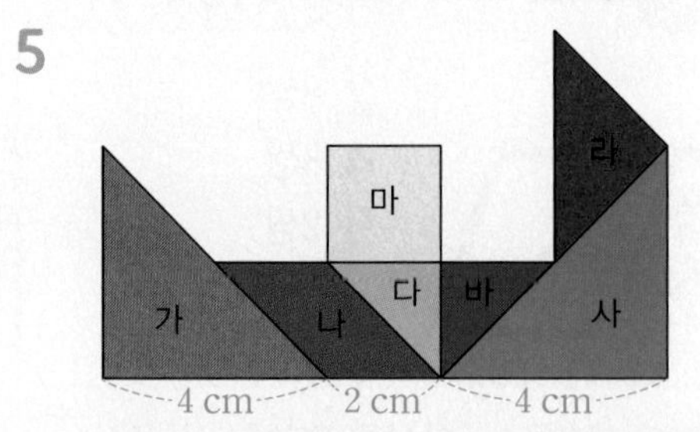

가장 먼 평행선은 가 조각과 사 조각의 마주 보는 두 변입니다. 가장 먼 평행선 사이의 거리는
(가의 변의 길이)+(나의 변의 길이)+(사의 변의 길이)
=4+2+4 =10 (cm)입니다.

3일 개념·원리 길잡이 104쪽~105쪽

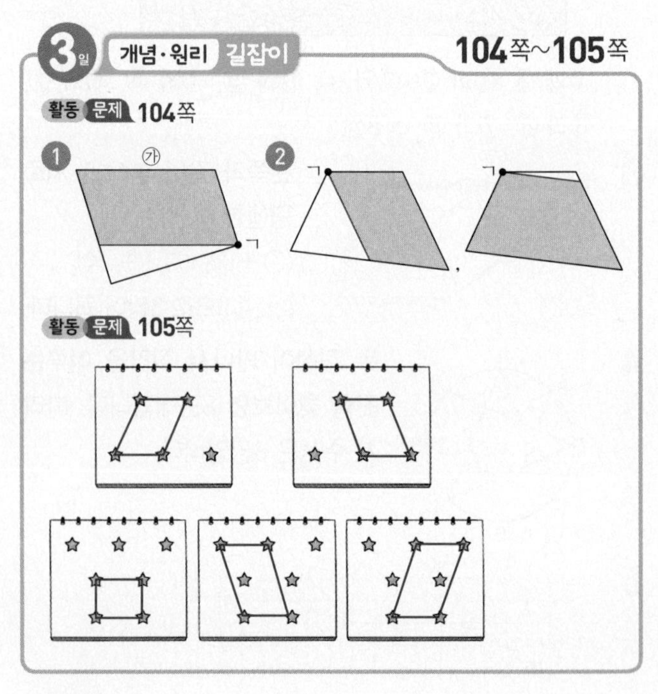

활동 문제 104쪽
점 ㄱ을 지나고 사각형의 한 변과 평행한 직선을 그을 수 있는 경우를 찾습니다.

활동 문제 105쪽
주어진 선분과 길이가 같은 평행선을 긋고, 다른 두 변도 서로 평행하도록 긋습니다.

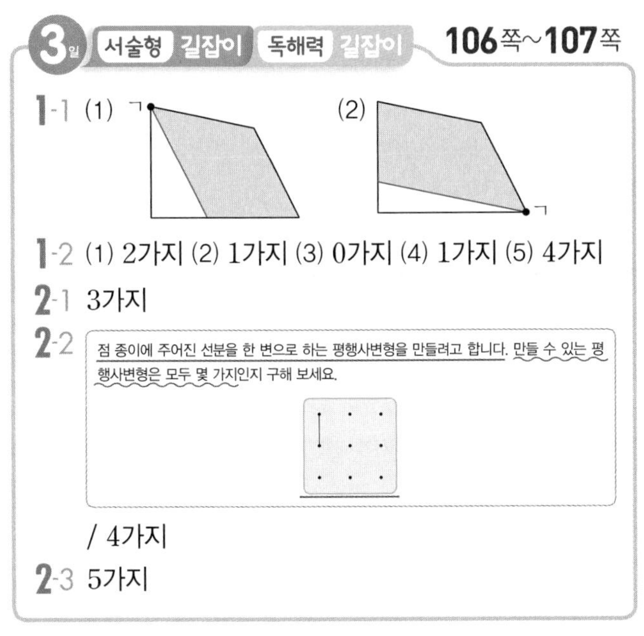

3일 서술형 길잡이 독해력 길잡이 106쪽~107쪽

1-1 (1) (2)

1-2 (1) 2가지 (2) 1가지 (3) 0가지 (4) 1가지 (5) 4가지

2-1 3가지

2-2 점 종이에 주어진 선분을 한 변으로 하는 평행사변형을 만들려고 합니다. 만들 수 있는 평행사변형은 모두 몇 가지인지 구해 보세요.

/ 4가지

2-3 5가지

1-1 점 ㄱ을 지나고 사각형의 한 변과 평행한 직선을 그을 수 있는 경우를 찾습니다.

1-2 (1)

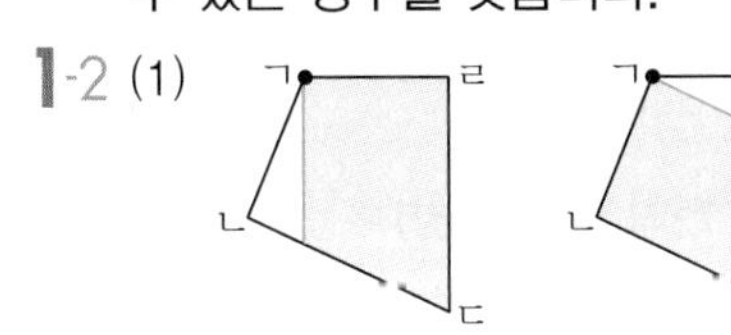

점 ㄱ을 지나고 변 ㄹㄷ, 변 ㄴㄷ과 각각 평행한 직선을 그을 수 있으므로 2가지입니다.

(2) 점 ㄴ을 지나고 변 ㄱㄹ과 평행한 직선을 그을 수 있으므로 1가지입니다.

(3) 점 ㄷ을 지나고 한 변과 평행한 직선은 그을 수 없으므로 만들 수 없습니다.

(4) 점 ㄹ을 지나고 변 ㄱㄴ과 평행한 직선을 그을 수 있으므로 1가지입니다.

(5) $2+1+1=4$(가지)

2-1

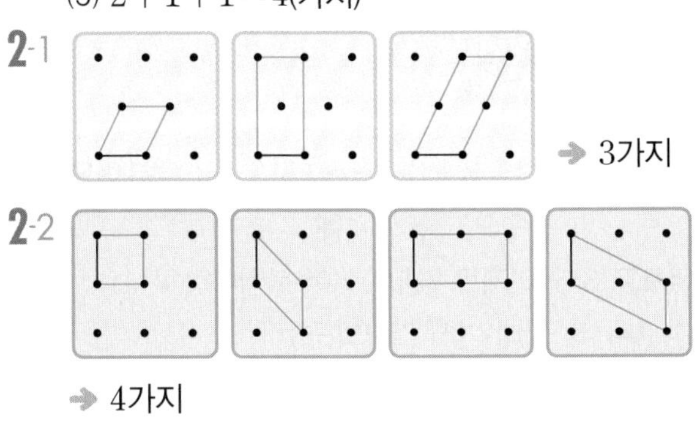

→ 3가지

2-2

→ 4가지

2-3

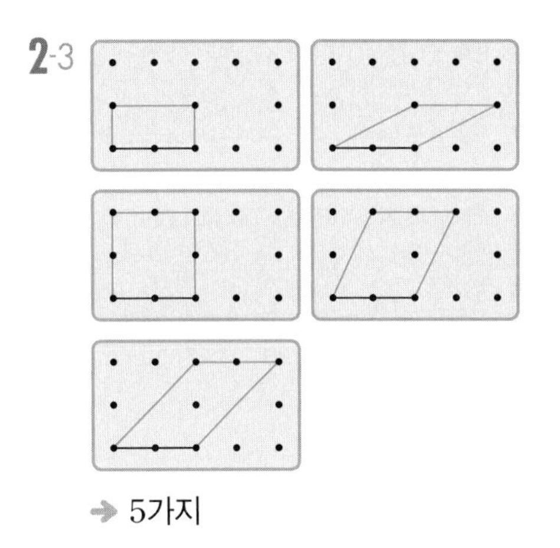

→ 5가지

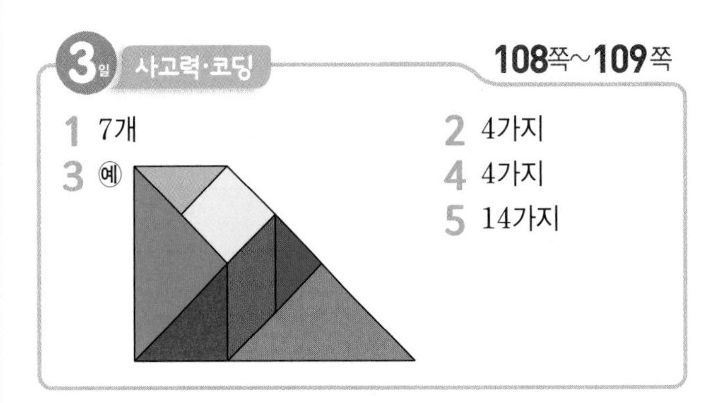

3일 사고력·코딩 108쪽~109쪽

1 7개
2 4가지
3 예
4 4가지
5 14가지

1

1개짜리: ②, ③, ④ → 3개,
2개짜리: ①②, ①③, ②④, ③④ → 4개
따라서 $3+4=7$(개)입니다.

2

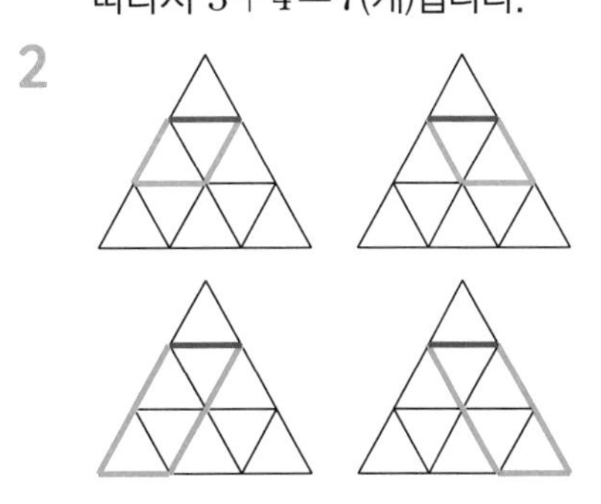

→ 4가지

3 큰 조각부터 사용하면서 칠교판 조각을 돌리거나 뒤집어 보며 사다리꼴을 만듭니다.

4

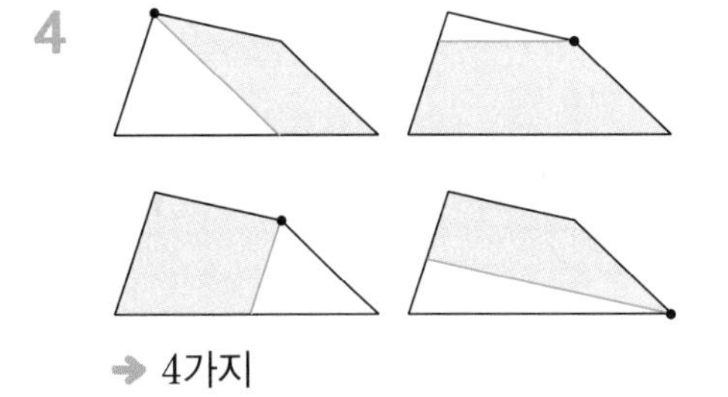

→ 4가지

5

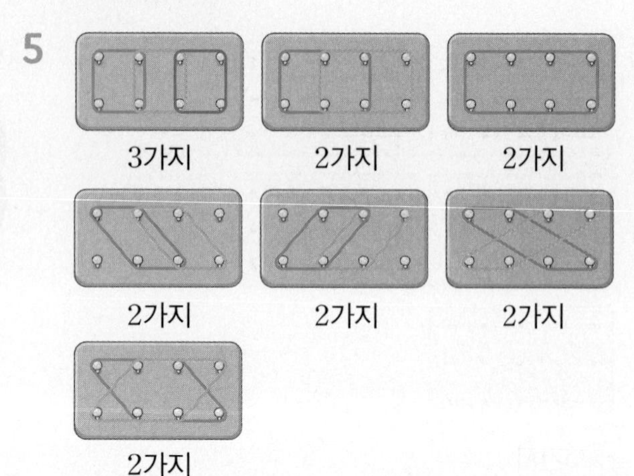

따라서 모두 3+2+1+2+2+2+2=14(가지)입니다.

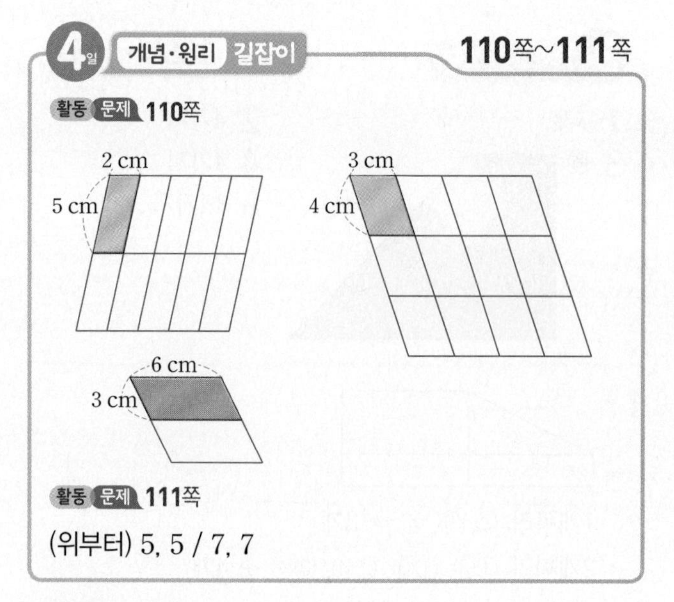

활동 문제 110쪽

- 두 변의 길이가 각각 2 cm, 5 cm입니다.
  2+2+2+2+2=10, 5+5=10이므로 한 변의 길이가 10 cm인 마름모가 되도록 평행사변형을 이어 그립니다.
- 두 변의 길이가 각각 3 cm, 4 cm입니다.
  3+3+3+3=12, 4+4+4=12이므로 한 변의 길이가 12 cm인 마름모가 되도록 평행사변형을 이어 그립니다.
- 두 변의 길이가 각각 6 cm, 3 cm입니다.
  3+3=6이므로 한 변의 길이가 6 cm인 마름모가 되도록 평행사변형을 이어 그립니다.

활동 문제 111쪽

- □×8=40, □=5 • □×10=70, □=7

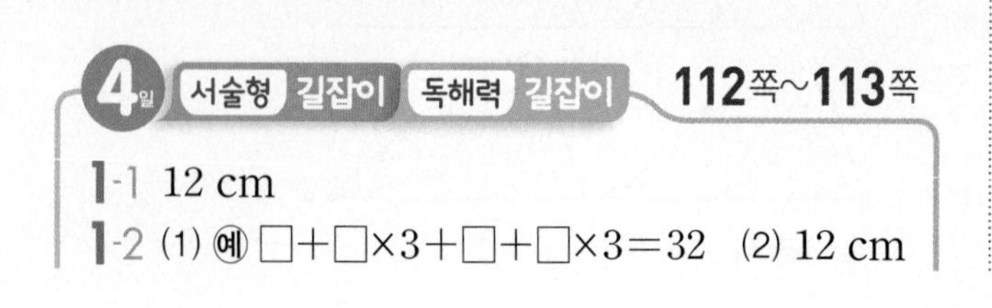

1-1 12 cm
1-2 (1) 예 □+□×3+□+□×3=32 (2) 12 cm
1-3 (1) 예 □+□×4+□+□×4=40 (2) 16 cm
2-1 80 cm
2-2

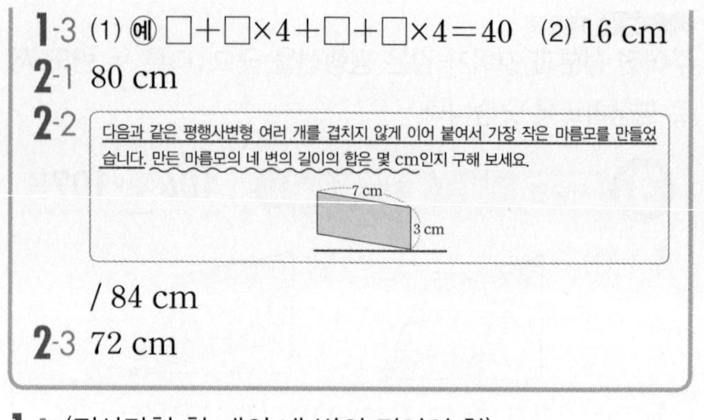

/ 84 cm
2-3 72 cm

1-1 (직사각형 한 개의 네 변의 길이의 합)
=□+□×2+□+□×2=□×6=36,
□=6 cm
➔ (정사각형의 한 변의 길이)=6×2=12 (cm)

1-2 직사각형의 짧은 변의 길이를 □라고 할 때 긴 변의 길이는 □×3입니다.
(직사각형 한 개의 네 변의 길이의 합)
=□+□×3+□+□×3=□×8=32,
□=4 cm
➔ (정사각형의 한 변의 길이)=4×3=12 (cm)

1-3 직사각형의 짧은 변의 길이를 □라고 할 때 긴 변의 길이는 □×4입니다.
(직사각형 한 개의 네 변의 길이의 합)=□+□×4+□+□×4=□×10=40, □=4 cm
➔ (정사각형의 한 변의 길이)=4×4=16 (cm)

2-1

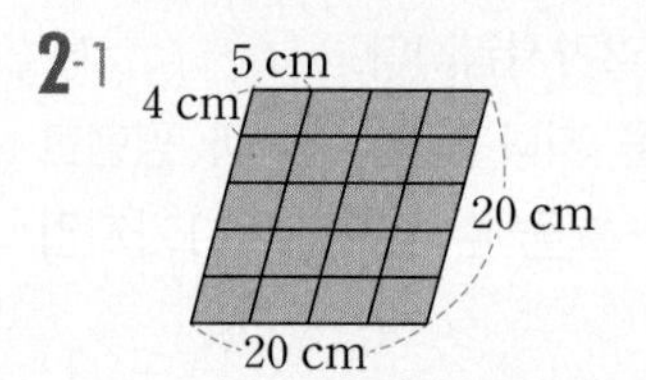

5+5+5+5=20, 4+4+4+4+4=20이므로 옆으로 4개, 아래로 5개를 이어 붙입니다.
➔ (마름모의 네 변의 길이의 합)
=20+20+20+20=80 (cm)

2-2

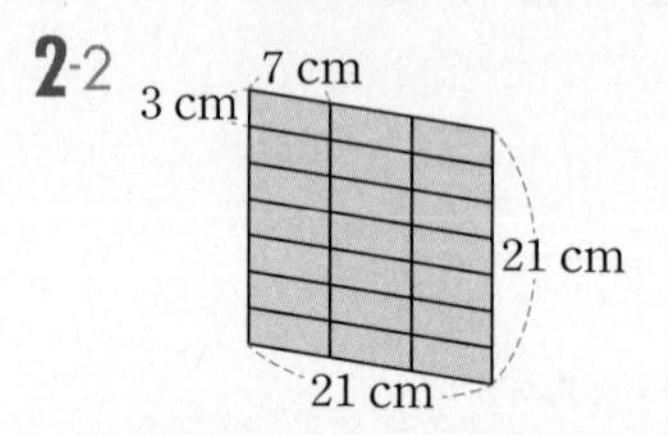

7+7+7=21, 3+3+ …… +3+3=21이므로 (7개)
옆으로 3개, 아래로 7개를 이어 붙입니다.
➔ (마름모의 네 변의 길이의 합)
=21+21+21+21=84 (cm)

2-3

9 cm, 6 cm, 18 cm, 18 cm

9+9=18, 6+6+6=18이므로 옆으로 2개, 아래로 3개를 이어 붙입니다.

➔ (마름모의 네 변의 길이의 합)
=18+18+18+18=72 (cm)

4일 사고력·코딩 114쪽~115쪽

1 6개 2 24 cm
3 ㉠, ㉡, ㉣ 4 4가지
5 오른쪽, 3, 오른쪽, 4 / 11번

1 30 cm

옆으로 30÷15=2(개), 아래로 30÷10=3(개)를 이어 붙여야 합니다. ➔ 2×3=6(개)

2 6 cm, 2 cm, 6 cm

직사각형을 3개 이어 붙여 한 변의 길이가 6 cm인 가장 작은 정사각형을 만들 수 있습니다.

➔ (정사각형의 네 변의 길이의 합)
=6+6+6+6=24 (cm)

3 길이가 같은 막대가 2개씩 있으므로 마주 보는 두 변의 길이가 같은 사각형을 만들 수 있습니다.

➔ 사다리꼴, 평행사변형, 직사각형

4 정사각형도 마름모이므로 왼쪽 그림과 같은 서로 다른 크기의 정사각형 모양의 마름모 3가지와 정사각형 모양이 아닌 마름모 1가지로 모두 4가지입니다.

5 시작

앞으로 3칸 움직이면서 버튼을 가장 적게 누르려면 ▶▶ 버튼과 ▶ 버튼을 한 번씩 누릅니다.

앞으로 4칸 움직이면서 버튼을 가장 적게 누르려면 ▶▶ 버튼을 2번 누릅니다.

따라서 ▶▶ ▶ → ⤵ → ▶▶ ▶▶ → ⤵ → ▶▶ ▶ → ⤵ → ▶▶ ▶▶로 버튼을 모두 11번 누릅니다.

5일 개념·원리 길잡이 116쪽~117쪽

활동 문제 116쪽

① 월, 화, 목, 금
② 화, 수, 수, 목
③ 월, 화, 화, 수

활동 문제 117쪽

1, 3, 2, 4, 6, 3

활동 문제 116쪽

① 위로 올라가는 선분을 모두 찾습니다.
② 아래로 내려가는 선분을 모두 찾습니다.
③ 움직인 거리의 변화가 가장 큰 때는 선분이 가장 많이 기울어진 곳이고 움직인 거리의 변화가 가장 작은 때는 선분이 가장 적게 기울어진 곳입니다.

활동 문제 117쪽

두 점 사이의 세로 눈금의 칸수를 세어 봅니다.

5일 서술형 길잡이 독해력 길잡이 118쪽~119쪽

1-1 4일
1-2 (1) 12월 (2) 11월
2-1 1100명
2-2 상혁이네 학교의 남녀 학생 수를 조사하여 나타낸 꺾은선그래프입니다. 남학생과 여학생 수의 차가 가장 큰 때는 몇 년이고, 이때 남학생과 여학생 수의 차는 몇 명인지 구해 보세요.

남녀 학생 수

(명) 400, 300, 200, 0
학생 수 / 연도: 2016, 2017, 2018, 2019, 2020 (년)
(남학생: ——, 여학생: ——)

/ 2017년, 140명

1-1 선분이 가장 많이 기울어진 곳은 3일과 4일 사이이므로 4일입니다.

1-2 (1) 선분이 가장 많이 기울어진 곳은 11월과 12월 사이이므로 12월입니다.
(2) 선분이 가장 적게 기울어진 곳은 10월과 11월 사이이므로 11월입니다.

2-1 수요일: 세로 눈금 2칸, 목요일: 세로 눈금 10칸, 금요일: 세로 눈금 3칸, 토요일: 세로 눈금 11칸, 일요일: 세로 눈금 4칸

➔ 입장객 수의 차가 가장 큰 요일은 토요일로 11칸이고 세로 눈금 한 칸의 크기는 100명이므로 100×11=1100(명)입니다.

2-2 연도별로 두 점 사이의 차이를 세로 눈금으로 세어 보면
2016년: 세로 눈금 6칸, 2017년: 세로 눈금 7칸,
2018년: 세로 눈금 3칸, 2019년: 세로 눈금 5칸,
2020년: 세로 눈금 4칸
➜ 남학생과 여학생 수의 차가 가장 큰 때는 2017년으로 7칸이고, 세로 눈금 한 칸의 크기는 20명이므로 $20 \times 7 = 140$(명)입니다.

5일 사고력·코딩 120쪽~121쪽

1 (1) 4일과 7일 (2) 2일 (3) 6일 (4) 7일, 5일
2 (1) 금요일, 18만 회 (2) 화요일, 26만 회
(3) 화요일, 수요일

1 (1) 점의 위치가 같은 날을 찾으면 4일과 7일입니다.
(2) 위로 올라가는 선분은 1일과 2일 사이, 3일과 4일 사이, 6일과 7일 사이이고 이 중 가장 적게 기울어진 곳은 1일과 2일 사이이므로 2일입니다.
(3) 아래로 내려가는 선분은 2일과 3일 사이, 4일과 5일 사이, 5일과 6일 사이이고 이 중 가장 많이 기울어진 곳은 5일과 6일 사이이므로 6일입니다.
(4) • 가장 큰 때: 선분이 가장 많이 기울어진 곳은 6일과 7일 사이이므로 7일입니다.
• 가장 작은 때: 선분이 가장 적게 기울어진 곳은 4일과 5일 사이이므로 5일입니다.

2 (1) A 동영상을 나타내는 꺾은선그래프에서 점이 가장 위에 있을 때는 금요일입니다.
세로 눈금 5칸이 10만 회를 나타내므로 세로 눈금 1칸은 2만 회를 나타냅니다.
➜ 금요일에 B 동영상의 조회 수는 18만 회입니다.
(2) A 동영상을 나타내는 꺾은선그래프에서 점이 가장 아래에 있을 때는 화요일입니다.
세로 눈금 5칸이 10만 회를 나타내므로 세로 눈금 1칸은 2만 회를 나타냅니다.
➜ 화요일에 B 동영상의 조회 수는 26만 회입니다.
(3) 요일별로 두 점 사이의 차이를 세로 눈금으로 세어 보면 월요일: 세로 눈금 5칸, 화요일: 세로 눈금 9칸, 수요일: 세로 눈금 0칸, 목요일: 세로 눈금 4칸, 금요일: 세로 눈금 6칸, 토요일: 세로 눈금 2칸, 일요일: 세로 눈금 3칸입니다.
➜ 가장 큰 때: 화요일(세로 눈금 9칸)
가장 작은 때: 수요일(세로 눈금 0칸)

7 ❶ 7월 ❷ 9월, 11월 ❸ 12월, 140개

8 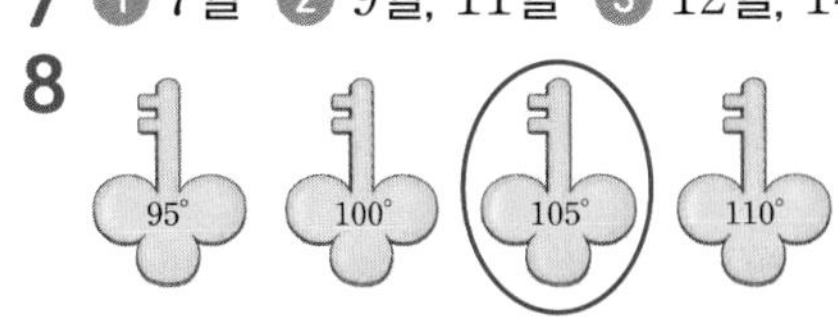

1 E F ➔ $3+2=5$(쌍)
X Z ➔ 0쌍
L W ➔ $1+0=1$(쌍)
G T ➔ $1+1=2$(쌍)
I H ➔ $2+2=4$(쌍)

2 마름모는 항상 정사각형이라고 할 수 없습니다.

3 ❶ 점 ㄱ을 지나고 변 ㄹㄷ과 평행한 직선을 그어 평행사변형을 만듭니다.
❷ 점 ㄹ을 지나고 변 ㄱㄴ과 평행한 직선을 그어 평행사변형을 만듭니다.

4 이어 붙인 직사각형의 가로는 1 cm, 3 cm, 5 cm, 7 cm, 9 cm, 11 cm이므로 가장 먼 평행선 사이의 거리는 $1+3+5+7+9+11=36$ (cm)입니다.

5 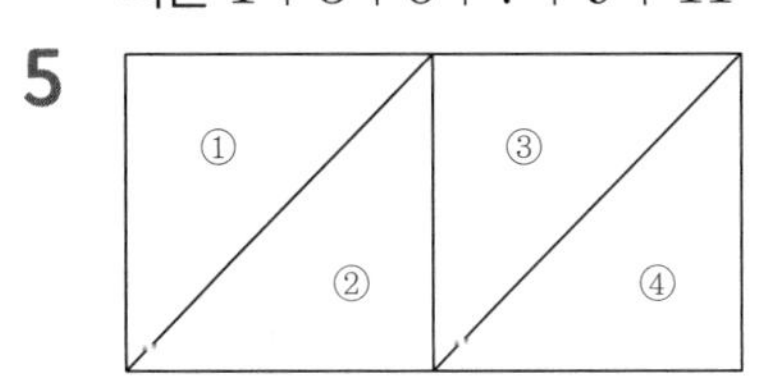

사다리꼴: ①②, ②③, ③④, ①②③, ②③④, ①②③④
➔ 6개
평행사변형: ①②, ②③, ③④, ①②③④ ➔ 4개
직사각형: ①②, ③④, ①②③④ ➔ 3개

6 정사각형의 한 변의 길이는 8 cm이고 마름모의 한 변의 길이도 8 cm입니다.
➔ (굵은 선으로 표시된 부분의 길이)
$=10+8+8+8+8+8+10+8=68$ (cm)

7 ❶ 점의 위치가 처음으로 1000 위로 올라간 달을 찾으면 7월입니다.
❷ 아래로 내려가는 선분은 8월과 9월 사이, 10월과 11월 사이이므로 9월과 11월입니다.
❸ 위로 올라가는 선분은 6월과 7월 사이, 7월과 8월 사이, 9월과 10월 사이, 11월과 12월 사이이고 이 중 가장 많이 기울어진 곳은 11월과 12월 사이이므로 12월입니다.
11월과 12월 사이는 세로 눈금 7칸이고 세로 눈금 1칸이 20개를 나타내므로
폐업한 점포는 $20\times7=140$(개) 더 늘어났습니다.

8 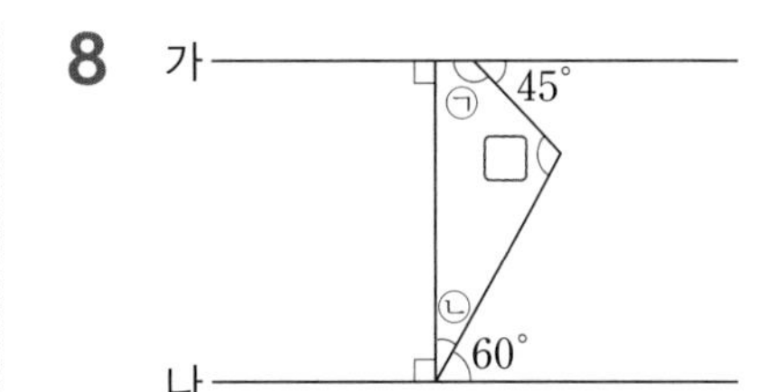

직선 가와 직선 나에 대한 수선을 긋습니다.
㉠$=180°-45°=135°$, ㉡$=90°-60°=30°$이고
사각형의 네 각의 크기의 합은 360°입니다.
➔ $\square=360°-90°-30°-135°=105°$

누구나 100점 TEST **128쪽~129쪽**

1 2개
2 15 cm
3 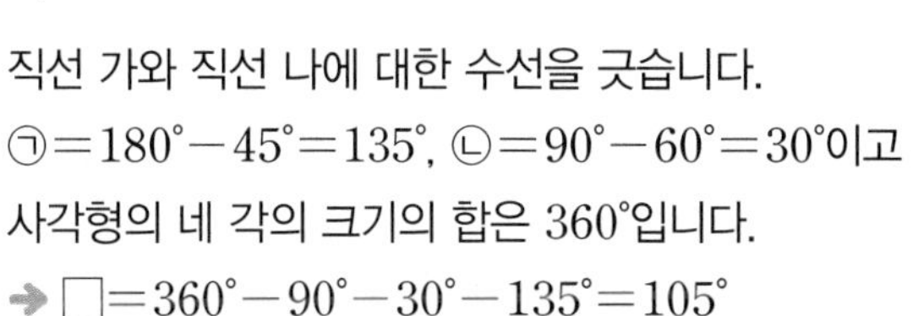

4 9월
5 8월
6 18 cm

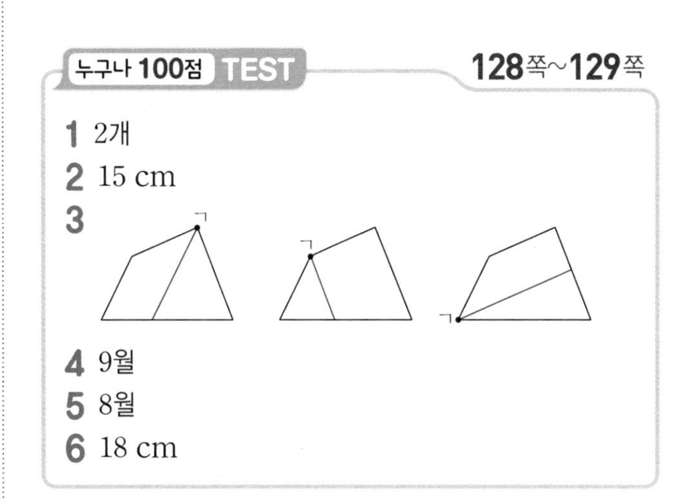

1 H, E ➔ 2개

2 (직선 가와 다 사이의 거리)
=(직선 가와 나 사이의 거리)
+(직선 나와 다 사이의 거리)
$=6+9=15$ (cm)

3 점 ㄱ을 지나고 사각형의 한 변과 평행한 직선을 긋습니다.

4 선분이 가장 많이 기울어진 곳은 8월과 9월 사이이므로 9월입니다.

5 선분이 가장 적게 기울어진 곳은 7월과 8월 사이이므로 8월입니다.

6 직사각형의 짧은 변의 길이를 □ cm라고 할 때 긴 변의 길이는 (□×3) cm입니다.
(직사각형의 네 변의 길이의 합)
$=\square+\square\times3+\square+\square\times3=\square\times8=48$,
$48\div8=\square$, $\square=6$
➔ (정사각형의 한 변의 길이)
=(직사각형의 긴 변의 길이)
$=\square\times3=6\times3$
$=18$ (cm)

4주

4주에는 무엇을 공부할까? ② 132쪽~133쪽

1-1

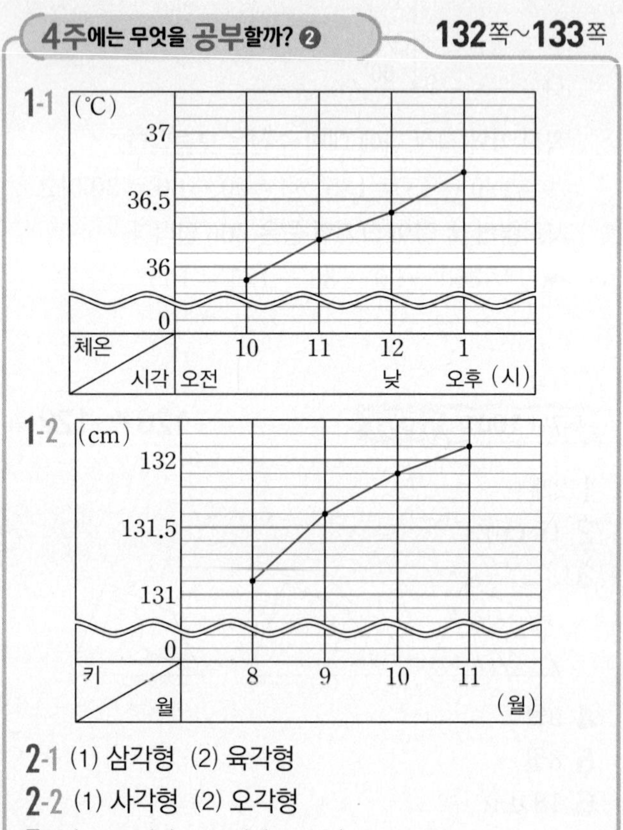

1-2

2-1 (1) 삼각형 (2) 육각형

2-2 (1) 사각형 (2) 오각형

3-1 (×)(○)(×)

3-2 (×)(○)(○)

4-1 5개

4-2 9개

2-1 (1) 변이 3개이므로 삼각형입니다.

(2) 변이 6개이므로 육각형입니다.

2-2 (1) 변이 4개이므로 사각형입니다.

(2) 변이 5개이므로 오각형입니다.

3-1 변의 길이가 모두 같고 각의 크기가 모두 같은 다각형을 찾습니다.

➜ 정사각형

3-2 변의 길이가 모두 같고 각의 크기가 모두 같은 다각형을 찾습니다.

➜ 정오각형, 정육각형

4-1

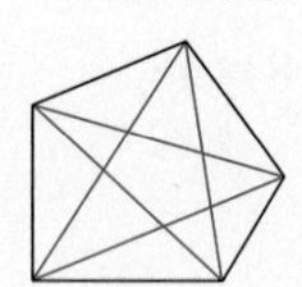

오각형의 한 꼭짓점에서 그을 수 있는 대각선은 2개입니다.

따라서 그을 수 있는 대각선은 모두 5개입니다.

4-2

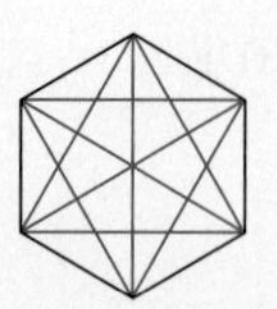

육각형의 한 꼭짓점에서 그을 수 있는 대각선은 3개입니다.

따라서 그을 수 있는 대각선은 모두 9개입니다.

1일 개념·원리 길잡이 134쪽~135쪽

활동 문제 134쪽

1, 3 / 4, 2

활동 문제 135쪽

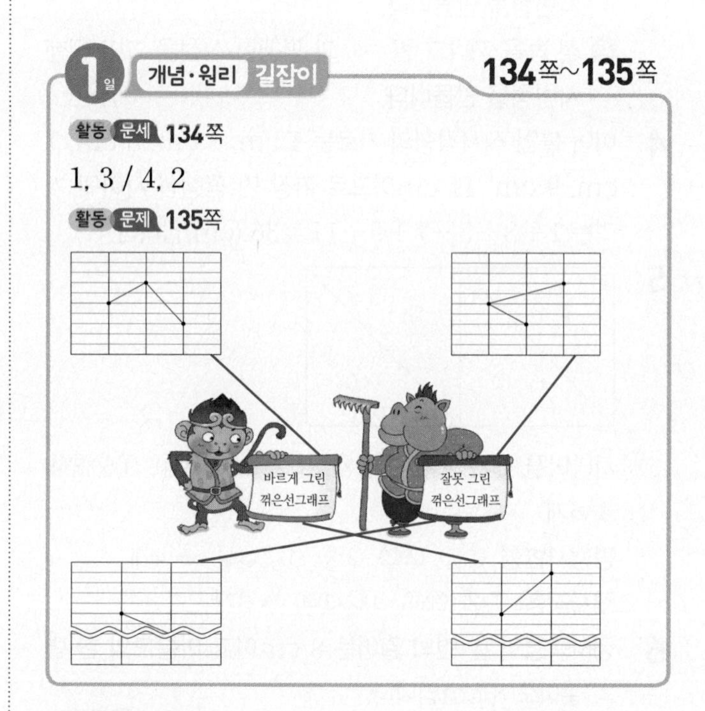

활동 문제 134쪽

① 꺾은선그래프의 가로에는 요일, 세로에는 시간을 나타냅니다.

② 세로 눈금 한 칸의 크기를 0.1초로 하고 가장 큰 수 8.4를 나타낼 수 있도록 눈금의 수를 정합니다.

만약 물결선을 사용하려면 0부터 가장 작은 수 7.5 사이를 물결선으로 표시합니다.

③, ④ 가로 눈금과 세로 눈금이 만나는 자리에 점을 찍고 점들을 선분으로 잇습니다.

활동 문제 135쪽

- 윗줄 오른쪽 그래프는 이웃한 점끼리 잇지 않았습니다.
- 아랫줄 왼쪽 그래프는 물결선이 점을 가로지르도록 그렸습니다.

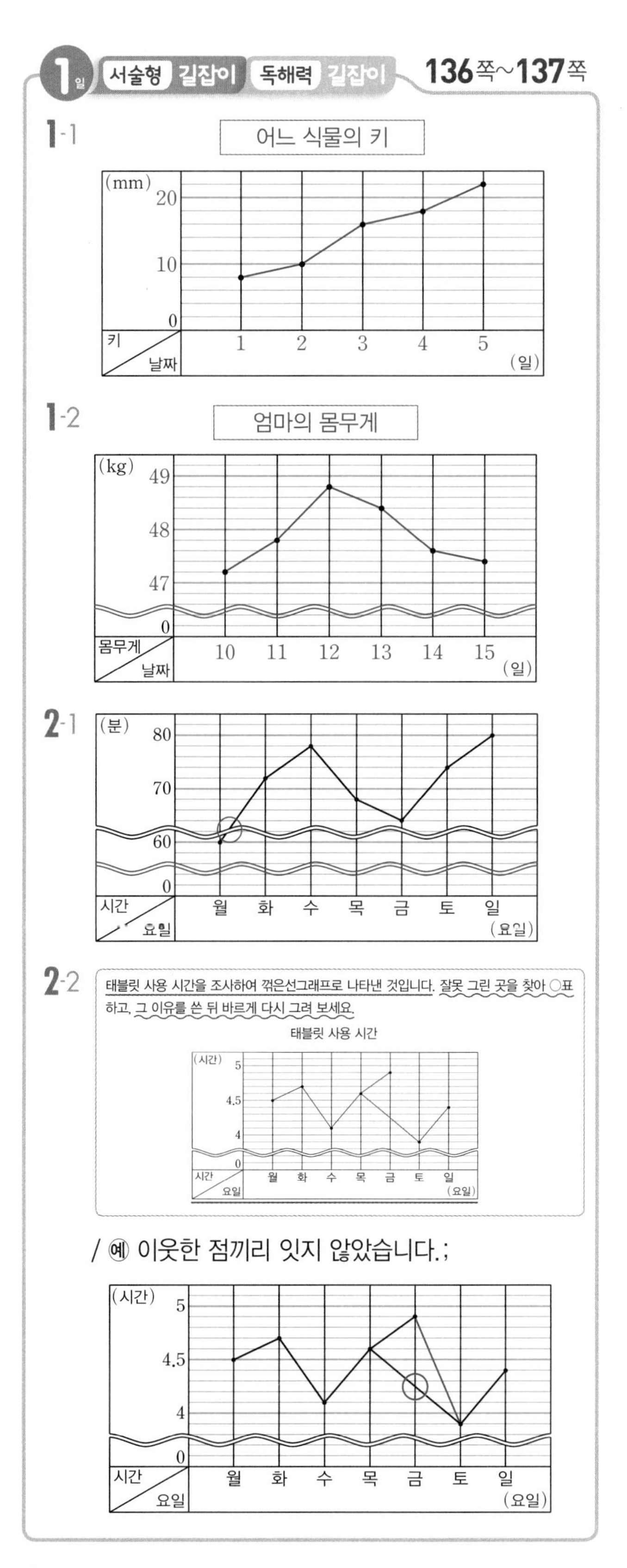

1-1 가로 눈금과 세로 눈금이 만나는 자리에 점을 찍고 점들을 선분으로 잇습니다.

➡ 꺾은선그래프에 알맞은 제목을 붙입니다.

1-2 0부터 가장 작은 수 47.2 사이를 물결선으로 표시합니다.

세로 눈금 한 칸의 크기를 0.2 kg으로 하고 가장 큰 수 48.8을 나타낼 수 있도록 눈금의 수를 정합니다.

가로 눈금과 세로 눈금이 만나는 자리에 점을 찍고 점들을 선분으로 잇습니다.

➡ 꺾은선그래프에 알맞은 제목을 붙입니다.

2-1 물결선이 꺾은선을 가로지르도록 그렸습니다.

➡ 0과 가장 작은 수 60 사이를 물결선으로 표시합니다.

2-2 목요일과 토요일을 잇는 선을 금요일과 토요일을 잇는 선으로 바꾸어야 합니다.

정답 및 해설

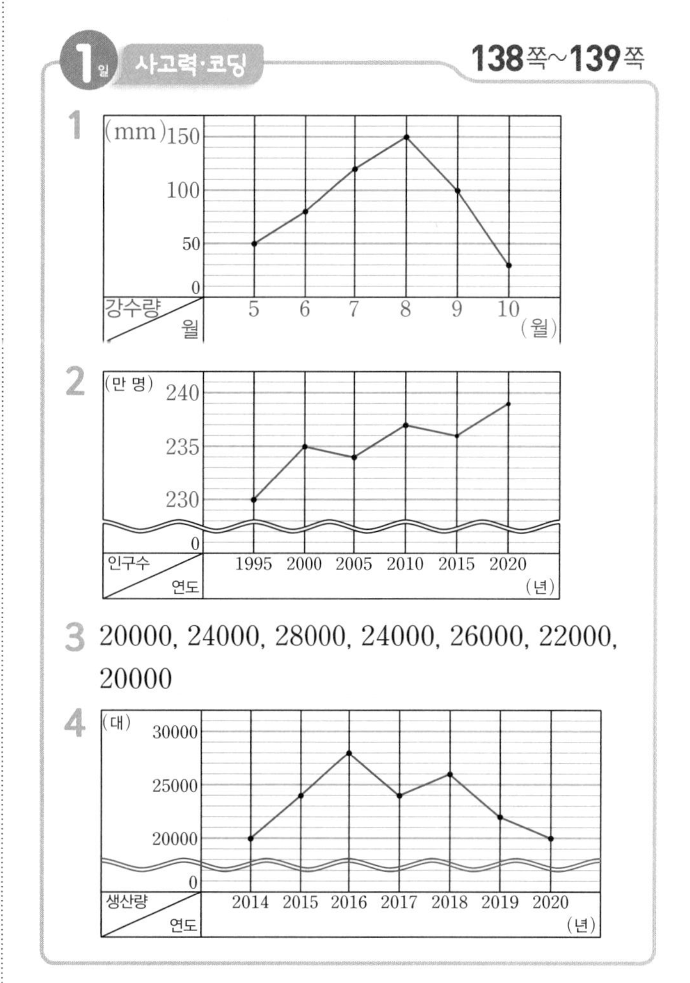

1 ① 꺾은선그래프의 가로에는 월, 세로에는 강수량을 나타냅니다.

② 세로 눈금 5칸의 크기가 50 mm이므로 세로 눈금 한 칸의 크기는 10 mm입니다.

③ 가로 눈금과 세로 눈금이 만나는 자리에 점을 찍고 점들을 선분으로 잇습니다.

2 표와 꺾은선그래프에서 2015년과 2020년의 인구수를 보고 꺾은선그래프의 세로 눈금의 수를 구할 수 있습니다.
➔ 2015년 인구수 236만 명, 2020년 인구수 239만 명이므로 세로 눈금 한 칸의 크기가 1만 명임을 알 수 있습니다.

3 꺾은선그래프의 가로 눈금인 연도에서 찍은 점이 가리키는 세로 눈금을 읽습니다.
세로 눈금 5칸의 크기가 10000대이므로 세로 눈금 한 칸의 크기는 2000대입니다.

4 0과 가장 작은 수 20000 사이를 물결선으로 표시합니다.
세로 눈금 5칸의 크기가 5000대이므로 세로 눈금 한 칸의 크기는 1000대입니다.

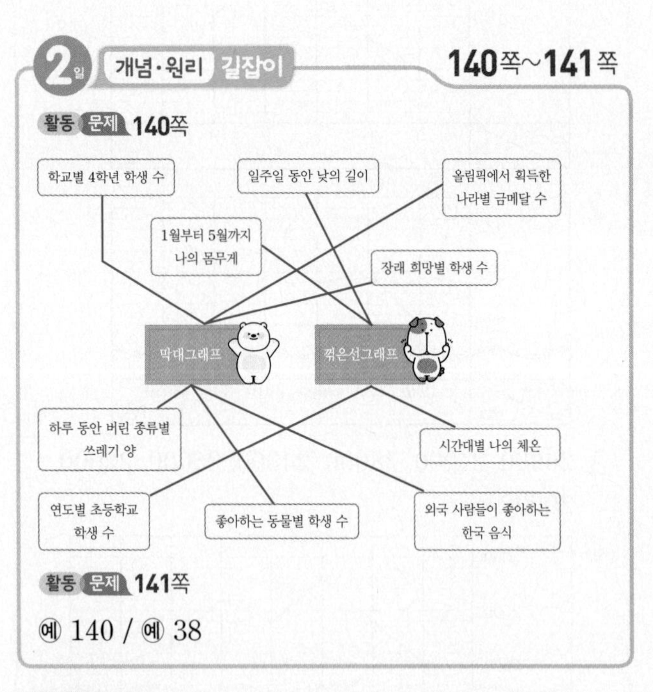

활동 문제 141쪽
나이 10과 11의 중간에서 꺾은선과 만날 때까지 선을 긋고 꺾은선과 만난 점에서 세로 눈금의 수를 읽습니다.

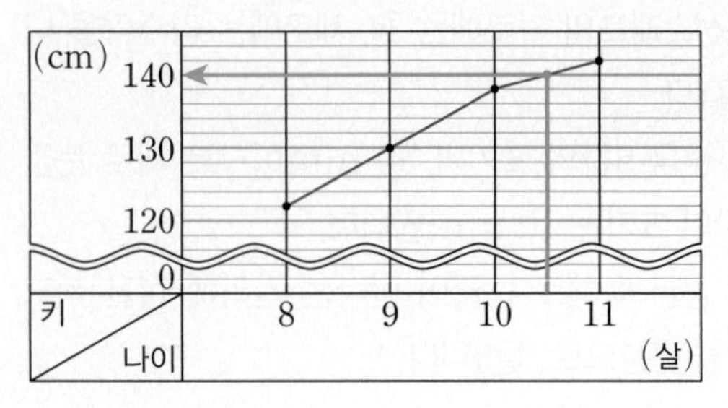

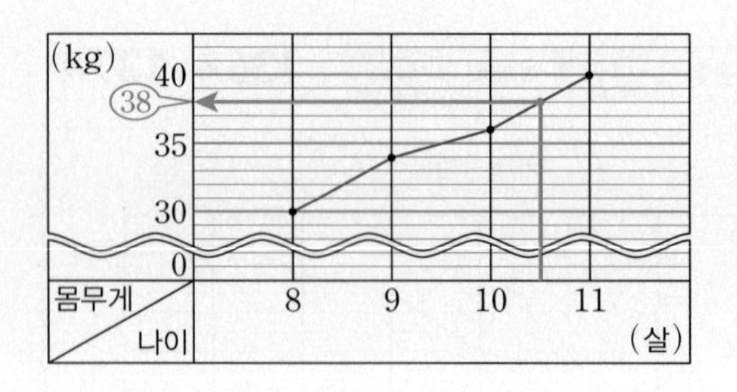

2일 서술형 길잡이 독해력 길잡이 142쪽~143쪽

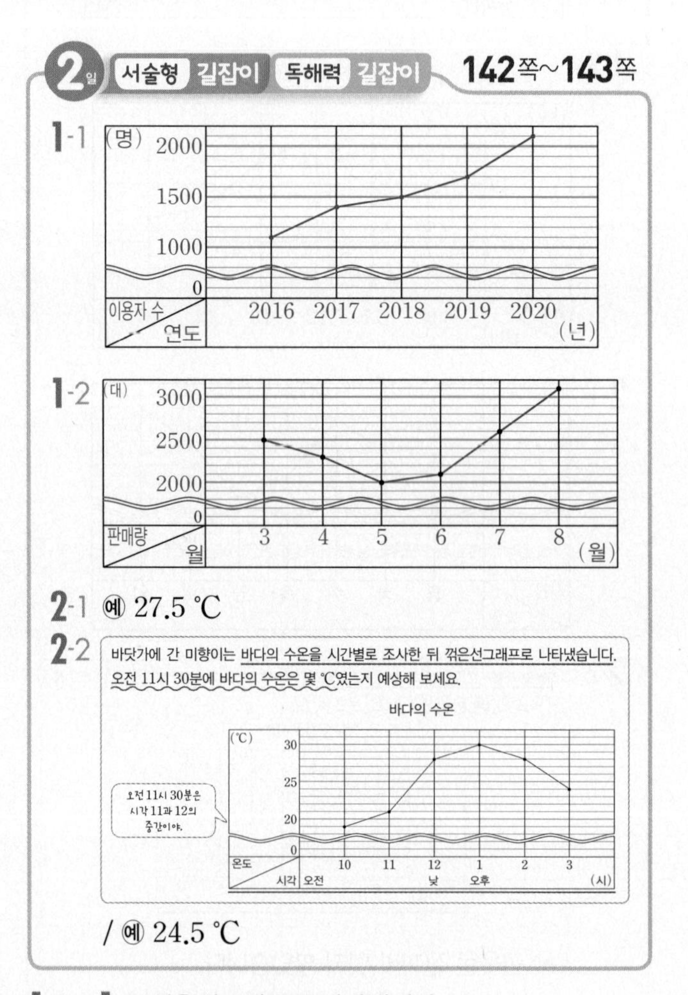

1-1 ~ 1-2 꺾은선그래프로 나타냅니다.

2-1

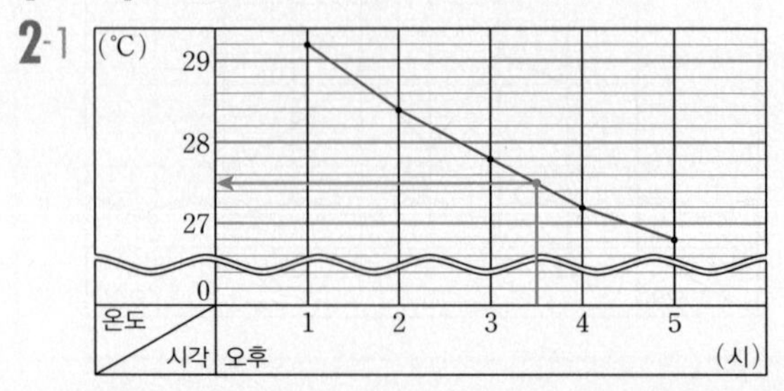

세로 눈금 5칸의 크기가 1 ℃이므로 세로 눈금 한 칸의 크기는 0.2 ℃입니다.
따라서 오후 3시 30분에 학교 운동장의 온도는 27 위로 세로 눈금 3칸째의 중간이므로 27.5 ℃라고 예상할 수 있습니다.

2-2 시각 11과 12의 중간에서 꺾은선과 만날 때까지 선을 긋고 꺾은선과 만난 점에서 세로 눈금의 수를 읽습니다.
세로 눈금 5칸의 크기가 5 ℃이므로 세로 눈금 한 칸의 크기는 1 ℃입니다.
따라서 오전 11시 30분에 바다의 수온은 20 위로 세로 눈금 5칸째의 중간이므로 24.5 ℃라고 예상할 수 있습니다.

2일 사고력·코딩 144쪽~145쪽

1 꺾은선그래프
2 예 23.6 ℃
3 예 23.8 ℃
4 2014년과 2016년 사이
5 예 60대 이상 스마트폰 사용자 수는 계속 늘어나고 있으므로 2020년보다 더 늘어날 것입니다.

1 막대그래프는 자료의 크기를 비교하기 쉽고, 꺾은선그래프는 자료의 크기 차이가 작을 때 그 변화를 쉽게 알 수 있습니다.

2 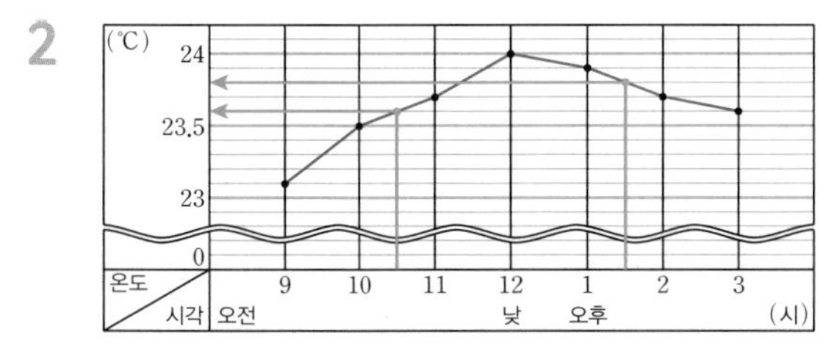

시각 10과 11의 중간에서 꺾은선과 만날 때까지 선을 긋고 꺾은선과 만난 점에서 세로 눈금의 수를 읽습니다.
세로 눈금 5칸의 크기가 0.5 ℃이므로 세로 눈금 한 칸의 크기는 0.1 ℃입니다.
따라서 23.5 위로 세로 눈금 한 칸이므로 23.6 ℃라고 예상할 수 있습니다.

3 시각 1과 2의 중간에서 꺾은선과 만날 때까지 선을 긋고 꺾은선과 만난 점에서 세로 눈금의 수를 읽습니다.
따라서 23.5 위로 세로 눈금 3칸이므로 23.8 ℃라고 예상할 수 있습니다.

4 모두 위로 올라가는 선분이므로 가장 많이 기울어진 곳은 2014년과 2016년 사이입니다.

5 꺾은선이 계속 위로 올라가는 선분이므로 60대 이상 스마트폰 사용자 수가 계속 늘어나고 있다고 예상할 수 있습니다.

3일 개념·원리 길잡이 146쪽~147쪽

활동 문제 146쪽

3일 서술형 길잡이 독해력 길잡이 148쪽~149쪽

1-1 정팔각형
1-2 (1) 42, 6, 7 / 7개 (2) 정칠각형
1-3 정십이각형
2-1 108°
2-2

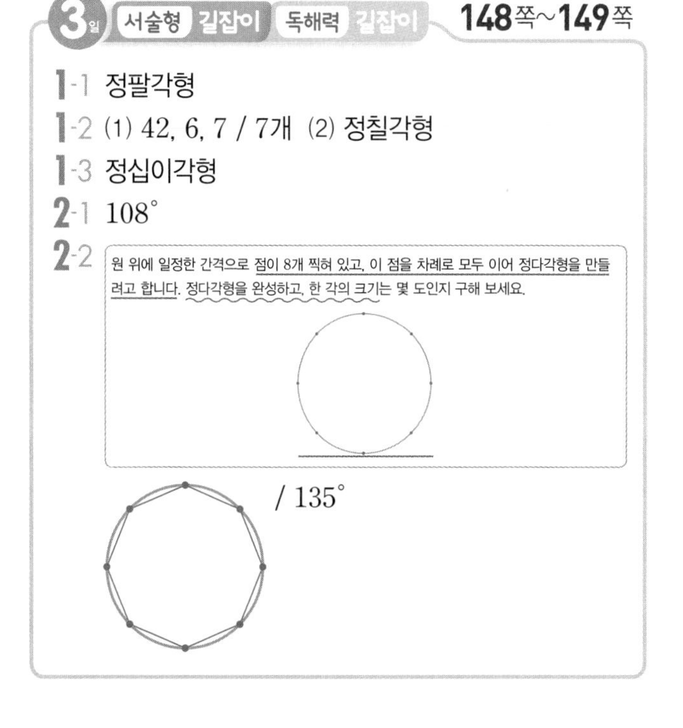

1-1 (정다각형의 변의 수)$=32\div4=8$(개)
변이 8개인 정다각형이므로 이 도형의 이름은 정팔각형입니다.

1-3 (정다각형의 변의 수)$=108\div9=12$(개)
변이 12개인 정다각형의 이름은 정십이각형입니다.

2-1 정오각형을 삼각형으로 나누면 삼각형 3개가 나옵니다.
따라서 정오각형의 다섯 각의 크기의 합은 $180^\circ\times3=540^\circ$입니다.
정오각형은 다섯 각의 크기가 모두 같으므로 한 각의 크기는 $540^\circ\div5=108^\circ$입니다.

2-2 점을 이어 만든 정다각형은 정팔각형입니다.
정팔각형을 삼각형으로 나누면 삼각형이 6개가 나옵니다.
따라서 정팔각형의 모든 각의 크기의 합은 $180^\circ\times6=1080^\circ$입니다
정팔각형은 여덟 각의 크기가 모두 같으므로 한 각의 크기는 $1080^\circ\div8=135^\circ$입니다.

150쪽~151쪽

1 (1) 720° (2) 1080°
2 정십각형
3 60°
4 (1) 150 cm (2) 169 cm
5 48 cm

1 도형을 삼각형으로 나누어 봅니다.
(1)
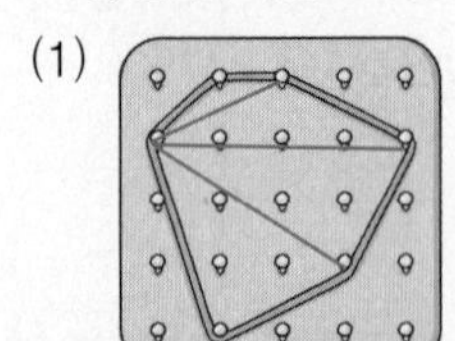
$180^\circ\times4=720^\circ$
(2)
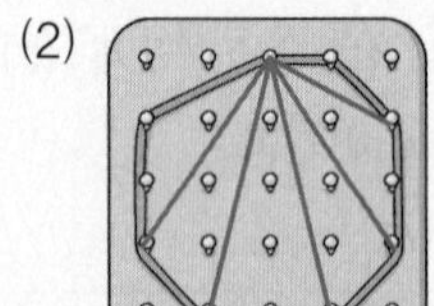
$180^\circ\times6=1080^\circ$

2 변의 수는 $30\div3=10$(개)이므로 만든 정다각형의 이름은 정십각형입니다.

3 정육각형의 여섯 각의 크기의 합은 $180^\circ\times4=720^\circ$이므로 한 각의 크기는 $720^\circ\div6=120^\circ$입니다.
직선은 180°이므로 ㉠$=180^\circ-120^\circ=60^\circ$입니다.

4 (1) (정삼각형의 한 변의 길이)$=45\div3=15$ (cm)
굵은 선의 길이는 정삼각형의 한 변의 길이의 10배이므로 $15\times10=150$ (cm)입니다.
(2) (정칠각형의 한 변의 길이)$=91\div7=13$ (cm)
굵은 선의 길이는 정칠각형의 한 변의 길이의 13배이므로 $13\times13=169$ (cm)입니다.

5 시작에 한 변의 길이가 2 cm인 정사각형을 넣습니다.
- 첫 번째: 한 변의 길이가 3 cm인 정오각형
➡ $3\times5=15$ (cm)<40 cm ➡ 아니요
- 두 번째: 한 변의 길이가 4 cm인 정육각형
➡ $4\times6=24$ (cm)<40 cm ➡ 아니요
- 세 번째: 한 변의 길이가 5 cm인 정칠각형
➡ $5\times7=35$ (cm)<40 cm ➡ 아니요
- 네 번째: 한 변의 길이가 6 cm인 정팔각형
➡ $6\times8=48$ (cm)>40 cm ➡ 예

따라서 끝에 나오는 정다각형의 모든 변의 길이의 합은 48 cm입니다.

152쪽~153쪽

활동 문제 152쪽
❶ 8 ❷ 4 ❸ 3 ❹ 7
활동 문제 153쪽
❶ 150° / 150°, 75° ❷ 80° / 80°, 40°

활동 문제 152쪽
직사각형과 정사각형은 두 대각선의 길이가 같고 한 대각선이 다른 대각선을 똑같이 둘로 나눕니다.
❶ $16\div2=8$ (cm) ❷ $8\div2=4$ (cm)
마름모와 평행사변형은 한 대각선이 다른 대각선을 똑같이 둘로 나눕니다.
❸ $6\div2=3$ (cm) ❹ $14\div2=7$ (cm)

154쪽~155쪽

1-1 36 cm
1-2 (1) 5 cm, 5 cm (2) 16 cm
1-3 25 cm
2-1 60°
2-2
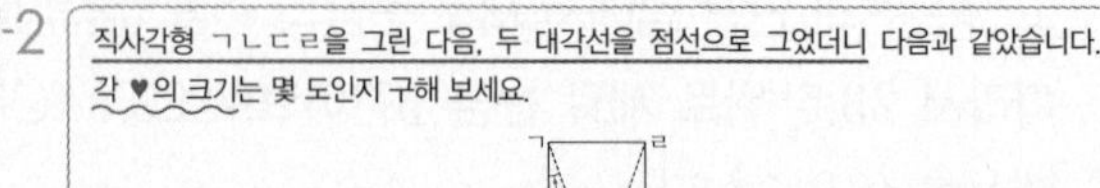
직사각형 ㄱㄴㄷㄹ을 그린 다음, 두 대각선을 점선으로 그었더니 다음과 같았습니다.
각 ♥의 크기는 몇 도인지 구해 보세요.
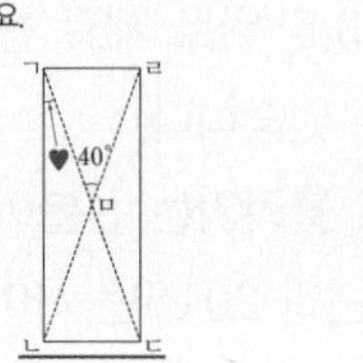

/ 20°
2-3 130°

1-1 변 ㄴㅁ, 변 ㅁㄷ의 길이는 20 cm의 반인 10 cm이므로 삼각형 ㅁㄴㄷ의 세 변의 길이의 합은 $10+10+16=36$ (cm)입니다.

1-2 (1) 변 ㄴㅁ, 변 ㅁㄷ의 길이는 10 cm의 반인 5 cm입니다.
(2) $5+5+6=16$ (cm)

1-3 변 ㄴㅁ의 길이는 $16 \div 2=8$ (cm), 변 ㅁㄷ의 길이는 $10 \div 2=5$ (cm)입니다.
따라서 삼각형 ㅁㄴㄷ의 세 변의 길이의 합은 $8+5+12=25$ (cm)입니다.

2-1 각 ㄱㄹㅁ의 크기는
$180^\circ-120^\circ=60^\circ$ ➔ $60^\circ \div 2=30^\circ$입니다.
각 ㄱㄹㄷ은 직각이므로
♥$=90^\circ-30^\circ=60^\circ$입니다.

2-2 각 ㄹㄱㅁ의 크기는
$180^\circ-40^\circ=140^\circ$ ➔ $140^\circ \div 2=70^\circ$입니다.
각 ㄹㄱㄴ은 직각이므로
♥$=90^\circ-70^\circ=20^\circ$입니다.

2-3 각 ㄹㄱㅁ의 크기는 $90^\circ-65^\circ=25^\circ$이므로 각 ㄱㄹㅁ의 크기도 25°입니다.
➔ (각 ㄱㅁㄹ)$=180^\circ-25^\circ-25^\circ=130^\circ$

4일 사고력·코딩 156쪽~157쪽

1 330 m
2 (위에서부터) 2, ☆, ⁘
3 구각형
4 (1) 5개
(2) 예 아닙니다, 예 같은 대각선을 두 번씩 세게 되므로 ÷2를 해야 합니다.
(3) 20개

1 직사각형의 두 대각선의 길이는 같고 한 대각선이 다른 대각선을 똑같이 둘로 나눕니다.
(변 ㄹㅁ)$=$(변 ㄱㅁ)$=180 \div 2=90$ (m)
(뛴 거리)$=150+90+90=330$ (m)

2 정■각형 ➔ 정(■+1)각형의 꼭짓점 ➔ 정(■+1)각형의 대각선 ➔ 정(■+1)각형의 대각선의 수

3 한 꼭짓점에서 이웃하는 두 꼭짓점끼리는 대각선을 그을 수 없으므로 이 다각형의 꼭짓점은 9개입니다.
➔ 구각형

4 (1)
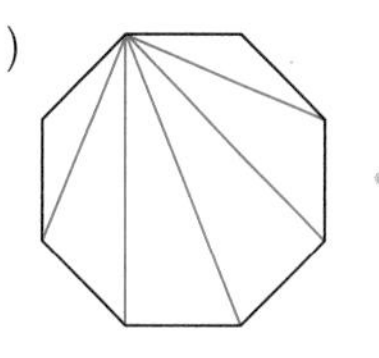
➔ 5개

(3) $5 \times 8=40$ ➔ $40 \div 2=20$(개)

참고
■각형의 한 꼭짓점에서 그을 수 있는 대각선의 수는 (■-3)개입니다.
따라서 ■각형에서 그을 수 있는 대각선의 수는 (■-3)$\times$■를 2로 나눈 값입니다.
(■−3): 한 대각선에서 그을 수 있는 대각선의 수
■: 꼭짓점의 수

5일 개념·원리 길잡이 158쪽~159쪽

활동 문제 158쪽

① 정삼각형 채우기

예
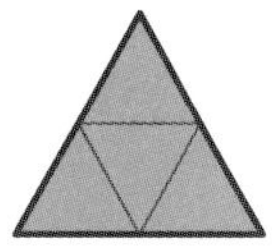
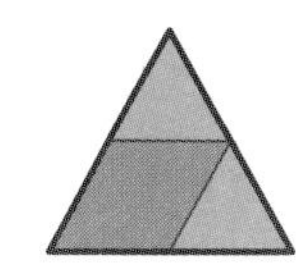
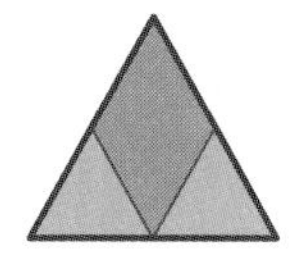

② 정육각형 채우기
예
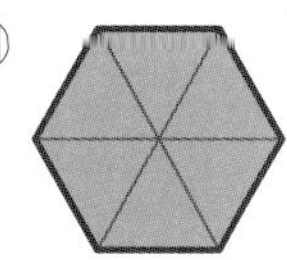
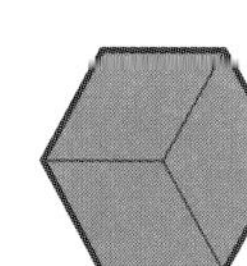
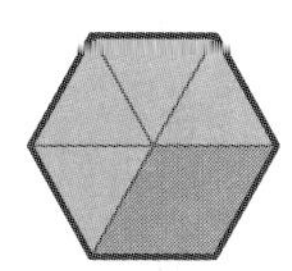

활동 문제 159쪽

① 정삼각형으로 평면 채우기
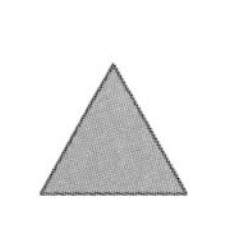
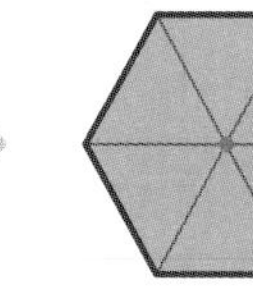
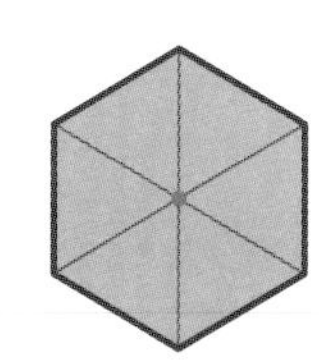

② 정사각형으로 평면 채우기

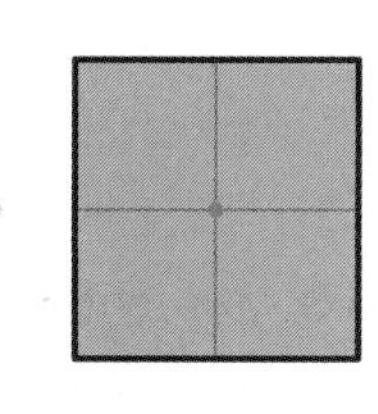
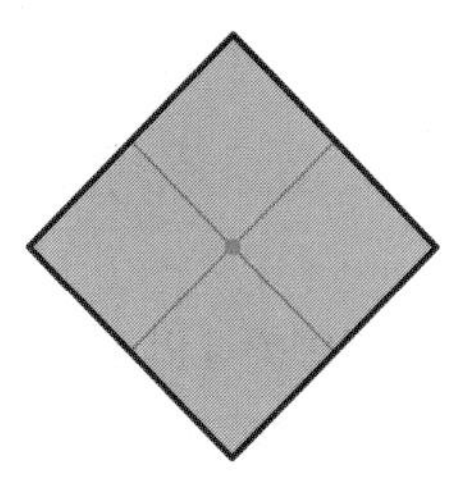

③ 정육각형으로 평면 채우기
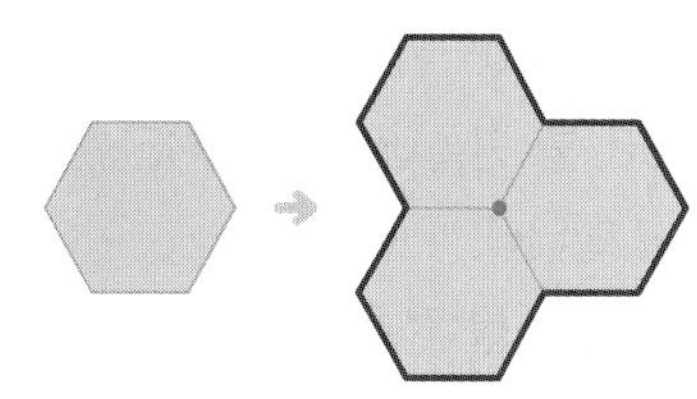
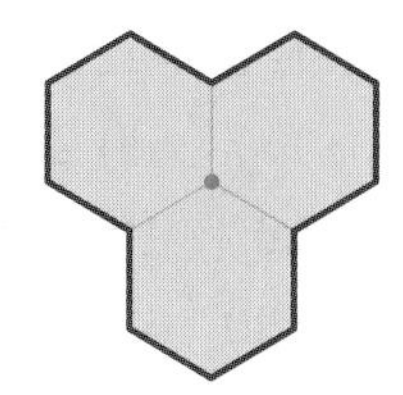

5일 서술형 길잡이 독해력 길잡이 160쪽~161쪽

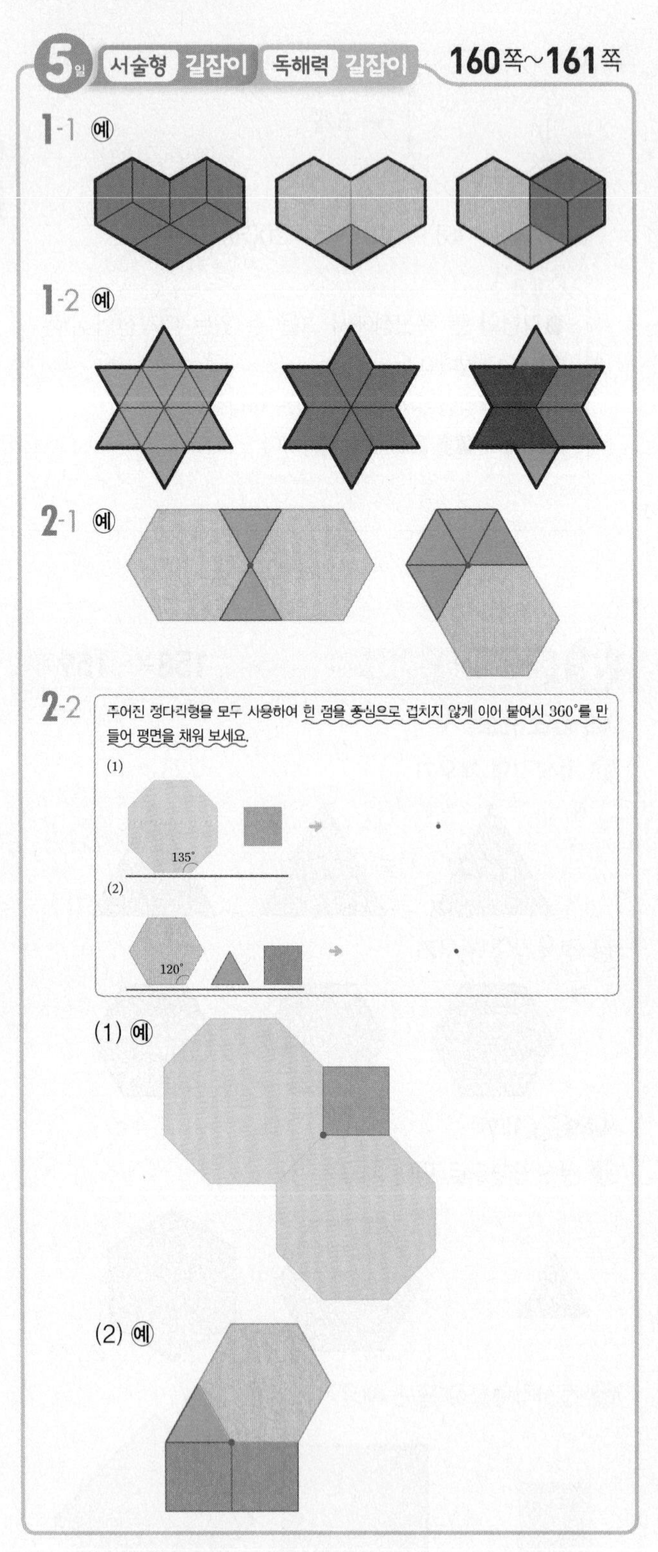

2-1 120°를 1번 쓰면 60°를 4번 써야 합니다.

→ 120°+60°+60°+60°+60°=360°

120°를 2번 쓰면 60°를 2번 써야 합니다.

→ 120°+120°+60°+60°=360°

2-2 (1) 135°, 90°로 360°를 만들어 보면 135°는 2번, 90°는 1번을 써야 합니다.

(2) 120°, 60°, 90°로 360°를 만들어 보면 120°는 1번, 60°는 1번, 90°는 2번을 써야 합니다.

5일 사고력·코딩 162쪽~163쪽

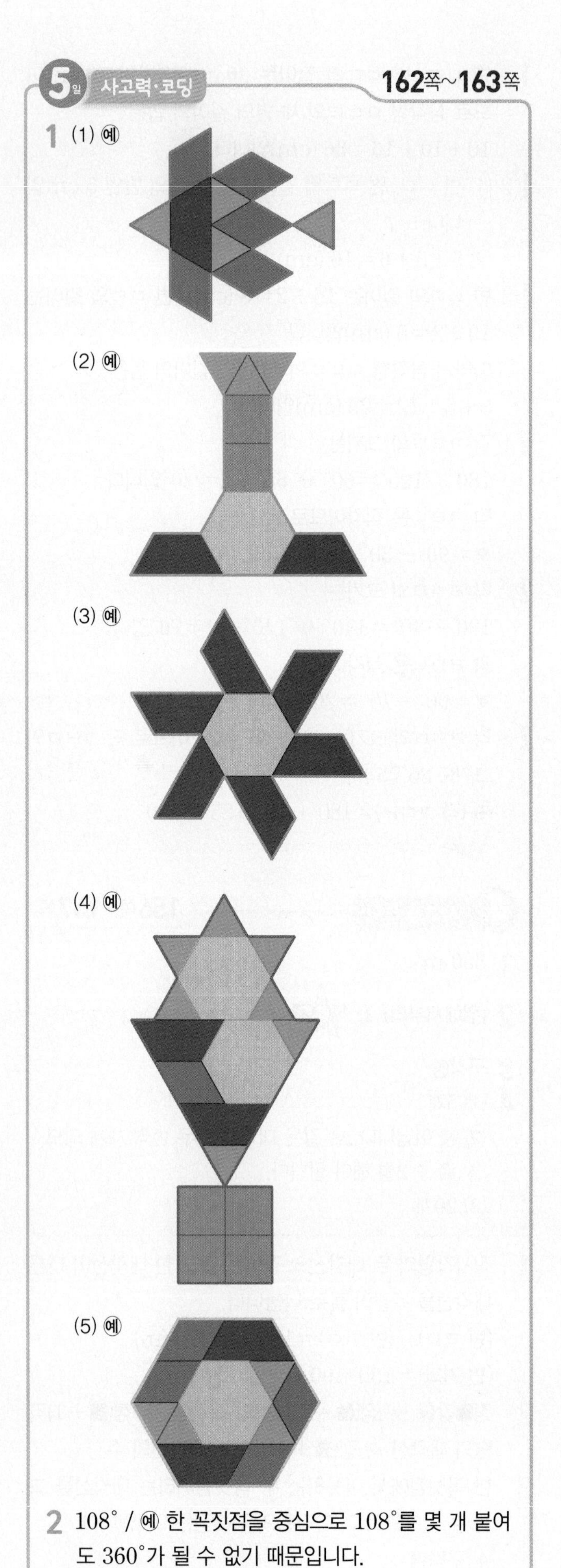

2 108° / 예 한 꼭짓점을 중심으로 108°를 몇 개 붙여도 360°가 될 수 없기 때문입니다.

3 예

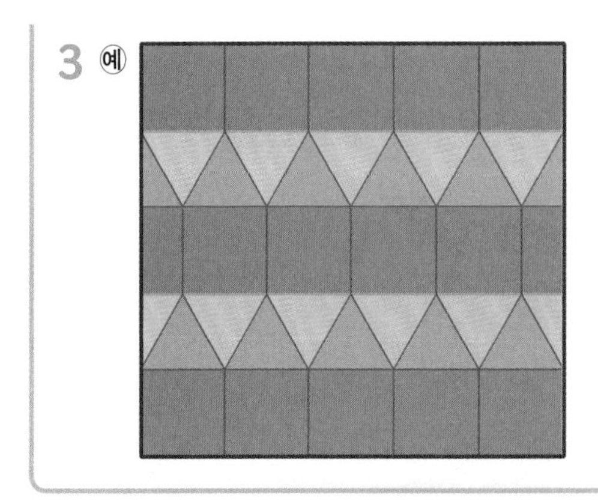

1 • 큰 모양 조각부터 채워 넣고 나머지 부분을 작은 모양 조각으로 채우면 쉽게 채울 수 있습니다.
• 삼각형 모양으로 채울 수 없는 부분은 직사각형 모양을 이용합니다.

2 정오각형의 한 각의 크기는
$180^\circ \times 3 = 540^\circ$ ➔ $540^\circ \div 5 = 108^\circ$입니다.
$108^\circ \times 3 = 324^\circ$, $108^\circ \times 4 = 432^\circ$로 360°를 만들 수 없습니다.
한 점을 중심으로 360°로 채울 수 있어야 평면을 덮을 수 있습니다.

3 90°와 60°로 360°를 만들려면 90°를 2번, 60°를 3번 써야 합니다.
➔ $90^\circ + 90^\circ + 60^\circ + 60^\circ + 60^\circ = 360^\circ$

4주 특강 창의 · 융합 · 코딩 164쪽~169쪽

1

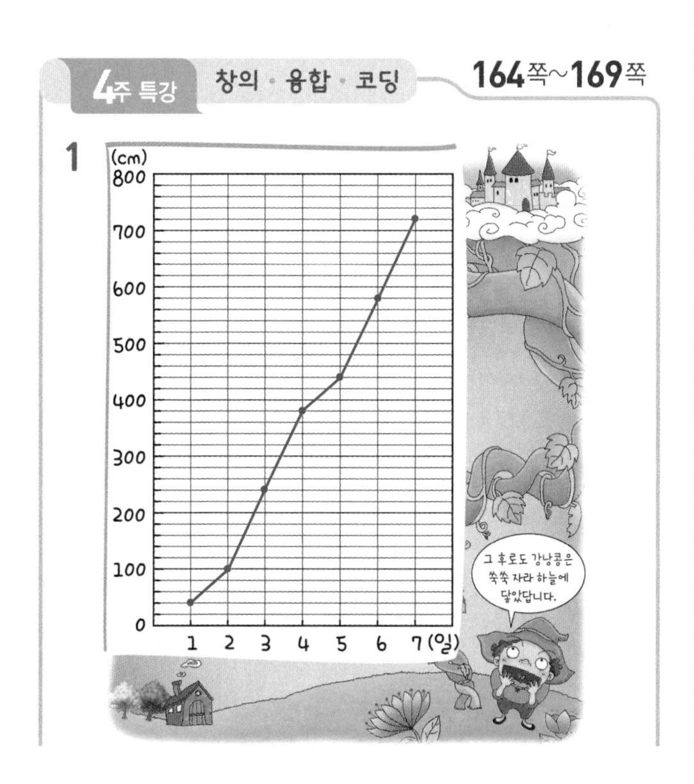

2

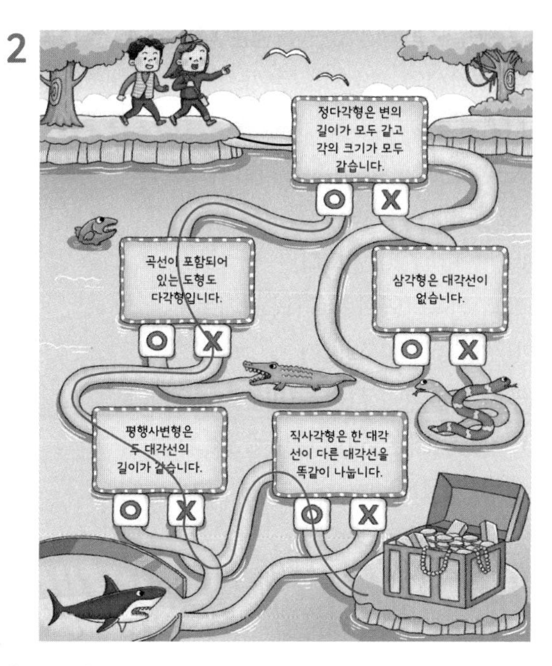

3 120°

4 (위부터) 9, 4 /
$2+3+$ $\boxed{4+5+6+7+8}$ $=$ $\boxed{35}$ (개)

5 예 두 대각선이 서로 수직으로 만납니다.
예 한 대각선이 다른 대각선을 똑같이 둘로 나눕니다.

6 ❶

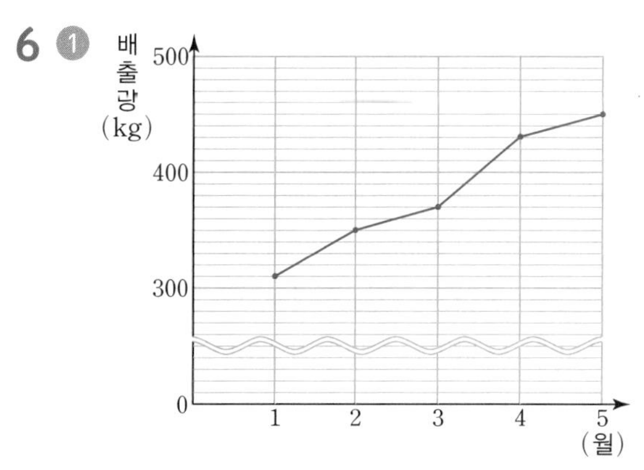

❷ 예 5월 달의 쓰레기 배출량보다 많을 것이라고 예상합니다.

7 60, 3, 90, 2, 360

8 ❶ 정오각형, 정육각형 — 바꾸어 써도 됩니다.
❷ 12°

9 180, 180, 900, 900, 540 / 540°

10 ❶ $180^\circ \times 9 = 1620^\circ$
❷ 예 삼각형 9개의 꼭짓점이 한 곳에서 만나는 부분의 각 360°는 구각형의 아홉 각에 해당하지 않으므로 $1620^\circ - 360^\circ = 1260^\circ$가 구각형의 아홉 각의 크기의 합입니다.
/ 1260°

2 • 곡선이 포함되어 있는 도형은 다각형이 아닙니다.
• 두 대각선의 길이가 같은 도형은 직사각형과 정사각형입니다.

3 정육각형은 삼각형 4개로 나눌 수 있으므로 모든 각의 크기의 합은
$180^\circ \times 4 = 720^\circ$입니다.
따라서 정육각형의 한 각의 크기는
$720^\circ \div 6 = 120^\circ$입니다.

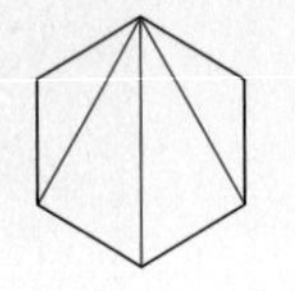

6 쓰레기 배출량이 점점 늘어나고 있습니다.

7 $60^\circ \times 3 = 180^\circ$, $90^\circ \times 2 = 180^\circ$
➔ $180^\circ + 180^\circ = 360^\circ$

8

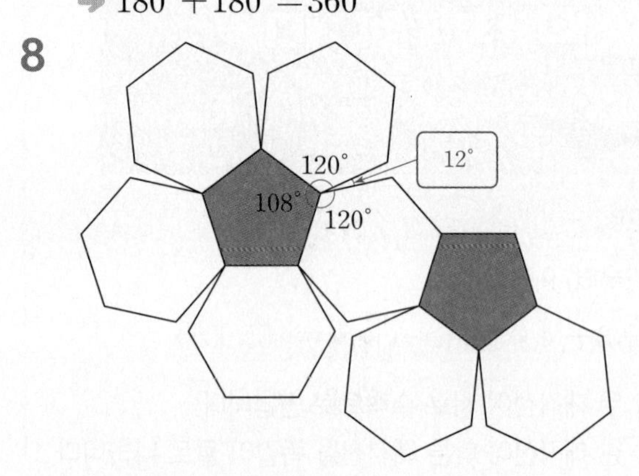

정오각형의 한 각의 크기:
$180^\circ \times 3 = 540^\circ$ ➔ $540^\circ \div 5 = 108^\circ$
정육각형의 한 각의 크기:
$180^\circ \times 4 = 720^\circ$ ➔ $720^\circ \div 6 = 120^\circ$
$108^\circ + 120^\circ + 120^\circ = 348^\circ$이므로
$\square = 360^\circ - 348^\circ = 12^\circ$입니다.

10 ② $1620^\circ - 360^\circ = 1260^\circ$의 식이 있는지 확인합니다.

누구나 100점 TEST 170쪽~171쪽

1 56 cm
2 135°
3 예

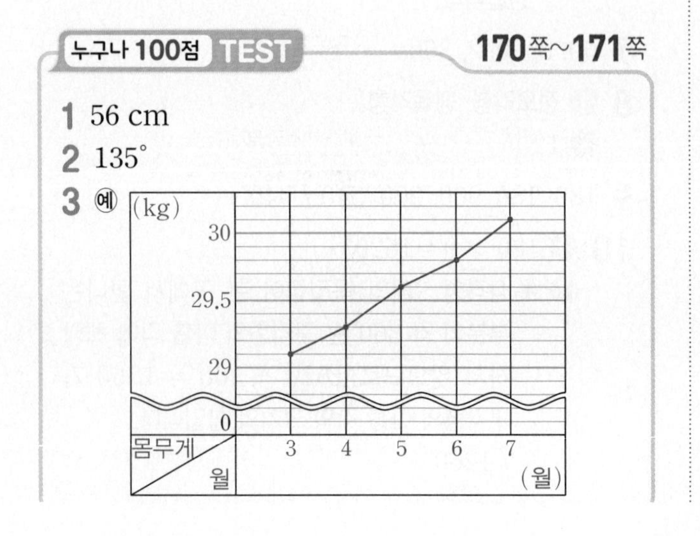

4 29.7 kg
5 18
6 30°
7 예
8 예
9 105°

1 정팔각형은 8개의 변의 길이가 모두 같습니다.
➔ (모든 변의 길이의 합)$=7 \times 8 = 56$ (cm)

2 정팔각형의 여덟 각의 크기의 합은 $180^\circ \times 6 = 1080^\circ$이므로 한 각의 크기는 $1080^\circ \div 8 = 135^\circ$입니다.

3 가로에 월, 세로에 몸무게를 나타내고, 민희의 몸무게는 29.1 kg부터 시작하므로 물결선 위를 29 kg으로 합니다. 그리고 가로 눈금과 세로 눈금이 만나는 자리에 점을 찍고, 점들을 선분으로 잇습니다.

4 5월과 6월의 중간값을 꺾은선그래프에서 알아보면 29.7 kg입니다.

5 직사각형은 한 대각선이 다른 대각선을 똑같이 나눕니다.
(변 ㄴㅁ)=(변 ㅁㄷ)$=10 \div 2 = 5$ (cm)
➔ (삼각형 ㅁㄴㄷ의 세 변의 길이의 합)
$=5+5+8=18$(cm)

6 직사각형에 대각선을 그었을 때 생기는 4개의 삼각형은 모두 이등변삼각형입니다.
각 ㄱㄴㅁ의 크기:
$180^\circ - 60^\circ = 120^\circ$ ➔ $120^\circ \div 2 = 60^\circ$
각 ♥의 크기: $90^\circ - 60^\circ = 30^\circ$

7 서로 겹치거나 빈틈이 생기지 않도록 모양을 채웁니다. 모양을 채우는 방법은 여러 가지가 있습니다.

8 정육각형의 한 각의 크기는
$180^\circ \times 4 = 720^\circ$ ➔ $720^\circ \div 6 = 120^\circ$입니다.
정팔각형의 한 각의 크기는
$180^\circ \times 6 = 1080^\circ$ ➔ $1080^\circ \div 8 = 135^\circ$입니다.
$120^\circ + 135^\circ = 255^\circ$이므로
$\square = 360^\circ - 255^\circ = 105^\circ$입니다.

◀ 정답은 이안에 있어!

기초 학습능력 강화 프로그램

매일 조금씩 공부력 UP!

과목	교재 구성	과목	교재 구성
하루 수학	1~6학년 1·2학기 12권	**하루 사고력**	1~6학년 A·B단계 12권
하루 VOCA	3~6학년 A·B단계 8권	**하루 글쓰기**	예비초~6학년 A·B단계 14권
하루 사회	3~6학년 1·2학기 8권	**하루 한자**	1~6학년 A·B단계 12권
하루 과학	3~6학년 1·2학기 8권	**하루 어휘**	1~6단계 6권
하루 도형	1~6단계 6권	**하루 독해**	예비초~6학년 A·B단계 12권
하루 계산	1~6학년 A·B단계 12권		

※ 각 교재별 출간 시기는 조금씩 다르며, 일부 교재는 순차적으로 출시될 예정입니다.

배움으로 행복한 내일을 꿈꾸는

천재교육 커뮤니티 안내

교재 안내부터 구매까지 한 번에!

천재교육 홈페이지

천재교육 홈페이지에서는 자사가 발행하는 참고서,
교과서에 대한 소개는 물론 도서 구매도 할 수 있습니다.
회원에게 지급되는 별을 모아 다양한 상품 응모에도
도전해 보세요.

구독, 좋아요는 필수! 핵유용 정보 가득한

천재교육 유튜브 <천재TV>

신간에 대한 자세한 정보가 궁금하세요?
참고서를 어떻게 활용해야 할지 고민인가요?
공부 외 다양한 고민을 해결해 줄 채널이 필요한가요?
학생들에게 꼭 필요한 콘텐츠로 가득한 천재TV로 놀러 오세요!

다양한 교육 꿀팁에 깜짝 이벤트는 덤!

천재교육 인스타그램

천재교육의 새롭고 중요한 소식을 가장 먼저 접하고 싶다면?
천재교육 인스타그램 팔로우가 필수!
누구보다 빠르고 재미있게 천재교육의 소식을 전달합니다.
깜짝 이벤트도 수시로 진행되니 놓치지 마세요!